Maria Semple

Michiyo Kitamura

バーナデットをさがせ！

マリア・センプル

北村みちよ＝訳

WHERE'D YOU GO, BERNADETTE

彩流社

ポピー・マイヤーに

目次

わたしがまずいらつくのはね、ママに何があったと思うかパパに尋ねると、決まってこんな言葉が返ってくることよ。「肝心なのは、自分のせいじゃないっておまえが知ることだ」。そもそもわたしの質問に対する答えにすらなっていないってわかるでしょ。そこでしつこく答えを迫ると、パパはまたいらつくことを言うの。「真実ってものは複雑なんだ。他人について何もかもわかるはずないよ」

ママはわたしに黙ってクリスマスの２日前に跡形もなく姿を消す。たしかに真実は複雑よ。でも複雑だからといって、他人についてすべて理解できないと思っているからといって、理解しようと努めていけないわけじゃない。

わたしにだって理解しようとする権利くらいあるでしょ。

1

ママvs.ブヨ軍団

11月15日（月）

ゲイラーストリート校は、思いやりの心、学究心、グローバルなつながろうとする《コネクティテュード》姿勢を育《はぐく》み、持続可能で多様性に富む惑星における、公共心豊かな住人を生み出す場である。

生徒名：ビー・ブランチ
学年：８年生
担任：リーヴィ

略語表	S	きわめて優秀
	A	優秀
	W	もう一歩で優秀

幾何	S
生物	S
世界宗教	S
音楽	S
創作	S
陶芸	S
国語	S
表現運動	S

所見：ビーさんは実にすばらしい生徒です。向学心に燃え、優しくユーモアあふれるところには、ほかの生徒も感化されています。ビーさんは質

問するのを恐れません。単に好成績を収めることではなく、与えられたテーマについて常に深く理解することを目指しているのです。ほかの生徒からは学業面で頼りにされ、そうしたときはいつもすかさず笑顔で応じています。単独作業では抜群の集中力を発揮しますし、グループ作業の際は、穏やかで自信に満ちたリーダーとなります。特筆すべきは、依然としてフルートの名手である点です。今年度はまだ３分の１を終えたばかりですが、今からすでに、ビーさんがゲイラーストリート校を卒業し、世の中へと旅立つ日が来るのが悲しくてなりません。東部の寄宿学校を志願されていることは承知しています。これからビーさんに出会い、実に愛らしいお嬢さんだと知ることになる先生方をうらやましく思います。

＊

その夜の食事中、ママとパパから「さすがうちの娘だ」とか「賢い子ね」などとしきりに褒められるのをじっと我慢して聞いていた。ようやく話が途切れると、わたしはこう言った。
「どういうことかわかってるでしょ。すごいことだって」
ママとパパは、なんのことだろうとでもいうように顔をしかめながら見つめ合った。
「覚えてないの？　わたしがゲイラーストリートに入ったとき、最高の成績をキープできたら、卒業プレゼントとしてなんでも欲しいものをくれるって言ったじゃない」
「そりゃ覚えてるわよ」。ママは言った。「ポニーの話をもう聞きたくないからそう言ったの」
「そんなの、わたしが小さいときに欲しかったものでしょ。でも、今はほかのものがいいの。何か知りたくない？」

「さあね」とパパ。「どうかな？」
「南極への家族旅行よ！」。わたしはお尻の下に敷いていたパンフレットを取り出した。エキゾチックな地へのクルーズを扱っている冒険旅行会社のパンフレットだ。そして南極のページを開けて、テーブル越しに差し出した。「行くなら、クリスマス休暇中でないと」
「今度のクリスマスのこと？　1ヵ月後の？」。そう言うとママは立ち上がり、空《から》になった使い捨て容器を、デリバリーされたときに入れてあった袋に詰め始めた。
　パパはもう夢中になってパンフレットを眺めている。「南極では夏なんだな。この時期にしか行けないのか」
「ポニーはかわいいものね」。ママは袋の持ち手を結んだ。
「どうだい？」。パパは顔を上げてママにきいた。
「仕事が忙しい時期なんじゃない？」。ママはパパにきいた。
「学校で南極大陸の勉強をしてるの。探検家の日記は片っ端から読んだし、シャクルトンについて発表しようと思って」。わたしは椅子の上で身をくねらせた。「信じらんない。ふたりともだめって言わないなんて」
「きみが反対するのを待っていたんだ」。パパはママに言った。「旅行は嫌いだろ」
「あなたが反対するのを待ってたのよ」。ママはパパに言った。「仕事があるでしょ」
「ウソッ。いいのね！」。わたしは椅子から飛び上がった。「いいってことね！」。わたしが喜ぶとみんなに伝染しやすいから、アイスクリームは目を覚まして吠えながら、勝者のようにテーブルの周りをぐるぐる駆け回った。
「いいってことかい？」。パパは、プラスチック容器がごみ箱に押し込められるパリパリいう音に負けないくらいの大声で、ママにきいた。
「そうね」。ママは答えた。

＊

11月16日（火）

Ｆｒｏｍ：バーナデット・フォックス
Ｔｏ：マンジュラ・カプール

マンジュラへ
　思いも寄らないことが起きたから、もっと働いてほしいの。今回の試用期間はこちらとしてはとても助かったわ。あなたの役にも立っているといいけど。そうだとしたら、巨大プロジェクトにヒンドゥーの魔法をかけてもらいたいから、できるだけ早く返信をちょうだい。
　では、はっきり言いましょう。
　わたしにビーという娘がいるのは知っているわよね（薬を注文して、保険会社と勇敢に戦ってもらっているのは、この子のためよ）。どうやら夫とわたしは、オールAで中学校を卒業したら、望むものはなんでもあげるとビーに約束してしまったみたいなの。ビーはオールA――ゲイラーストリートは、成績で評価するのは生徒の自尊心を傷つける行為だといった考え方をするリベラルな学校（インドにはそんな学校はないといいけど）だから、むしろオールSと言うべきかも――を取ったけど、それで何を欲しがっていると思う？　南極への家族旅行よ！
　南極へ行きたくない理由は山ほどあるけど、最大の理由は、家を離れなければいけないこと。わたしが外出は苦手だともう気づいているでしょうね。でも、ビーと言い争うわけにはいかなくて。あの子はいい子だから。わたしとエルジーとほかに10人合わせたよりずっと人柄がいいのよ。しかもあの子は、来年の秋に寄宿学校に入れるよう志願しているところだし。オールAを取ったから入れるに決まってる。失礼、オールSね。だから、わたしが行きたくないと騒ぎ立てたら、ものすごく後味が悪くなってしまうでしょう。

南極へ行くにはクルーズ船に乗っていくしかないの。一番小さい船でも150人の客を乗せるから、無礼にふるまい、無駄でばかげた質問をし、ひっきりなしにしゃべり続け、気味の悪い食べ物を欲しがり、退屈な世間話をしてきて、こちらにひどく不愉快な思いをさせる連中149人と一緒にわたしは閉じ込められることになるってわけ。さらに不快なことに、連中はわたしに好奇心を向け、社交辞令を返してくるのを期待するかもしれない。そう考えただけでパニック発作に襲われてしまって。ちょっぴり社会不安を抱いたところで、誰も困らないでしょ？

情報は提供するので、お願いだから、書類の作成、ビザ、航空券といったわたしたち3人がシアトルから南極まで行くのに必要な手続き一切を代わりにやっていただけない？　都合はつくかしら。

お願いね。

バーナデット

あっ、そうそう！　航空運賃、乗船券代、身支度の代金を払うのに必要なクレジットカードの番号はすでに知らせてあるけど、あなたの給料に関しては、わたしの個人口座から直接引き出してもらいたいの。先月あなたに払ったビザカードの請求額をエルジーが見てしまって、たいした額ではなかったけど、わたしがインド在住のバーチャル秘書を雇っていると知って好ましく思わなかったみたいで。だからもう雇わないと約束したの。そういうわけで、できればわたしたちのロマンスは秘密にしておきましょう。

＊

Ｆｒｏｍ：マンジュラ・カプール
Ｔｏ：バーナデット・フォックス

フォックス様
　南極への家族旅行を計画するお手伝いをさせていただくことができて嬉《うれ》しく思います。フルタイムで計画を進めるための契約書を添付いたします。指示された箇所にご利用の銀行コードをご入力ください。一緒にお仕事させていただくのを楽しみにしております。
　よろしくお願いいたします。
　マンジュラ

＊

デリー・バーチャル・アシスタント・インターナショナルからの請求書

請求書番号：BFB39382
担当：マンジュラ・カプール

時給0.75米ドルで週40時間勤務
総計　30.00米ドル

受領次第、全額お支払いください。

11月17日（水）

＊

オリー・オードウェイ（オリー・オー）からの手紙

親展　ゲイラーストリート校保護者会御中

保護者各位

先週は皆さまにお目にかかれて感激いたしました。すばらしいゲイラーストリート校のコンサルタントとして雇っていただき、大変うれしく思っております。グッドイヤー校長から活発な保護者会だと伺っていたとおり、皆さまは期待に応えてくださいました。

率直に申しましょう。３年後には、皆さまの学校は現在の敷地の賃借権を失うことになっています。われわれの目標は、より大きなよりふさわしいキャンパスを購入できるように**資金集めキャンペーンを始めること**です。会に欠席された方のために、この点についてこれから**詳しくご説明します**。

私は、20万ドル以上年収があり、来年に就学前クラス〔アメリカの多くの小学校には、入学前１年間の就学前クラス（K学年）が設けられている〕に入る予定のお子さんをお持ちの、シアトル地区に住む保護者の方25名からなるオフ会を主催しました。**主な話題**となったのは、ゲイラーストリートが**二流校**、つまり、第一志望校に入れない志願者のための滑り止め校だと思われている点です。

われわれの目的は、ゲイラーストリートを**画期的に変化させ**、シアトルのエリートにとっての**第一志望校群**《First Choice Cluster》（ＦＣＣ）へと引き上げることです。どうしたらこの目的を達成できるでしょうか。**秘伝のソース**は何でしょう？

ゲイラーストリートでは、グローバルな「つながろうとする姿勢《コネクティテュード》」〔コネクト(つながる）+テュード(姿勢）の造語〕を基盤とする教育方針が掲げられています（既成概念にとらわれずに考えるだけでなく、辞書にもとらわれずに考えてください！)。皆さまは、グアテマラ人のために雌牛を買ったことや、アフリカの村民たちにソーラー式料理用コンロを送ったことで、**マスコミ**によってすばらしく大々的に報道されました。会ったこともない人たちのために**少額の募金**を集めるのはご立派ですが、ご自身のお子さんの通う私立学校のために**多額の募金**を集め始めるべきです。このためには、皆さまは、私が**スバル層の親**の考え方と呼んでいるものから解き放たれて、**メルセデス層の親**の視点に立って考えるようにしなくてはなりません。では、メルセデス層の親はどのように考えるでしょうか。私の調査によると、以下のとおりです。

1）私立学校の選択にあたっては、**恐れに基づき**かつ**上昇志向で**決める。メルセデス層の親は、自分の子どもが「最善の教育」を受けられないことを恐れている。最善の教育たるものは、実際の教育内容には何ら関係なく、学校にメルセデス層の親が何人いるかと大いに関係がある。

2）就学前クラスに願書を出すとき、メルセデス層の親は**景品を目当て**にしている。その景品とは、ビル・ゲイツやポール・アレンらの母校である**レイクサイド校**に進学することだ。レイクサイドはまさにアイビーリーグへ生徒を送り込む学校と考えられている。要するに、この**クレージーな列車**が最初に止まるのは**就学前クラス連絡駅**で、**ハーバード駅**にたどり着くまでは誰も降りない。

グッドイヤー校長は、工業団地にある現在のキャンパスを案内してくださいました。どうやら、スバル層の親は、**海産物の卸売販売店**に隣接した学校へお子さんを送り込むことを気にしないようですね。メルセデス層の親は間違いなく気にしますが。

すべての道は新しいキャンパスを購入するための資金集めに通じます。それを達成する最善策は、来年度の就学前クラスを**メルセデス層の親**でいっぱいにすることです。

険しい登り道が待っていますので、**アイゼンをつかんで**ください。でも心配無用です。**私が落伍者のお世話をします**から。ご予算に基づいて**二本柱の行動計画**を立てました。

まず**着手すべきこと**は、ゲイラーストリートのロゴの**デザインを変えること**です。私は画像データ集《クリップアート》の手形を大いに気に入っていますが、**成功**をもっとはっきり表現しているデザインを考えましょう。スペースニードル〔シアトルの中心地にあるタワー〕、計算機、湖（レイクサイドにあるような）、ほかにはボールか何かが描かれた、四分割した盾形紋章などはいかがですか。ちょっと思いついたことをお話ししているだけで、何ひとつ決まってはいません。

次に**着手すべきこと**は、**志望者の保護者対象ブランチ会**《Prospective Parent Brunch》（ＰＰＢ）を開いて、その会をシアトルのエリート、すなわち、私の気に入っている呼び方で言うなら、**メルセデス層の親**でいっぱいにするよう努めることです。ゲイラーストリートの保護者であるオードリー・グリフィンさまが、ご親切にもすてきなご自宅でこの集まりを開こうと申し出てくださいました（水産物から離れているに限ります）。

シアトルに住む**メルセデス層の親**をリストアップしたスプレッドシートを添付いたします。このリストに目を通して、ブランチ会へ送り込める方のお名前をお知らせください。新たに**メルセデス層の親**を確保する**手段**として、われわれが**うれしい悲鳴を上げる**ような**重大な収穫**があることを期待しています。メルセデス層の親たちが顔を合わせれば、ゲイラーストリートが二流校であるとの恐れは解消され、志願者が殺到することでしょう。

ところで、私は招待状に取りかかっています。できるだけ早く該当者のお名前をお知らせください。クリスマスの前にグリフィンさまの家でこのブランチ会を実行しなければいけません。12月11日の土曜日に開催する予定です。このささやかなイベントには、最高の**キルトリフター**〔シアトルの地ビール〕を造る原料がすべてそろっています。

ごきげんよう。

オリー・オー

*

オードリー・グリフィンからブラックベリー除去業者への連絡メモ

トムへ

12月11日にわが家で開く予定の学校のブランチ会に備え、庭に出て、多年草を刈り込み、冬色の植物を植えていました。堆肥をひっくり返しにいくと、ブラックベリーの蔓《つる》に襲われました。

堆肥の山ばかりか、これまで育ててきた野菜畑や温室やミミズ箱にまで、蔓がまた這《は》っているのに気づき、ショックです。わたしがいかにがっかりしているか、おわかりでしょう。何しろ３週間前に蔓を除去するのに大金を請求されたばかりですから（235ドルは、あなたにとっては端金《はしたがね》かもしれませんけど、わたしたちにしたら大変な額です）。

いただいたチラシには、効果を保証してくれると書いてありました。ですから、11日までにもう一度いらしてブラックベリーをすべて除去してください。今度こそ永遠に出てこないように。

神のお恵みを。スイスチャードはどうぞご自由に取って食べてちょうだい。

オードリー

*

ブラックベリー除去業者、トムからの連絡メモ

オードリー様

お宅の敷地のブラックベリーはたしかに除去しました。あなたがおっしゃっている蔓の出所は、丘の上にあるお隣の家です。そちらのブラックベリーがお宅のフェンスの下や庭に侵入しているのです。

ブラックベリーの侵入を阻むために、土地の境界線に溝を掘り、コンクリートを流し込んで仕切りを作ることもできますが、1.5メートルの深さは必要ですので、コストがかかります。あるいは、除草剤でブラックベリーを処理しても構いません。しかしミミズや野菜のことを考えると、お望みではないでしょうね。

ほんとうに取るべき手段は、丘の上にあるお隣に、蔓を根こそぎにしてもらうことです。シアトルの街でこれほど多くのブラックベリーが生い茂るのをかつて見たことがありません。お宅のような高級住宅が並ぶクイーン・アン・ヒルではなおさらです。ヴァッション島では、ブラックベリーの蔓のせいで基礎全体がひび割れた家を見たことはありますが。

お隣の茂みは急斜面にありますので、特殊な機械が必要でしょう。最

適なのは、CXJサイドアーム式傾斜地用コンバインですが、当方は持ち合わせておりません。
　もうひとつの方法は、私としては最善策だと思いますが、大きなブタを使うことです。２頭借りられたら、１週間以内に、やつらがブラックベリーを根こそぎにし、さらにほかのものもいくらか引き抜いてくれます。しかもすごく愛らしいです。
　こちらからお隣に相談しましょうか。訪問しても構いません。誰も住んでいらっしゃらないようですが。
　ご連絡ください。
　トム

＊

Ｆｒｏｍ：スーリン・リー＝シーガル
Ｔｏ：オードリー・グリフィン

オードリーへ
　わたしがシャトルバスで通勤するようになったことは話したでしょ？　それで、今朝、誰と乗り合わせたと思う？　バーナデットのだんなのエルジン・ブランチよ（わたしがマイクロソフトの通勤バス〈コネクター〉に乗って節約しなければならない理由は明らかだけど、なんだってエルジン・ブランチが？）。初めは彼だとはっきりわからなかった。だって学校ではめったに見かけないから。
　とにかくこの話を気に入ってくれるはずよ。ひとつだけ席が空《あ》いていて、それはエルジン・ブランチの隣の窓側だったの。
「すみません」とわたしは声をかけた。

　彼はものすごい勢いでノートパソコンのキーをたたいていて、顔を上げないまま、ひざを横に動かした。彼がレベル80の会社役員で、わたしはただの秘書だってわかっている。でもたいていの紳士なら、立ち上がって女性を通らせるはずよ。わたしは彼の前をやっとのことですり抜けて席に着くと、こう言ったの。
「ようやく晴れそうですね」
「それは結構で」
「〈世界お祝いデー〉をすごく楽しみにしてるんです」。わたしがそう言うと、彼は、こいつ誰なんだろうと少しびっくりしているみたいな顔をした。「わたし、リンカーンの母親です。ゲイラーストリートの」
「そうでした！　おしゃべりしたいところですが、このメールを送らないといけませんから」。そう言って、彼は首にかけていたヘッドホンをつかんで耳につけると、またノートパソコンに向かった。でね、聞いてほしいんだけど、そのヘッドホンはパソコンにつながってさえいなかったのよ！　ノイズキャンセリング用だったんだから。彼はレドモンド〔マイクロソフトの本社がある町〕に着くまでずっと口をきいてくれなかった。
　この5年間、バーナデットは嫌なやつだってずっと思っていたけど、だんなのほうも同じくらい失礼で無愛想だとわかったってわけ！　あんまりムカムカしたから、仕事に取りかかると、バーナデット・フォックスをググッてやった（わたしたちが病的なほど彼女に執着しているにしては、これまでそうしないでいたのが信じられないくらいよ！）。エルジン・ブランチがマイクロソフトで《サマンサ2》チームのリーダーを務めていることは誰もが知っているけど、バーナデットに関しては、調べても何も出てこなかった。バーナデット・フォックスなる人物は、カリフォルニアのある建築家しかいなくて。それで彼女の名前を、いろいろ組み合わせを変えて調べてみた。バーナデット・ブランチ、バーナデット・フォックス＝ブランチとかね。でも、わたしたちの知っているバーナデット、つまりビーのママは、インターネット上では存在しないの。最近のネットはたいしたものなのに。

話は変わるけど、オリー・オーってすてきだと思わない？　去年、マイクロソフトが彼も含めた従業員の10％を解雇したときはがっかりしたのよ。でもそうじゃなければ、うちみたいな小さな学校にはイメージチェンジをはかるために彼を雇うことなんてできなかったでしょうね。

ここマイクロソフトでは、ＣＥＯのスティーブ・バルマーが感謝祭明けの月曜にタウンホール・ミーティング〔経営陣と従業員が直接対話する集会〕を開くと宣言したばかりで、大変なうわさになっているの。その直前に会議室を数時間予約しておくよう、わたしはプロジェクト責任者から頼まれて、見つけるのに苦労しているところだけど。となれば、考えられるのはただひとつ。またレイオフがあるのよ（楽しい休暇になること！）。わがチームリーダーときたら、うちのプロジェクトが取りやめになりそうだといううわさも耳にしたものだから、一番大きなＥメールのスレッドを見つけて、「マイクロソフトは絶滅しつつある恐竜だ」と書いてから、〈全員に返信〉ボタンを押しちゃったの。ヤバいでしょ。そこで、チーム全体が罰せられるんじゃないか、それに、わたし自身も左遷されるんじゃないかと心配しているの。いえ、左遷さえされないかも！　あの予約するよう頼まれた会議室が自分の解雇のためだとしたらどうしよう？

ああ、オードリー、どうか、わたしとアレクサンドラとリンカーンのために祈ってやって。辞職勧告なんてされたらどうしたらいいかわからないもの。ここの福利厚生は充実しているのに。休暇が終わってもまだこの仕事に就いていられたら、志望者の保護者ブランチ会のためにぜひ食費を負担させてね。

スーリン

11月18日（木）

＊

オードリー・グリフィンからブラックベリー除去業者への連絡メモ

トムへ
　庭の状況から判断して、わが家の上にあるあの大きなおんぼろお化け屋敷には誰も住んでいないとほんとうに思ってるんですね。実は住んでいます。あそこの娘のビーは、ゲイラーストリートでカイルと同級生です。今日のお迎えのときに、あの母親とブラックベリーの茂みについて話せると思うとうれしくてたまりません。
　ブタですって？　ブタはお断り。でも、スイスチャードはぜひ持っていってちょうだい。
　オードリー

＊

Ｆｒｏｍ：バーナデット・フォックス
Ｔｏ：マンジュラ・カプール

　あなたが承諾してくれてすごくうれしい!!!　すべてサインし、目を通したから。南極については次のように手配してちょうだい。わたしたち３人で行くので、部屋を２つ取ってほしいの。エルジーはアメリカン航空のマイレージをたくさん貯《た》めているから、それを使って航空券を３枚取ってみてね。わたしたちの冬休みは12月23日から１月５日までよ。ビーが学校を少し休む必要があるなら、それでも構わないから。それに犬ね！　60キロ近くもあるいつもぼうっとした犬を快く預かってくれる家を見つけないと。あら、ビーを学校へ迎えに行くのに遅れそう。ほんとうにありがとう。

11月19日（金）

＊

週末用フォルダーに綴《と》じて
持ち帰らされたグッドイヤー校長からのお知らせ

保護者各位

　昨日のお迎えで起こった事件についてすでにうわさが広まっています。幸いにもけが人はいません。しかしせっかくの機会ですから、今一度立ち止まって、ゲイラーストリート校の便覧に記載された以下の規則をおさらいしてみましょう（傍点は私が付しました）。

　第２条A 第ii項　生徒を出迎える方法は２通りあります。

　車で：校門まで車を運転すること。《サウンド・シーフード・インターナショナル》の商品搬入口をふさがないようにご注意ください。
徒歩で：北の駐車場に車を止めて、運河沿いの道でお子さんを出迎えてください。安全と効率の観点から、徒歩でのお迎えの方は、ドライブスルーの区域には近づかないよう、お願いいたします。

互いに深く関わり合うこうした保護者のすばらしい共同体に恵まれ、私はいつも感激しております。しかし、生徒の安全が常に最優先です。ですから、オードリー・グリフィン様の身に起こったことを教訓として役立て、おしゃべりするのはお茶のときに取っておくよう心に留めておきましょう。路上はいけません。

よろしくお願いいたします。

グウェン・グッドイヤー校長

ママに渡すようにと
オードリー・グリフィンからもらった救急治療室の請求書

患者名：オードリー・グリフィン

担当医：C・カッセラ

救急治療室受診代	900.00$
レントゲン検査（オプション、保険適用外）	425.83$
処方箋代：バイコディン10mg（15錠、リフィルはなし）	95.70$
松《まつ》葉《ば》杖《づえ》レンタル料（オプション、保険適用外）	173.00$
松葉杖の保証金	75.00$
総計	1,669.53$

注：視診と基本的な神経学的検査の結果、損傷は認められなかった。急性の精神的苦痛を訴える当患者がレントゲン検査、バイコディン、松葉杖を要求した。

＊

Ｆｒｏｍ：スーリン・リー＝シーガル
Ｔｏ：オードリー・グリフィン

　お迎えのときにバーナデットがあなたを車で轢《ひ》こうとしたそうね！　大丈夫？　食事を持っていこうか？　いったいどうしたの？

＊

Ｆｒｏｍ：オードリー・グリフィン
Ｔｏ：スーリン・リー＝シーガル

　それは全部ほんとうよ。バーナデットの家に生い茂ってるブラックベリーについてあの女と話す必要があったの。その茂みは、丘を下り、わが家のフェンスの下まで伸びて、庭にはびこっちゃって。仕方なく業者を雇ったけど、その人から、バーナデットのブラックベリーがわが家の基礎を崩しそうだと忠告されたの。
　もちろんバーナデットと穏やかに話したかったのよ。だからあの女の車がお迎えの列に並んでるあいだ、近寄っていった。わたしが悪いのよ！　でも、ほかにどうやってバーナデットと話せばいいっていうの？　あの女はまるでフランクリン・デラノ・ルーズベルトみたいで、いつも車で通り過ぎて、腰から上しか姿を見せないのに。車から出てビーを学校まで歩いて送っていったことは一度だってないでしょうね。
　話しかけてみたけど、車の窓は閉まったままで、バーナデットったら、わたしなんて見えないふりをしたの。シルクのスカーフをいい感じになびかせ、大きなサングラスをかけたあの女を見たら、フランスのファーストレディーかと思うかも。フロントガラスをノックしたのに、あの女は走り去った。

わたしの足を轢きながらね！　わたしは救急治療室へ行って、無能な医者に診てもらったけど、あの医者ときたら、けがをしているって認めてもくれなかった。

正直言って、バーナデット・フォックスに対して怒ってるのか、それとも、金曜のお知らせでわたしを名指しで非難したグウェン・グッドイヤー校長にもっと腹が立ってるのか、自分でもわからなくて。あれじゃ、わたしのほうが何か悪いことをしたんじゃないかって思われるでしょ。だからバーナデットじゃなくて、わたしの名前を挙げたんだろうって！　多様性委員会を創設したのはこのわたしなのに。〈パパとドーナツの日〉を考案したのも、あのご立派なポートランドの会社が、ゲイラーストリートの教育方針を書くのに1万ドルを請求しようとしたところを、代わりに書いてあげたのもわたしよ。

ゲイラーストリートは工業団地で賃借りしてるのにさぞかし満足してるのね。それに新しいキャンパスを所有して落ち着きたいとは思ってないのよ。グウェン・グッドイヤー校長は、志望者の保護者ブランチ会を取りやめてほしいんでしょ。今から校長に電話してみる。まったく気に入らないったらありゃしない。

電話が鳴ってる。校長からよ。

11月22日（月）

＊

マンデー・メッセンジャーで
グッドイヤー校長から各家庭に送られたお知らせ

保護者各位
　このお知らせをお出ししているのは、例の保護者の足を轢いた車を運転していたのが、ビー・ブランチのお母様、バーナデット・フォックス様であることを明確にするためです。あいにくの雨天でしたが、皆様がすばらしい週末をお過ごしでしたら幸いです。
　よろしくお願いいたします。
　グウェン・グッドイヤー校長

＊

　誰かが尋ねてくれたら、お迎えのときに何が起こったか話せたのに。ママったら、いつもアイスクリームを連れてきて助手席に座らせるものだから、わたしは車に乗るのに少し手間取った。アイスクリームはいったん助手席に座ったら、譲りたがらない。だから自分の思いどおりにしたいときにするお決まりのポーズを取っていた。つまり、完全に身を固くし、まっすぐ前方を見つめていたの。
「ママ！　この子を助手席に座らせちゃ――」
「勝手に飛び乗ってきたのよ」。ママに首輪を引っ張られ、わたしにお尻を押され、しきりにうなった末にようやくアイスクリームは後ろへ移った。でも、ふつうの犬のように席には座らず、体を押し込んで助手席の後ろに立ち、例の惨めな表情を浮かべていたけど。あんたたちのせいであたしがどんな目に遭っているかごらんよ、とでもいうような。

「ああ、メロドラマのヒロイン気取りはやめて」。ママはアイスクリームに言った。

わたしはシートベルトを締めた。そこに突然、オードリー・グリフィンがとてもぎこちなく、めちゃくちゃなリズムで車のほうへ駆け寄ってきたの。ここ10年くらい走ったことがないってバレバレ。

「あらやだ」とママ。「今度はなんなの？」

オードリー・グリフィンは目を血走らせ、いつものようににっこり笑いながら、こちらに向かって紙切れを振り回していた。ポニーテールからは白髪がはみ出し、クロッグサンダルを履き、ダウンベストの下では、ジーンズのウエスト部分のひだがはち切れんばかりになっている。思わずじっと見ずにはいられない。

交通整理に当たっているフローレス夫人が車を動かすように合図してきた。何しろ車の長い列ができていたし、《サウンド・シーフード》の社員がその渋滞の様子をテープに録っていたから。オードリーは、車を止めてと身振りで示した。

ママは、雨が降ろうといつもサングラスをかけていて、そのときもかけていた。「あのブヨは知ったこっちゃないだろうけど」。ママはつぶやいた。「よく見えないの」

だからわたしたちは走り去った。それだけの話。誰の足も轢いていないのは間違いないから。わたしはママの車が大好きだけど、それに乗るのは『エンドウ豆の上に寝たお姫さま』〔アンデルセン童話。エンドウ豆の上に敷き布団20枚と羽根布団20枚を重ねた上に寝かされた少女が固いものがあったのに気づき、本物のお姫さまだと証明された話〕みたいなものなの。人間の足くらい大きなものを轢いていたとしたら、エアバッグが膨らんだはずよ。

＊

11月23日（火）

Ｆｒｏｍ：バーナデット・フォックス
Ｔｏ：マンジュラ・カプール

　わたしが支払うべきだと思う救急治療室の請求書のスキャンを添付します。お迎えのときに足を轢かれたと、ゲイラーストリートのブヨのひとりに訴えられているもので。何もかも笑い話にしたいところだけど、もううんざり。ほら、それでわたしはあの学校の母親たちを「ブヨ」と呼んでいるの。うるさいからだけど、実際に貴重なエネルギーを注ぎたいほどじゃないのよ。この９年間というもの、ブヨたちにはあれこれ言いがかりをつけられてきて——それについて話したいところだけど！　ビーの卒業を間近に控え、期待が高まっている今となっては、ブヨとまた戦ったところで無駄だもの。各種保険契約を調べて、どれか適用されるものがあるか確かめてくれない。いえ、やっぱり何もせず払いましょう。エルジーはそんなつまらないことで保険料率が上がるのを嫌がるだろうから。どうしてわたしがブヨたちを嫌うか、絶対に理解してくれないし。
　この南極旅行はなんてすばらしいことばかりなんでしょう！　Ｂクラスのクイーンルームを２部屋予約してちょうだい。わたしたちの生年月日、名前の正確なスペル、そのほか役立つ情報を見つけられるよう、パスポートをスキャンして添付してあるし、念のため、運転免許証と社会保障番号も添えておいたから。パスポートを見れば、ビーの洗礼名がバラクリシュナ・ブランチだとわかるはずよ（当時はストレスがたまっていたから、いいアイディアに思えたとだけ言っておく）。あの子の航空券には

「バラクリシュナ」と記載しなくてはいけないでしょう。でも船に関しては、たとえば名札や乗客名簿とかには、なんとしてでもこの神の子が「ビー」と記載されるようにしてね。

荷造りリストも添付しておいたから、全部、わたしたち３人分用意してほしいの。わたしは婦人もののＭサイズで、エルジーは紳士もののＸＬサイズよ。ウエストが太いせいではなく、ありがたいことに、ぜい肉はこれっぽっちもないのに身長が190センチもあるから。ビーは年のわりには小さいので、10歳の子に合うものならなんでもいいから買ってみて。サイズや型についてわからないことがあれば、試着できるよう数点送ってちょうだい。ただし返却する際に、外に箱を置いておくだけで宅配便のお兄さんに持っていってもらえたらの話よ。エルジーとビーが夢中になって読めるような、わたしもそうするつもりだけど、お勧めの本があれば全部手に入れてね。

ファスナー付きポケットがたくさんついたフィッシング・ベストも欲しいの。以前、外出するのを心から楽しんでいたとき、飛行機の中で、地球をジグザグに回って一生を過ごしている環境保護主義者の隣に座ったことがあって。その人は、パスポート、現金、眼鏡、フィルム容器を入れたフィッシング・ベストを着ていた——ええ、フィルムよ。それほど昔のことなの。独創的なのは、何もかも１箇所に納まり、使いやすく、ファスナーでしまえ、おまけにさっと脱いでＸ線検査用ベルト・コンベヤーにポンと置ける点よ。だからわたしはいつも自分にこう言い聞かせていた。今度旅をするときは、このベストを手に入れようって。そのときが来たの。できれば２着入手してちょうだい。

すべてこのマンスに送ってね。あなたって最高！

＊

Ｆｒｏｍ：マンジュラ・カプール
Ｔｏ：バーナデット・フォックス

フォックス様
　荷造りリストに関するご指示を拝受しましたので、それに従って手配いたします。「マンス」とは何ですか？　あいにく私どもの記録のどこにも見当たりません。
　どうぞよろしくお願いいたします。
　マンジュラ

＊

Ｆｒｏｍ：バーナデット・フォックス
Ｔｏ：マンジュラ・カプール

　ＩＫＥＡ《イケア》に行くとどんなことになるかわかる？　何もかも信じられないくらい安いし、ティーライト・キャンドル100個なんてほんとうは要《い》らないのに、なんとまあ、１袋たった99セントよ、って思うの。でなければ、あそこの小さなクッションは、有毒にちがいない得体の知れないぐにゃぐにゃしたボール状のものが詰まっているけど、とても光沢があって、５ドルで３個も買えるから、いつの間にか500ドルも使ってしまっていたなんてことになりがちよ。こんながらくたが必要だったからではなく、めちゃくちゃ安いからというだけで買ってしまうの。
　もちろんわからないわよね。でも、もしわかれば、シアトルの不動産がわたしにとってどんなものか理解してもらえるでしょう。
　この地へ来たのはまったくの気まぐれよ。エルジーのアニメ制作会社がビッグ・ブラザーに……あらっ、ビッグ・ブラザーって言ってしまったかしら？　つまりマイクロソフトに買収されたころ、わたしたちはロスに住んでいたの。当時、〈ものすごく忌まわしいこと〉がわが身に降りかかっていて（そのことは断じて取り上げるまでもないけど）、それはあまりに忌まわしいことだったから、わたしはロスから逃げ出したかったし、二度と戻りたくなかったとだけ言っておく。

エルジーとしては必ずしもシアトルへ移る必要はなかったけど、そうするようビッグ・ブラザーに強く勧められたの。わたしはラ・ラ・ランドから急いで逃げる口実ができて、うれしくてたまらなかった。

ここシアトルへの最初の旅で、不動産屋が空港まで車で迎えにきて、いろいろな家を見せてくれた。午前中回ったのはすべてクラフツマン様式の住宅だった。それしかここにはないもの。景観を損ねるアパート群を含めなければだけど。そのアパートが不可解にもまとまって現れる様子ときたら、1960年代から70年代にかけて、区画規制の主任が机に突っ伏して居眠りしてしまったせいで建築設計をソ連人に任せたかのようなの。

ほかはすべてクラフツマンよ。今世紀初頭のクラフツマン。美しく修復されたクラフツマン。再解釈されたクラフツマン。もっと愛情をかける必要があるクラフツマン。現代的な解釈をしたクラフツマン。まるで催眠術師がシアトルの全住民に集団催眠術をかけているみたい。あなたはだんだん眠くなーる。目が覚めたら、クラフツマン住宅にだけ住みたくなーる。築年数など気にしなーい。大事なのはただ、壁が厚く、窓がちっちゃく、部屋が暗く、天井が低く、交通の不便な敷地に立っていることだけー。

このたくさんのクラフツマンについて肝心なことは、ロスの物件に比べたら、ＩＫＥＡ並みに安いことよ！

不動産屋のライアンは、ダウンタウンにあるトム・ダグラスのレストランでランチをごちそうしてくれた。ダグラスは10軒余りのレストランを経営する地元のシェフで、店が増えるごとにどんどんいい店になっているの。《ローラ》で食べていると——あのココナッツクリームパイといったら！　あのガーリックペーストも！——、「エメラルド・シティ」と呼ばれているこのカナダに近い悪の巣で自分の人生を築けたらほんとうに幸せになれるかもって思えたくらい。トム・ダグラス、あなたのせいよ！

ランチを終えると、わたしたちは午後も家を見て回ろうと、ライアンの車へ向かった。ダウンタウンの上に立ちはだかっていたのは、なんとまあ、クラフツマン住宅が所狭しと並んだ丘だった！　でも、丘のてっぺんの左手にれんが造りの建物があるのにわたしは気づいた。エリオット湾を見下ろす大きな庭付きよ。

「あれはなんです？」。わたしはライアンにきいた。

「ストレートゲートです。以前は不良少女のためのカトリック系の学校でした。今世紀初めに建てられたものでして」

「今は何になってるんですか？」

「いえ、長いあいだずっと何にもなっていません。開発業者は分譲マンションに改築しようと時おり試みてはいるんですが」

「だったら、売りに出されてるってこと？」

「８戸の分譲マンションに建て替えられる予定だったんです」。ライアンはそう言うと、売れるかもしれないと察して目をくるくる回した。「あそこの地所はたっぷり1万2千平米はあり、大半が平地です。さらに丘の斜面全体を所有できまして、その上には何も建てられませんが、プライバシーはしっかり確保できます。ゲートハウスは——ストレートゲートではゲイ反対者みたいなので、開発業者がそう改名したのですが——、1,100平米ほどあり、魅力が詰まっています。整備が見送られているところもありますが、貴重な物件と言えますね」

「おいくらですか？」

ライアンはドラマチックにちょっと間《ま》を置いて、「40万ドルです」と答えると、わたしが口をぽかんと開けるのを満足そうに見つめた。それまで見てきたほかの家も同じ値段だったけど、とても小さな敷地に建っていたから。

大きな庭は税金対策のために書類上は譲渡されて空き地と化していたし、クイーン・アン町内会がストレートゲートを史跡に指定したせいで、外壁も室内の壁もいじれなくなっていたみたい。それでストレートゲート女子校は、建築基準法上、放置されたままだったってわけ。

「でも、この辺りは一世帯住宅に指定されていますよね」。わたしは言った。

「ちょっと見にいきましょう」。ライアンはわたしを車に押し込んだ。

レイアウトに関してはすばらしいといってよかった。地下は——地下牢の扉に外から鍵がかけられることから判断すると、どうやらそこに少女たちは閉じ込められていたみたい——、たしかに不気味で気がめいるようだった。でも地下は450平米にすぎず、それを除いても地上にはまだ650平米もあった。一軒家にしては膨大な広さよ。1階には、とてもすてきなダイニングキッチン、リビングになりそうな広いロビー、小さな事務室が２つあり、２階にはステンドグラスの窓や懺悔《ざんげ》室の並ぶ礼拝堂があった。主寝室やクローゼットにもってこいね！　ほかの部屋は子ども部屋やゲストルームになりそうだった。必要なのは、耐候工事や木材の塗り替えや壁の塗装といった表面的な手直しくらい。たやすいことよ。

西に面している裏の柱廊式ポーチに立っていると、わたしは数隻のフェリーがカタツムリみたいに水上を滑っていくのに気づき、ライアンにこうきいた。

「あの人たちはどこに向かってるんです？」

ライアンは「ベインブリッジ島ですよ」と答え、抜け目なくこう付け加えた。「あそこに別荘を持っている人が多いんです」
　わたしはもう１日滞在し、海辺の別荘もさっさと手に入れた。

＊

Ｆｒｏｍ：マンジュラ・カプール
Ｔｏ：バーナデット・フォックス

フォックス様
　荷造りリストに載っている品々は、ゲート・アベニューの住所宛てに発送される予定です。
　よろしくお願いいたします。
　マンジュラ

＊

Ｆｒｏｍ：バーナデット・フォックス
Ｔｏ：マンジュラ・カプール

　そうだ！　感謝祭の日にディナーの予約を取ってちょうだい。《ワシントン・アスレチッククラブ》に電話して、午後７時に３名でどの席でもいいから。電話のかけ方は知ってる？　そりゃ知っているわよね。わたしったら何を考えているんでしょう。今ではあなたたちはそればかりしているっていうのに。
　わが家の窓から見える店の予約をするためにわざわざインドから電話するようにお願いするのは、ちょっと妙だとわかっているけど、困ったことがあって。「はい、《ワシントン・アスレチッククラブ》。どこにつなぎます？」といつも電話に答える男性がいるの。

その人はいつもこんなになれなれしくあっさりと……カナダ人ふうにそう言うのよ。わたしが家を出たくない大きな理由のひとつは、カナダ人とばったり出会うかもしれないからなのに。シアトルにはカナダ人がうようよしているの。アメリカとカナダなんて大差ないと思うでしょうね。どちらの国も英語を話す、病的に太った白人であふれているからと。でもね、マンジュラ。それはとんだ間違いよ。

アメリカ人は厚かましく、感じが悪く、神経質で、下品なの。一事が万事そうで、わが友ゾルバ〔映画『その男ゾルバ』の主人公〕に言わせると、「何もかもめちゃくちゃ」ってところね。カナダ人はそのどれにも当てはまらない。あなたたちがラッシュアワー中に通りの真ん中にしゃがみ込んでいるウシを恐れるように、わたしにはカナダ人が怖いの。カナダ人にとっては誰もが平等よ。ミュージシャンのジョニ・ミッチェルは、飛び入り参加自由のライブ《オープン・マイク・ナイト》に参加する秘書と取り替えがきくし、建築家のフランク・ゲーリーは、設計ソフトのAutoCAD《オートキャド》でマックマンション〔規格化された悪趣味な豪邸〕を大量に生み出すコンピューターおたくと変わりないし、コメディアンのジョン・キャンディときたら、ビールを数杯飲んだときのルーおじさんよりつまらないくらいだもの。数少ない有名なカナダ人は、国を離れた者だというのも当然ね。国内に残っている才能ある人はみんな、一様であることを絶えず求められて押しつぶされている。カナダ人は、中には非凡で、そういう存在として扱われるべき人もいるってことを理解できないから。

ええ。話はこれで終わりよ。

《ワシントン・アスレチッククラブ》の予約が取れなければ、感謝祭はほんの２日後だからその可能性は十分あるけど、魔法のインターネットでどこかほかの店を見つけてちょうだい。

＊

　なんだって、わたしたちは感謝祭のディナーをしに《ダニエルズ・ブロイラー》へ行くことになったんだろう。その朝、わたしは寝坊してパジャマ姿で１階へ下りた。キッチンへ行く途中でビニール袋とタオルを重ねたものを通り過ぎたので、雨が降るんだなとわかった。それは家が雨漏りするときのためにママが生み出したシステムだ。

　まず、雨漏りする穴の下にビニール袋を敷き、それをタオルや引っ越し用の毛布で覆う。次に、その真ん中に水を受けるためにスパゲッティ鍋を置く。ごみ袋も欠かせない。数時間も雨漏りが１箇所で続いてから５センチ以上ずれることもあるから。ママの傑作は、ポタポタいう雨だれの音を消すためにスパゲッティ鍋の中に古いＴシャツを入れること。何しろ眠ろうとしているときにその音が聞こえるとイライラするもの。

　その日は珍しく、朝、パパが家にいた。早起きしてサイクリングに出かけていたらしく、汗をかいて、さえない蛍光色のレーサーパンツ姿でキッチンの調理台に立っていた。お手製の青汁を飲んでいる。シャツを脱ぎ、黒い心拍数モニターを胸に巻きつけ、おまけに、自分で考案した猫背矯正器までつけている。背中のためにいいみたい。コンピューターに向かっているとき、肩を引っ張って矯正してくれるからだ。

「おはよう」。パパはとがめるように言った。

　わたしはしかめっ面でもしていたにちがいない。でも、ごめんなさい。１階へ下りてきて、ブラ姿のパパを見るのは妙な気分だもの。たとえ姿勢を良くするためだとしても。

　ママは、スパゲッティ鍋がいっぱい置いてある食器室から出てきた。そして「あら、バジー〔バーナデットは、ビーのことを「バジー」や「バズ」と呼ぶことがある〕！」と言うと、鍋を落とし、ガランと大きな音を響かせた。「ごめん、ごめん。とても疲れてるの」。ママは時々眠れないことがある。

パパはサイクリングシューズをコツコツいわせながらキッチンを横切り、運動量を取り込もうと心拍数モニターをノートパソコンにつないだ。

「エルジー」とママ。「時間があれば、旅行のときに履く防水ブーツを試してほしいの。選べるようにたくさん取り寄せておいたから」

「そいつはいいね」。パパはコツコツ音を立ててリビングへ行った。

フルートが調理台に置いてあったから、わたしは音階を吹き、ママにこうきいた。「ねえ、ママがチョート校〔「チョート・ローズマリー・ホール」のこと。コネチカット州ウォリングフォードにある4年制の寄宿制私立高校〕にいたとき、〈メロン・アーツセンター〉ってもうあった？」

「ええ」。ママはまた鍋をたくさん抱えながら答えた。「ママが舞台に立ったのは後にも先にもあれきりよ。ミュージカルの『ガイズ＆ドールズ』でホット・ボックス・ナイトクラブの踊り子を演じたの」

「パパと一緒に学校訪問したとき、案内してくれたお姉さんに教えてもらったんだけど、チョートには学生オーケストラがあって、毎週金曜日になると、ウォリングフォードの人たちがちゃんとお金を払ってコンサートを見にくるそうよ」

「あなたにはもってこいね」

「入れたらだけど」。わたしがもっと音階を吹くと、ママはまた鍋を落とした。

「ママがどれほど気を強く持とうとしてるかわかる？」。ママは急に怒り出した。「あなたが寄宿学校へ行くと聞いて、どんなに胸を痛めてるかは？」

「ママだって寄宿学校へ行ったじゃない。わたしに行ってもらいたくなかったら、あんなに楽しそうに話さなければよかったのよ」

パパはスイングドアを押し開けた。値札がぶら下がったマック〔老舗ブーツブランド〕のブーツを履いている。「バーナデット、すばらしいよ。きみが手に入れてくれた品物全部が」。パパはママに片手を回し、抱き締めた。「起きている時間はずっとＲＥＩ《アール・イー・アイ》〔アウトドアショップ〕で過ごしてでもいるのかい？」
「そんなところね」。ママはそう言うと、わたしに向き直った。「寄宿学校に出願するのが実際どういうことか、じっくり考えなかったの。つまり、あなたがいなくなるってことだと。でも実を言うと、出ていってももう構わないのよ。それでも毎日会えるから」
　わたしはママをにらみつけた。
「あら、言わなかった？　ウォリングフォードへ引っ越してキャンパスの外に家を借りるつもりよ。チョートの学食でもう仕事も見つけたし」
「冗談でもそんなこと言わないで」
「わたしがあなたの母親だってことは誰にもわからないから。あいさつしてくれなくてもいいのよ。ただ毎日あなたのきれいな顔を見たいだけなの。でも、時々ちょっと手を振ってくれたら、そりゃあもう、うれしくてたまらんねえ」。ママはその最後の言葉をレプラコーン〔アイルランドの伝説に登場する老人の姿の小妖精〕みたいな口ぶりで言った。
「ママ！」とわたし。
「仕方ないのよ。ほらあなたってば、『ぼくにげちゃうよ』っていう絵本に出てくるママから逃げようとする子ウサギみたいなんですもの。ママから離れられっこないのに。わたしは、ビニール手袋をはめてガラスのフードカバーの陰に隠れ、水曜はハンバーガーを、金曜は魚を――」
「パパ、ママを黙らせて」
「バーナデット、頼むよ」とパパ。
「ふたりとも、わたしが冗談を言ってるとでも思ってるのね。いいわよ、そう思っておけば」
「とにかく今夜のディナーはどうするの」。わたしはきいた。
　ママは、はっと思いついたような顔をすると、「ちょっと待ってて」と言って、裏口から出ていった。

わたしはテレビのリモコンをつかんだ。「今日は、シーホークスとダラス〔シアトル・シーホークスとダラス・カウボーイズ。どちらもナショナルフットボールリーグチーム〕の試合はないの？」

「1時からだよ」とパパは言った。「動物園へちょっと行って、試合までに戻ってくるのはどうだろう」

「やったー！　キノボリカンガルーの赤ちゃんに会える」

「自転車に乗っていきたいかい？」

「パパはリカンベント〔あおむけに寝た姿勢で乗る自転車〕に乗るの？」

「そうだね」。パパは握りこぶしを作ってぐるぐる回した。「この辺りの丘は手首に負担がかかるけど――」

「やっぱり車で行こうよ」。わたしは慌てて言った。

ママが戻ってきた。パンツで両手を拭き、大きく息をすると、きっぱりと言った。「今夜は、《ダニエルズ・ブロイラー》へ行きましょう」

「《ダニエルズ・ブロイラー》だって？」とパパ。

「《ダニエルズ・ブロイラー》？」。わたしも繰り返した。「観光バスが止まってるユニオン湖のすごく変わってるあのお店のこと？　いつもテレビでコマーシャルしてる」

「それよ」とママ。

沈黙が流れたけど、「ほう！」という大きな声で破られた。パパの声だ。「感謝祭のディナーをしにきみが《ダニエルズ・ブロイラー》を選ぶなんて思いもしなかったよ」

「あなたたちをじらすのが好きなの」とママ。

わたしはパパの電話を借りて、ウィドビー島でママと一緒に過ごしているケネディにメールを送った。《ダニエルズ・ブロイラー》へ行くと伝えたら、すごくうらやましがられた。

そのお店にはピアノ演奏者がいて、レモネードは自由にお代わりできたし、チョコレートケーキはとても大きな厚切りだった。そのケーキは

「チョコに死す《デス・バイ・チョコレート》」と名づけられていて、中華レストランの《P・F・チャンズ》で食べられるあの巨大なひと切れよりもずっと大きかった。月曜に学校へ行くと、みんな口をそろえたように言った。「信じらんない。感謝祭に《ダニエルズ・ブロイラー》へ行くなんて。めっちゃかっこいい」

11月29日（月）

＊

トムからの連絡メモ

オードリー様

　スイスチャードは要りません。代金をお支払いください。さもなければ、抵当権の訴訟を起こさなくてはいけません。

＊

オードリー・グリフィンからの連絡メモ

トムへ

　抵当権をかけるぞ、とこのわたしを脅すのは実にばかげていると思います。地区検事局に勤めている夫のウォレンは、ことのほかおもしろがっています。こちらから少額裁判所にあなたを訴えれば簡単に勝てますから。その手を使う前に、じっくり考えたところ、もっと穏やかな解決策を思いつきました。隣人のブラックベリーを除去するための見積書を作ってください。例の機械が１台必要ならそれでも結構です。ブタが一切関わらなければ、手段は問いません。
　見積書をいただいたら、これまでの作業代を全額お支払いします。ただし、２週間以内にとても大事なスクールブランチ会を開きますので、必ず庭を元に戻してください。

12月１日（水）

＊

トムからの連絡メモ

オードリー様
　この規模の作業のためには、傾斜地用コンバインがどうしても必要です。ただし、雨期が終わるまでは、うちの作業員はこの機械を使いたがりません。着手できるのは一番早くて５月です。見積もりのためにお隣の敷地に立ち入る必要があるでしょう。あの日、お隣さんとお話しされましたか？　あちらのお電話番号はご存じでしょうか？

＊

オードリー・グリフィンからの連絡メモ

トムへ
　まるでカッコウの町〔絵本『カッコウの町にようこそ』の舞台。この町に住む主人公は誰からも理解されない言葉を話す〕に住んでいるような気分です。10日後にはシアトルのエリート集団が重大な学校行事に参加するためにわが家へ押しかけてきて、裏庭を楽しみたがるでしょう。皆さんの服をとげの茂みでずたずたにするわけにはいきません。5月なんてだめです。今から1ヵ月後でも間に合いません。コンバインをレンタルする必要があろうと構いません。12月11日までにブラックベリーを除去してもらいたいのです。

見積もりのために隣の敷地に立ち入ることについては、バーナデットは、しゃれを言うつもりではありませんけど、とてもとげとげしています。ですから、月曜の午後3時きっかりにわが家で待ち合わせしたらいかがでしょう。その時間ならバーナデットが娘を学校へ迎えにいっているのはたしかですから。すみやかに横のフェンスの穴をくぐり抜けて、あの家に生えているブラックベリーの茂みを見ることができます。

*

サー・アーネスト・シャクルトン に関するわたしのレポートからの抜粋

ドレーク海峡とは、チリのホーン岬にある南米の南端と、南極大陸とのあいだの海域である。その800キロメートルに及ぶ水路は、16世紀の私掠船船長、サー・フランシス・ドレークにちなんで名づけられている。ドレーク海峡と同じ緯度には目立って大きな陸地はない。このため環南極海流の循環は妨害されず、その結果、ドレーク海峡は世界で一番荒く、恐れられる海域となっている。

*

Ｆｒｏｍ：バーナデット・フォックス
Ｔｏ：マンジュラ・カプール

答えを求めていないこんな質問を８年生にすると、学ぶこともあるのよ。「最近学校では何をしてるの？」って。

たとえば、南極と北極のちがう点は、南極には陸地があるけど、北極はただの氷だって知ってた？　わたしは、南極が大陸だということは知っていたけど、北にも陸地があると思っていたの。それに、南極にはシロクマがいないって知ってた？　わたしは知らなかった！　哀れにもいいように利用されているシロクマが溶けかけた氷山から氷山へと飛び移ろうとするのを、船から眺めることになるだろうと思っていた。でも、そんな悲しい光景を見るには北極へ行かなくてはいけないみたい。南極に住み着いているのはペンギンだもの。シロクマがペンギンと戯れているのどかなイメージを抱いていたとしたら、今すぐその誤った考えを捨ててちょうだい。シロクマとペンギンはまさに地球の両極端にいるんだから。わたしはもっと世間の風に当たるべきなんでしょうね。

そこでわたしの知らなかったもうひとつのことに関してだけど、南極にたどり着くにはドレーク海峡を渡る必要があるって知ってた？　ドレーク海峡がこの地球全体でもっとも荒い海域だってことは？　ええ、わたしは知っている。何しろ、この３時間というもの、インターネットをやっていたから。

それで困ったことがあって。船酔いはするほう？　船酔いしない人にはそれがどんなものかわかりっこないでしょう。ムカムカするだけではなく、生きる気力までなくしてしまうの。わたしはエルジーにこう注意しておいた。ドレーク海峡を渡る２日間に大事なのは、銃からわたしを遠ざけることよ、って。船酔いに苦しんでいる最中に、頭を撃ち抜こうと決心するのはわけないことだもの。

10年前、例のモスクワの劇場占拠についてのドキュメンタリーを観たことがあった。人質たちはテロリストに席から離れることを禁じられ、明かりがこうこうと輝いて眠れず、おしっこをしたくても漏らすしかない——もっとも、大きいほうが我慢できなくなれば、オーケストラピットでさせてもらえたけど——、そんな状態がちょうど48時間も続いた末に、かなりの数の人質が背中を撃たれるだろうと承知の上でただ立ち上がり、出口に向かって歩き出したの。疲れ切ってしまったからよ。

つまりわたしが言いたいのは、南極へ行くのが怖くてたまらなくなってきたということ。人嫌いだからというだけではなく、はっきり言って今でもそうだけど、このままではドレーク海峡を渡れるとはとても思えなくて。ビーと一緒でなければきっとこの旅行をキャンセルするところね。でもあの子をがっかりさせるわけにはいかない。すごく強い船酔い止めの薬を見つけてもらえないかしら。市販されているドラマミンなんかではなく、ほんとうに〈強力な薬〉よ。

話は変わるけど、わたしの取り留めのないメールをすべて読むのにかかる手間賃をどうぞ請求してちょうだい！

*

チョート校入学試験事務部長、ブルース・ジェサップからの手紙

拝啓　ビー殿

〈早期決定〉の出願者の優秀な皆さんについて慎重に審査した結果、貴殿にチョート・ローズマリー校への入学許可を与えることができ、大変嬉しく思います。

審査の過程で、貴殿の成績と多岐に富んだ関心について知るのを存分に楽しみました。実はスコアと教育評価《アセスメント》があまりに傑出していましたので、本校の教務部長であるヒラリー・ラウンズは、貴殿の入学に関するまたとない機会について、別便でご両親にご相談する手紙をお送りしました。

まずはこのきわめて競争の激しい選考過程をくぐり抜けたことに対し、心からお祝い申し上げます。われわれが貴殿に対して思うのと同じように、貴殿は同級生のことを、刺激的で、興味深く魅力にあふれていると思うにちがいありません。

敬具

ブルース・ジェサップ

＊

チョート校教務部長、ヒラリー・ラウンズからの手紙

拝啓　ブランチ様ご夫妻

ビーさんがチョート・ローズマリー校に合格されたこと、お喜び申し上げます。どなたよりもよくご存じのとおり、ビーさんは非凡なお嬢さんです。実はあまりに非凡なものですから、３年級（９年生）〔日本では中学３年生〕を飛び級して、４年級（10年生）〔日本では高校１年生〕としてチョート・ローズマリーに入学するようお勧めいたします。

今年度、チョート・ローズマリーは10人のうち１人の割合で入学を許可する予定です。ほぼ例外なく各志願者はビーさんのように、すばらしいＳＳＡＴ〔私立高校入学に必要とされる学力テスト〕のスコアと満点に近いＧＰＡ〔成績を点数化し、その合計を

総取得単位数で割ったもの〕を収めています。チョート・ローズマリーでたしかに成功する学生を見つけるために、好成績と推薦を取る学生が増えすぎているせいで生じるこの学問的同一性の海を本校がいかに切り抜けているか、不思議に思われるかもしれません。

1990年代後半以降、本校の入学試験事務部は、寄宿学校の学問的・社会的課題に対応するのに必要なソフトスキルを測るための信頼できる基準を定めようと、イェール大学のＰＡＣＥ（コンピテンスとエキスパートの心理学）センターと協力してきました。この努力の結晶が、チョート・ローズマリーの入学選考過程に独特な評価、すなわち〈チョート自己評価《セルフアセスメント》（ＣＳＡ）〉です。

ビーさんが志願者集団からまさに抜きん出ていたのは、このＣＳＡにおいてです。成功を示す新しい語彙の中で、理想的な学生を表現する際に本校が好んで用いる言葉が２つあります。それは「やり抜く力」と「落ち着き」です。お嬢様はこの両方の点で抜群に秀でていると評価されました。

ご存じのとおり、天才児にとって最悪の事態は退屈することです。ですから、４年級に飛び級するのが何よりもビーさんのためになると思います。

寄宿学校の学費は47,260ドルです。ビーさんの席を確保するために、１月３日までに入学契約書のご提出と入学保証金のお支払いをお願いいたします。

この件についてさらにご相談できるのを楽しみにしております。何はともあれ、チョート・ローズマリーへようこそ！

敬具

ヒラリー・ラウンズ

＊

Ｆｒｏｍ：バーナデット・フォックス
Ｔｏ：マンジュラ・カプール

はるばるインドまで泣き声が聞こえるかしら？　ビーがチョートに合格したの！　寄宿学校の冒険談を語ってビーを楽しませたのは、たしかにわたしたちよ。エルジーはエクセター校に、わたしはチョート校に通っていたから。その話をしようと思えば、優秀な生徒、グレイトフル・デッドのコンサート、寮の部屋がマリファナ用水パイプの水で臭くなるのを防ぐ斬新な方法なんてものに尽きるから、気に入って当然だと思わない？　わが娘にはシアトルの陰気な偏狭さから飛び立ってほしい気持ちもすごくあるの。それにビーはとても行きたがっているし。だからわたしは文句を言わずに立派にふるまって、自分のことで騒ぎ立てないようにするしかないでしょう。

エルジーは、ビーを飛び級させたくないという趣旨の手紙を書いているけど、あなたには関係ないことね。どうぞ共同口座から入学保証金を払ってちょうだい。酔い止めの薬について何か聞いたかしら？　気が変になりそうなの。

続きはまた後で。ビーのお迎えに遅れそうなのに、うちの犬が見つからなくて。

＊

「あのね」。その日、わたしが車に乗ったとたん、ママは言った。「ちょっと困ったことがあって。アイスクリームがわたしのクローゼットに入ったら、ドアが閉まったみたいで、開かなくて。閉じ込められちゃったの」

妙に聞こえるけど、そんなことはない。うちはおんぼろだから、ひっきりなしにひびが入ったり、きしんだりしている。まるで楽になろうとしているけどなれないみたいに。雨が降るたびに大量の水を吸収していることとすごく関係があるにちがいない。この家は徐々に沈んできたので、ドアがどうしても開かなくなることが以前もあった。でも、アイスクリームが巻き添えを食うのは初めてだ。

わたしはママと一緒に急いで家へ帰り、２階へ駆け上がると、叫んだ。「アイスクリーム、アイスクリーム」。ママとパパの寝室には、クローゼットとして使っている懺悔室が並んでいる。そこのドアはどれも、丸みを帯びていて、てっぺんはとがっている。そのひとつの後ろでアイスクリームが吠えていた。怖くてクンクン鳴くのではなく、じゃれているような吠え方だ。ホントの話、あの子ったら、わたしたちのことを笑っていたの。

床一面に工具が散らかっていて、ツーバイフォー〔断面２×４インチの木材〕もいくつか落ちていた。天井に防水シートを固定する必要がある場合に備えていつも手元に置いてある。わたしはドアの取っ手を引っ張ったけど、びくともしなかった。

「全部試したのよ」。ママは言った。「天井の横板が完全に腐ってるけど、見える？　梁《はり》がたわんでるでしょ？」。わたしの生まれる前にママが家を修理していたのは知っているけど、まるで別人みたいな口ぶりだ。なんだか嫌な感じ。ママは続けた。「ジャッキでドアの枠を上げようとしたけど、てこが十分作用してくれなかったの」

「ドアを蹴《け》破《やぶ》ればいいだけなんじゃない？」。わたしは言った。

「このドア、外開きよ……」。ママはいつしか考え込んでいたけど、何か思いついたようだ。「あなたの言うとおりね。蹴って開けなくちゃ。中から。家を登っていって窓から中に入りましょう」。なんだかおもしろそう。

わたしたちは階段を駆け下りて、物置から梯子《はしご》を取り出し、ぐちゃぐちゃの芝地の上を引きずって家の横まで運んだ。ママはまずベニヤ板を敷き、その上に梯子を置いた。「これで大丈夫。押さえててね。ママが登るから」
「あの子はわたしの犬よ。ママが梯子を押さえてて」
「絶対にだめよ、バラ。危ないから」
ママはスカーフを外して右手に巻きつけると、梯子を登り始めた。ベルギー製の靴にカプリパンツ姿のママがペンキの飛び散っている梯子を登るのは、おかしな光景だ。ママはスカーフを巻きつけた手でステンドグラスをたたき割り、窓の掛け金を外すと、部屋の中へ入った。果てしなく長い時間が過ぎていく。
「ママ！」。わたしは叫び続けたのに、ママったら、顔を出してもくれなかった。わたしはすっかりびしょ濡れになってイライラしていたので、どうなろうと構わなかった。梯子に足をかけてみると、しっかり固定されている。そこでめちゃくちゃ速くよじ登った。バランスを崩すことがあるとしたら、途中まで登ったところでママに見つかって叫ばれる場合だから。８秒ほどで窓までたどり着くと、足を滑らせることなく中へ入った。
アイスクリームはわたしを見ても何の反応も示さなかった。ドアに空手の蹴りを繰り返し入れているママのほうがずっと気になるみたい。「ガァァァー」。ママは蹴るたびに叫んだ。ついにドアは滑るように開いた。
「すごい」。わたしは言った。
ママは飛び上がった。「ビー！」。ものすごく怒っていて、外でガシャンという大きな音がすると、さらに怒った。梯子が家から離れ、芝地に倒れてしまったのだ。
「ヤバい！」。そう言うと、わたしはアイスクリームにしっかと抱きつき、気絶する直前までそのかび臭いにおいを吸い込んだ。「おまえってサイテーの犬ね」
「これ、来てたわよ」。ママは手紙を渡してくれた。差出人住所の欄にはチョートの校章が入っている。「おめでとう」

ママは早く夕食を配達してもらっていた。そこで、わたしたちはパパと一緒にお祝いしようと車で出かけた。ワシントン湖にかかっている浮き橋を猛スピードで渡りながら、わたしはチョートを思い描いてわくわくしてきた。チョートはとても広く清潔で、建物は堂々としていて、その壁は全面赤れんがで、ツタに覆われている。イギリスってこんな感じかなとわたしが抱いているイメージそのままだ。春にパパと一緒にそこを訪れたことがある。木の枝は花をいっぱいつけ、アヒルの子たちはきらめく池の水面を滑るように泳いでいた。ジグソーパズルでしかこんな絵のように美しい場所を見たことなんてない、とわたしは思った。

ママはわたしのほうを向いて言った。「家を出られてうれしいと思っていいのよ」

「なんか変な感じなの」

わたしはマイクロソフトが大好きだ。以前はそこの託児所に通っていて、太陽が顔を出すと、子どもたちは大きな赤いワゴンに乗せられ、親を訪れるために引っ張り回された。パパは《トレジャーマシン》を作っていた。それがどんな仕組みだったのかは今でもわからないけど、お迎えに来てもらう時間になると、コインを１枚入れていいことになっていて、やってみると自分にぴったりの宝物が落ちてくる。車好きな男の子はミニカーをもらえるけど、ただのミニカーではなく、まだ持っていないものをもらえる。赤ちゃん人形に夢中になっている女の子には、その人形のための哺乳《ほにゅう》瓶が出てくる。《トレジャーマシン》は今ではビジターセンターに展示してある。何しろ顔認識技術の初期の例だから。パパはマイクロソフトに引き抜かれたとき、ロスでその技術に取り組んでいた。

わたしたちは違法駐車した。それからママは、配達してもらった料理の袋を抱えて、悠々とビジター向けの巨大施設〈コモンズ〉を横切っていき、そのすぐ後ろをわたしはついていった。パパの働いているビルに入ると、受付係の向こうにぬっと現れたのは、カウントダウンする巨大なデジタル時計だ。

119日
2時間
44分
33秒

「あれ、出荷時計っていってね」。ママは説明してくれた。「《サマンサ２》が出荷するまでの時間を示しているの。士気を高めるために掛けているんだそうよ。コメントはやめておくけど」
　同じ時計がエレベーターの中から、廊下、トイレにまで掛けてあった。その時計は、パパのオフィスで食事するあいだもずっと時を刻み続けた。わたしたちは、パパが椅子代わりに使っているバランスボールの上に座っていた。ひざの上では、使い捨て容器が危なげにぐらぐら揺れている。わたしは、南極旅行で目にするであろうありとあらゆるペンギンについて話していた。
「この旅行の何が最高か知りたい？」。ママは口をはさんだ。「ダイニングルームでは席が指定されていないし、４人用のテーブルしかないってこと。つまりは、わたしたち３人だけで座れるのよ。余った椅子に手袋や帽子を山のように積んだら、誰も座れないでしょ！」
　パパとわたしは、冗談でしょとでもいうように顔を見合わせた。
「それにペンギンもね」。ママは慌てて付け足した。「そんなにたくさんのペンギンに会えるなんて、すごくわくわくしちゃう」
　パパは、みんなにわたしたちが来ることを話したにちがいない。いろいろな人たちがひっきりなしに通りかかっては、ガラス越しにのぞき込んでいたから。みんなは、さものぞいてなどいないかのようにふるまっていたけど。有名になるってことはきっとこんな気分なんだろう。

「もっとちゃんとしたお祝いができたらよかったんだが」。パパはメールをちらっと見ながら言った。「これから台北とテレビ会議をするところでね」

「大丈夫よ、パパ」。わたしは言った。「忙しいものね」

＊

パパから

拝啓　ラウンズ様

　まずは、娘のビーが貴校に合格できて大変嬉しく存じます。私はエクセター校の出身ですが、妻のバーナデットは、チョートで過ごした日々が一番幸せだったと常々話していましたので、娘も幼いころからずっと貴校に通いたがっていました。

　また、娘についてご親切なお言葉を頂戴し、ありがとうございます。あの子が非凡であることは同感です。しかしながら、飛び級してはどうかとのお申し出には断じて承諾しかねます。

　娘が提出した願書に目を通したところですので、あの子についてきわめて重要な事実をご存じであるはずがないことは承知しています。娘は心臓に欠陥を持って生まれ、６回の手術が必要でした。したがって、５歳まではシアトル小児病院に入退院を繰り返していたのです。

　娘は予定どおりに就学前クラスに入りました。小さな体でほかの子たちについていくのは苦労しましたが（当時は身長も体重も０パーセンタイル

〔成長曲線の最小値〕でしたし、お気づきのとおり、今でも追いつこうと努めています)。それでも娘が大変聡明であることはすぐに自然と知れ渡っていきました。教師たちからは、あの子にテストを受けさせてみるよう勧められました。実のところ、バーナデットと私は、天才児事業になどまったく興味はなかったのです。ふたりとも、プレップ・スクール〔プレパラトリー・スクールの略称。大学進学準備の寄宿制エリート私立高校〕とアイビーリーグの大学に通っていましたので、シアトルのほかの親たちみたいにそうしたものを盲目的に崇拝してはいませんでした。私どもにとって最大の関心事は、生まれてから5年ものあいだ忌まわしい状況に苦しめられてきた娘に、ささやかな普通の暮らしを送らせてあげることでした。

ある決断をしたことがものすごく娘のためになりました。近所にすばらしい学校、ゲイラーストリート校を見つけたのです。もちろん娘は同級生より「進んで」いました。そのため勉強の遅れている子たちに読み書きを教えることを買って出ました。今でも放課後は学校に残り、宿題ラボの手伝いをしています。娘はそのことも願書に記載していませんでした。

貴校はすばらしい施設を備えています。娘は「退屈」せずにいるのに十分すぎるほどのものを見つけるにちがいありません。

娘が退屈だと訴えたのは後にも先にも一度きりですが、ついでにその話をさせてください。娘がまだ保育園《プリスクール》児だったころ、私と妻が、娘と、同じプリスクールに通っているグレースのふたりを、ある誕生日パーティーへ車で連れていったときのことです。渋滞に遭うと、グレースは「退屈ね」と言いました。

「うん」。ビーはまねして言いました。「退屈ね」

バーナデットは車をわきに寄せて止め、シートベルトを外して、振り返ると、「そうね」と女の子たちに言いました。「退屈でしょうね。じゃあ、人生についてのちょっとした秘密を教えてあげましょう。今は退屈だと思ってるのね。でも、ますます退屈になる一方なの。人生を面白くするのは自分次第だってことを知るのが早ければ早いほど、幸せになれるのよ」
「わかった」。娘はぽつりと言いました。グレースはわっと泣き出し、二度と私たちと過ごそうとはしませんでした。あれ以来、娘が退屈だと言ったことは一度たりともありません。
　秋にお目にかかれるのを楽しみにしております。その際には、娘は3年級の友人たちとともに参上します。
　敬具
　エルジン・ブランチ

*

　わたしは病人なんかじゃない！　たしかに生まれたときは、左心低形成症候群にかかっていた。それは、僧帽弁、左心室、大動脈弁、大動脈が完全に発達しない先天性疾患で、わたしは開胸手術を3回受けたうえに、合併症を起こしたから、さらに3回も手術を受ける必要があった。最後の手術は5歳のころ。わたしはとても賢いと思われているようだけど、聞いてちょうだい。手術のことをちっとも覚えていないの！　それからもうひとつ聞いてちょうだい。今では元気いっぱいだし、9年半ものあいだずっと元気だったの。ちょっと時間をかけてじっくり考えてみて。人生の3分の2は、すごく健康なのよ。
　毎年ママとパパに小児病院へ連れていかれ、心臓エコー図とレントゲン検査を受けている。そんなもの必要ないから、心臓専門医でさえ目を白黒させる。玄関ホールを歩いていると、ママはいつもベトナム帰還兵のようなフラッシュバックに襲われるみたい。壁にかかっているまとまりのない芸術作品を通り過ぎると、ママは椅子にしがみついて、「あーもう、あのミルトン・エイブリーのポスターったら」と言う。あるいは大きく息を吸い込んで、「あの忌まわしいクリスマスにも、あのイチジクの木には折り鶴がかかっていたのよ」なんて言う。それから周りのみんながただ呆然としているあいだママは目を閉じ、パパはパパで、あふれるほどの涙を流しながらママをぎゅっと抱き締める。

お医者さんや看護師さんが一斉に診察室から出てきて、勝利の英雄みたいに歓迎してくれるけど、そのあいだずっとわたしは考えている。「なぜ？」って。わたしが覚えていて当然みたいに、小さなキャップをかぶって病院のベッドに寝かせられている赤ん坊のころの写真を見せられる。そんなことになんの意味があるのかも理解できない。わかっているのはただ、今はすごく元気ってことだけ。

今ひとつだけ困っているのは、背が低くてペチャパイなことくらい。あとは喘息《ぜんそく》。健康な心臓を持って生まれたとしても、喘息持ちになる場合もあると多くのお医者さんに言われた。でも、ダンスやフルートを吹くことだってできる。周りの人がぜいぜいしているからといって、わたしは喘息にかからない。具合が悪くなると決まって喘息よりずっと嫌な症状が出てしまうけど。ただのウイルス性腹痛でも、咳《せき》をして吐き出すしかないような嫌な痰《たん》が2週間は続くんだから。ぜいぜいしている人と向かいに座るのは、もっとも快適なことだとまでは言わないけど、それでわたしがどんな気分になるかを心配してくれるなら、まず気づかないだろうと言っておく。

保健室のウェッブ先生がわたしの咳を病的に心配するさまといったら、まったくばかげてる。卒業する日に、保健室でばったり倒れて死んだふりをし、絶対に先生をびびらせてやりたい。ウェッブ先生は毎日ゲイラーストリートを後にするたびに、今日も自分の監視下でわたしが死ななくてよかったとすごくほっとしてるんだろうな。わたしは本気でそう思っている。
　すっかり本題からずれちゃった。そもそもどうしてこんなこと書き始めたんだっけ？　ああ、そうそう。わたしは病人じゃないって言いたかったの！

12月２日（木）

Ｆｒｏｍ：スーリン・リー＝シーガル
Ｔｏ：オードリー・グリフィン

　マイクロソフトのタウンホール・ミーティングがどうなったか尋ねないでくれてどうもありがとう。各紙の一面を飾った大規模な人員削減の犠牲者にわたしもなったかどうか、知りたくてたまらないでしょ。
　今回は徹底的な人員削減で、10％カットだった。昔は、再編成といえば雇用ブームのことだったのに、今ではレイオフのことよ。もう話したかもしれないけど、うちのチームのプロジェクトは取りやめになりそうだったんだから。プロジェクト責任者ときたら、ちょっと動揺したあまり、社内の半数にののしるようなメールを送ったし。わたしは、気でもおかしくなったみたいに会議室の予約状況や求人サイトをチェックし、将来に関わる何かをこつこつ拾い集めようとした。上司たちはWindows《ウィンドウズ》 Phone《フォン》や検索エンジンBing《ビング》に降格されたけど、このわたしはどうなるかプロジェクト責任者に問いただしても、返ってきたのはただ不気味な沈黙だけで。
　それで昨日の午後、人事担当者から「明日、廊下の突き当たりにある会議室で会いたい」との連絡を受けたの（その予約は前に見たけど、まさか自分のためだなんて思わなかった！）。

　ティーポットを取り出して自分のために慰め会を開く前に、何もかも放り出して最寄りの〈被害者意識と闘う被害者の会《Victims Against Victimhood》（VAV）〉を見つけて駆け込んだ。ものすごく役に立ったのよ（VAVについては、あなたはとても懐疑的だと知っているけど、わたしにとっては心の支えだから）。

　今朝は自分で車を運転して出勤した。〈コネクター〉に箱をたくさん積み込まなければならない屈辱まで味わいたくなかったから。会議室に顔を出すと、人事の女性が、うちのチームは、すでにBingやWindows Phoneへ異動した社員以外は全員、解雇される予定だと冷静に教えてくれた。

「でも」と彼女は言った。「あなたは大変優秀ですから、スタジオCでやっている特別プロジェクトに異動してもらいたいんですが」

　オードリー、わたしは危うく倒れそうだったの。スタジオCは新しいスタジオ・ウェストのキャンパス〔マイクロソフト本社の通称。また、その広大な敷地は○○キャンパスと呼ばれるエリアに分かれている〕内にあって、そこの仕事はマイクロソフトでは一番注目されているんだから。良い知らせは、わたしが昇進することよ！　悪い知らせは、これから手がける新製品は本格的に始動しているので、週末も働く必要があること。極秘のプロジェクトらしくて、なんていう名前かもまだ知らないし。もうひとつ悪い知らせは、志望者の保護者ブランチ会に出席できそうもないこと。良い知らせは、ブランチ会の食べ物代を払ってあげられるのは間違いないってことね。

　じゃあまたね。ゴー、ハスキーズ〔ワシントン大学のスポーツチームの呼称〕！

＊

Ｆｒｏｍ：オリー・オー

Ｔｏ：〈志望者の保護者対象ブランチ会〉実行委員会

リアルタイム⚡ニュース速報！

参加予定者は60名になりました！　**少し肥料を投入**するつもりです。ロックバンドの**パール・ジャム**にほかなりません。彼らには、就学前クラスに入る予定の子どもがいるそうです。メンバーのひとりでも――**ボーカルでなくても構いません**――参加してもらえたら、もっと**盛大な会**へと育てられるでしょう。

＊

Ｆｒｏｍ：オードリー・グリフィン
Ｔｏ：スーリン・リー＝シーガル

昇進したとはなんてすばらしいニュースなの！　食べ物代を払ってくれるとの言葉にありがたく甘えるね。前菜用に揚げる緑のトマトは温室にまだ十分あるの。アイオリ用のディル、パセリ、コリアンダーも。リンゴも２ブッシェルほど取ってあるから、デザートには、ローズマリーのタルトタタンを作りたいと思って。メインディッシュだけど、あの移動式ピザ窯のケータリングサービスを頼んだらどうかな。裏庭に置いてもらえば、キッチンを使えるし。

オリー・オーが、うわさは「口コミでさっと広がる」ものだって言ってたのは正しいみたい。今日、《ホールフーズ・マーケット》で、まったく見覚えのない女がわたしに気づいて「ブランチ会を楽しみにしています」と声をかけてくれたの。ショッピングカートの中身――輸入チーズ、オーガニックのラズベリー、フルーツ用洗浄液――からすると、まさにゲイラーストリートに必要な親のタイプよ。駐車場でもその女を見かけたけど、レクサスに乗ってたんだから。メルセデスではないけど、似たようなものよね！

ねえ、聞いた？　病気の子どもを寄宿学校にやるなんて！　不思議と驚いてないけど。

＊

その日、わたしは授業中に許可を得て廊下へ出た。音楽のカンガナ先生から、〈世界お祝いデー〉に披露する1年生の歌の伴奏をしてくれ、リハーサルにも出てほしい、と頼まれていたからだ。ロッカーからフルートを取り出そうとしていると、ばったり会ったのは、なんとオードリー・グリフィンだった。あの人は、3年生の子たちが美術品オークションのために織った礼拝用敷物を壁に飾っているところだったけど、わたしに話しかけてきた。

「寄宿学校に行くそうね。そんなこと、誰が思いついたの？」

「自分で考えたんです」

「わたしにはカイルを寄宿学校に送るなんて、とてもできないけど」

「うちのママがわたしを愛してくれてる以上に、おばさんはカイルを愛してますものね」。わたしはそう言うと、廊下をスキップしながらフルートを吹いた。

＊

Ｆｒｏｍ：マンジュラ・カプール
Ｔｏ：バーナデット・フォックス

フォックス様

乗り物酔いの薬について調べてみました。アメリカで処方薬として入手可能でもっともよく効く薬は、ＡＢＨＲ経皮クリームといいます。アティバン、ベネドリル、ハルドール、レグランを混合して、局所クリームに製剤されたものです。宇宙酔いと闘う宇宙飛行士に施すために、ＮＡＳＡによって開発されました。以来、末期ガンの患者に使用するため、ホスピス団体もその薬を採り入れてきました。ＡＢＨＲクリームを絶賛するさまざまな掲示板へのリンクをお送りできて、心から嬉しく思います。ただし注意しておきますが、不安をかき立てるような重病患者の写真も添付してあります。それから先手を打って、ＡＢＨＲクリームの入手方法を調査しておきました。この薬は「調剤薬局」を通じてのみ購入できます。インドでは売られていませんが、どうやらアメリカでは広く利用されているようです。処方してくれそうな医師も見つけておきました。今後どうなさりたいか、どうぞお知らせください。

よろしくお願いいたします。

マンジュラ

＊

Ｆｒｏｍ：バーナデット・フォックス
Ｔｏ：マンジュラ・カプール

宇宙飛行士やガン患者のために役立つなら、わたしにもうってつけね。手に入れてちょうだい！

＊

オードリー・グリフィンからの連絡メモ

トムへ
これまでの作業代として小切手を用意しました。確認のために、月曜の午後、わが家で待ち合わせてから、丘を登ってブラックベリーの茂みのある家へちょっと行ってみましょう。勝手に隣人の敷地に入るのをためらう気持ちはわかります。でも、留守なのは間違いありません。

*

12月6日（月）

その日の6時間目は美術だった。授業中に喉《のど》にねばねばしたものがからんだので、廊下へ出て、水飲み場で吐き捨てた。美術の時間にはよくあることだ。痰を吐き出している最中に誰が角を曲がってきたと思う？保健室のウェッブ先生よ。先生は、わたしが病原菌をまき散らしていると思い込んで、すっかり慌てふためいた。白い痰は死んだ病原菌だから、勘違いだとわたしは説明しようとした。看護学校に通ってもいないのに、机にバンドエイドの箱をしまっているだけで保健室の先生と名乗っている庶務係なんかではなく、本物の医者にきいてみて。
「リュックを取ってきます」。わたしは不満たっぷりに言った。
言っておくけど、生物を教えている担任のリーヴィ先生には、わたしのようなウイルス性の喘息持ちの娘さんがいて、その子だってアイスホッケーをやるくらいだから、わたしの咳なんかたいしたことないってわかってくれている。リーヴィ先生なら、ウェッブ先生の保健室にわたしを送り込んだりなんか絶対しない。喉にねばねばしたものがからんでいると、すぐに周りの人にバレてしまう。質問に答えると、声が接続の悪い携帯電話みたいにぶつぶつ切れるから。そんなとき、リーヴィ先生は後ろ手にティッシュをそっと渡してくれる。とてもおもしろい先生で、カメに教室を歩き回らせたり、液体窒素を持ち込んで生徒の食べ残しのお弁当を凍らせたりしたことまである。

もう６時間目だったから、ママに早く迎えに来てもらわなくてはならないことについてはあまり罪悪感を抱かなかった。一番申し訳なく思ったのは、宿題ラボで教えられなかったこと。４年生がディベートをするというので、わたしはその用意を手伝っていた。生徒たちは中国について学んでいたから、ディベートでは中国のチベット占領に対してプロコン〔賛成反対の立場に分かれて議論すること〕する予定だった。そんなの、聞いたことある？　ゲイラーストリートはとてもばかげた学校だから、パソコンで調べるだけにとどまらず、昔のやり方に戻って、４年生は、中国によるチベット人大虐殺や、それと同じくらい悲惨な文化的大虐殺における利点を実際に検討することになっている。わたしとしては、賛成理由のひとつは、チベット人の口減らしができたので、中国の占領は世界的食糧難の緩和に役立っている点だと言ってもらいたかった。でも、ロッタースタイン先生がたまたまわたしの話を耳にして、そんな大胆なこと言わないほうがいいと忠告してきた。

まあとにかくわたしは雨の中、歩道橋の階段に座っていた（事務室で待つのは禁じられていた。カイル・グリフィンがある日そこに送られたとき、誰も見ていないすきに、ゲイラーストリートの名簿に目を通すと、事務室の代表番号から保護者全員に電話をかけて以来ずっとだ。それで保護者が携帯電話の着信表示を見て、ゲイラーストリートからだと思って電話に出ると、カイルは「事故があった！」と叫んでは電話を切った。それからというもの子どもたちはみんな外で待たなければならなくなった)。ママは車で迎えに来た。ウェッブ先生がすごくうるさいのを知っているから、具合はどうかと尋ねてきさえしなかった。家に帰る途中、わたしは新しいフルートを吹き始めた。ママは決して車内で演奏させないけど。というのも、誰かが衝突してきたら、わたしがフルートでシートに串刺しにされるのではないかと心配だからだ。そんなのばかげてると思う。ありえないもの。
「ビー——」とママ。
「はい、はい」。わたしはフルートをしまった。
「そうじゃなくて、新しいの、それ？　見たことないけど」
「尺八っていう日本のフルートよ。カンガナ先生がコレクションの中から貸してくれたの。1年生が〈世界お祝いデー〉に保護者のために歌う予定で、わたしはその伴奏をすることになってるから。先週、練習に参加したら、みんな突っ立ったまま歌っていて。それでわたしは、ちょっとだけゾウのダンスをしたらって提案したから、振り付けも担当することになったの」
「あなたが1年生のダンスの振り付けをしてるなんて知らなかった。すごいじゃない、ビー」
「たいしたことないよ」
「ちゃんと言ってくれないと。見にいってもいい？」
「いつやるかもわからないの」。ママが学校へ来たがらないことも、今回もどうせ見にきてくれないだろうってこともわかっていた。なのに、どうしてその気があるふりなんかするんだろう。
　家に着くと、わたしは自分の部屋へ上がっていき、ママはいつもどおりのことをした。つまりは〈プチ・トリアノン〉へ行ったのだ。
　まだ〈プチ・トリアノン〉について触れていなかったと思う。ママは日中は家から離れていたがる。なんといってもノルマ姉妹が掃除しにやって来て、部屋越しにものすごく大声でおしゃべりするからだ。おまけに庭師が草を刈るために家の中へ入ってくる。だから、ママはエアストリーム製のトレーラーを手に入れて、クレーンを使って裏庭に降ろした。ママがコンピューターを置いているのも、ほとんどの時間を過ごすのもトレーラーの中で、それをマリー・アントワネットにちなんで〈プチ・トリアノン〉と名づけたのはわたしだ。アントワネットは、ベルサイユ宮殿の敷地に小さな離宮を建て、宮殿から解放されたくなると、そこへ行けるようにしたらしい。

そういうわけでママはトレーラーにいて、わたしは２階で宿題を始めようとしていたけど、そのときアイスクリームが吠え出した。

裏庭からママの声が聞こえた。「何かご用ですか？」。嫌みたっぷりだ。

間の抜けた小さな悲鳴がした。

わたしは窓際へ行った。ママが、オードリー・グリフィンと、長靴にオーバーオール姿の男の人と一緒に芝地の上に立っている。

「まさか家にいるとは思わなかったもので」。オードリーは慌てて言った。

「そうみたいですね」。ママの声にはめちゃくちゃとげがあった。すごく笑える。

オードリーは、ブラックベリーの茂み、自分の有機菜園、その男の人はトムといって特別な機械を持っている友人がいること、今週のうちに済ませる必要があることについて脈絡なく大急ぎで話し始めた。ママはただ耳を傾けていたけど、そのせいでオードリーはどんどん早口になった。

「ブラックベリーの茂みを除去するためにぜひトムを雇いたいわ」。ママはようやく口を開いた。「名刺をお持ちかしら？」。トムがポケットを探るあいだ、長くて重苦しい沈黙が続いた。

「話は済んだようですね」。ママはオードリーに言った。「だったら、腹ばいになってくぐり抜けてきたフェンスの穴をもう一度通って戻ったらいかが？　うちのキャベツ畑には近づかないでくださいね」。そしてくるっとふたりに背を向け、〈プチ・トリアノン〉へとつかつか戻っていくと、ドアを閉めた。

わたしは「いいぞ、ママ！」という気分だった。なぜって、つまりはこういうこと。今、ママが人からなんと言われようと、あのときはたしかに人生をおもしろくする方法を心得ていたから。

＊

Ｆｒｏｍ：バーナデット・フォックス
Ｔｏ：マンジュラ・カプール

ブラックベリーの蔓を「除去」する男に関する情報を添付します（そんな職業があるなんて信じられる？）。その人に連絡を取って、すべてお任せすると伝えてちょうだい。費用はすべてわたしが持ちます。

＊

5分後、ママは続いて次のようなメールを送った

Ｆｒｏｍ：バーナデット・フォックス
Ｔｏ：マンジュラ・カプール

看板を作ってほしいの。幅は2.5メートル、高さは1.5メートルよ。以下のように書いてもらって。

私有地
立入禁止
違反したゲイラーストリートのブヨどもは
逮捕され
ブヨ刑務所に連行される

看板の地の色はとびきり派手で下品な赤に、文字はとびきり派手で下品な黄色にしてちょうだい。土地の西の境界線かつ丘のふもとに設置するようにしてほしいの。いまいましいブラックベリーが「除去」されたら、丘に入りやすくなってしまうから。看板は必ず隣の庭を向くようにしてね。

＊

12月7日（火）

Ｆｒｏｍ：マンジュラ・カプール
Ｔｏ：バーナデット・フォックス

ご希望の看板は「幅2.5メートル、高さ1.5メートル」でお間違いないですね。わたしが依頼した男の方は、それだと異常に大きくて、住宅街にはふさわしくないのではないかとおっしゃっていました。
よろしくお願いいたします。
マンジュラ

＊

Ｆｒｏｍ：バーナデット・フォックス
Ｔｏ：マンジュラ・カプール

　間違いなくその大きさよ。

＊

Ｆｒｏｍ：マンジュラ・カプール
Ｔｏ：バーナデット・フォックス

フォックス様
　看板を注文しておきましたので、トムが除去作業を終える日には立つ予定です。
　それから、ＡＢＨＲクリームの処方箋を書いてくださる医師を見つけたことを謹んでお知らせいたします。この薬を出してくれる調剤薬局はシアトルに１軒しかなく、あいにく配達はしないそうです。メッセンジャー便についても問い合わせましたが、残念ながら、副作用について客に直接説明するよう法律で義務づけられているので、処方薬を受け取りにくるよう、その薬局の方は言い張っています。薬局の住所と処方箋の写しを添付いたします。
　よろしくお願いいたします。
　マンジュラ

＊

12月10日（金）

Ｆｒｏｍ：バーナデット・フォックス
Ｔｏ：マンジュラ・カプール

　これから薬局に向かうところよ。スパイク歯やら、伸縮アームやら、物騒な回転部のついたこのいまいましい機械がうちの丘の斜面をめちゃめちゃにし、あちこちに腐葉土をまき散らしている最中に家から出るのは、さほど悪いことではないもの。トムは、これまでもそのひどい機械に乗ってみたことがあるらしいから、振り落とされはしないだろうし。あれが火を噴き始めても不思議はないけど。
　そうだ！　フィッシング・ベストが届いたわ。ありがとう。早速、サングラス、車の鍵、携帯電話をしまってみたの。もう脱がないかも。

＊

Ｆｒｏｍ：スーリン・リー＝シーガル
Ｔｏ：オードリー・グリフィン

　オリー・オーの言い草ではないけど……**リアルタイム⚡ニュース速報！**
　新しいチームの秘書になれそうだと話したよね？　たった今わかったけど、そのチームというのは《サマンサ２》で、リーダーはなんとエルジン・ブランチよ！
　オードリー、わたしの体は今、興奮で煮えたぎってる！　２月のＴＥＤ《テッド》カンファレンスでエルジンが《サマンサ２》を発表したとき、危うくネット上で騒動になるところだったけど。それから１年もしないうちに、彼の講演は、史上４番目の視聴率を誇るＴＥＤトークになっているんだから。ビル・ゲイツは、社内で一番気に入っているプロジェクトは《サマンサ２》だとコメントしたばかりで、去年、エルジンはマイクロソフトの最高の名誉である〈技術功労賞〉を受賞したし。《サマンサ２》のメンバー、特にエルジンは、ここではロックスター扱いされているの。スタジオ・ウェストに来て、肩で風を切って歩いている人間がいたら、《サマンサ２》に関わっているのだとわかるってもんよ。わたしは仕事ができると自覚しているけど、《サマンサ２》に異動になったということは、ここのみんなもそう思ってくれているってわけね。クラクラしちゃう。

それからなんたってエルジン・ブランチがいるんだから。〈コネクター〉で会ったあの日、彼の無礼で横柄な態度は屈辱的で、今でも傷ついているのに。これから今朝の出来事を聞いてもらうから、楽しみにしていて。

わたしは人事部へ行って、新しいカードキーを受け取った。オフィスをあてがわれたの（10年たってようやく初めて窓のあるオフィスを持てたのよ！）。写真、マグカップ、スノーベイビー〔赤ちゃん天使の置物〕のコレクションを出しているとき、ふと顔を上げると、中央広間《アトリウム》の向こうにエルジン・ブランチが見えた。靴下しか履いていない彼を見て、変なのと思った。目が合ったので手を振ると、彼はうっすら笑みを浮かべ、歩き続けた。

そこでわたしは「先を見越して行動する姿勢《プロアクティブ》（〈被害者意識と闘う被害者の会〉が目指す対人関係の基盤となる３つのＰのひとつ）」を貫いて、プロジェクト責任者と秘書としての新たな関係を築くために初顔合わせを始めることにしたの。

エルジンはスタンディングデスクに向かっていた。足元にはひもがもつれた登山靴が転がっている。すぐにわたしはオフィス中に乱雑に積まれた特許キューブの多さに目を見張った（開発者は何かの特許を取るたびに、記念キューブをもらえるの――マイクロソフトってかわいいことをするでしょ）。前の本部長は４個しか持っていなかったのに、エルジンの部屋には、窓敷居に置いてあるのだけで20個もあったし、おまけに床にもいくつか落ちていた。

「何か用でも？」。エルジンは言った。

「おはようございます」。わたしは姿勢を正した。「新しい秘書のスーリン・リー＝シーガルと申します」

「初めまして」。エルジンは手を差し出した。

「お会いしたことはありますよ。ゲイラーストリートにリンカーンという息子がいますから。ビーと同じクラスです」

「すまない。そうだったね」

開発主任のパブロが顔をのぞかせて言った。「いいお天気ですね、ご近所さん」（チームのみんなはロジャース氏〔子ども向け長寿テレビ番組『ミスター・ロジャースのご近所さんになろう』のホスト〕を引き合いに出してエルジンをからかう。ロジャース氏のように部屋に入るなり靴を脱ぐのは、どうやらエルジンの奇妙な癖のひとつみたい。わたしが観直したばかりのＴＥＤトークでも、エルジンは靴下だけで立っている。アル・ゴアやキャメロン・ディアスの前でよ！）。「もうじきお昼だよ」。パブロは続けた。「これから一緒にサウス・レイク・ユニオン〔シアトルの再開発エリア〕で社外ミーティングをすることになってるけど。ダウンタウンのランチに変更するってのはどうだい？　アジア料理の《ワイルド・ジンジャー》は？」

「いいね」。エルジンは答えた。「路面電車の駅の近くだな。空港に直接行けるよ」。エルジンが明日は地方でプレゼンテーションすることになっていると、わたしは《サマンサ２》のカレンダーを見て知っていた。

パブロが振り返ったので、わたしは自己紹介した。彼は言った。「やったね！　新しい秘書だな。いやあ、きみが来てくれなかったら、ぼくらはここで死ぬところだったよ。一緒にランチしないかい？」

「お腹が鳴ってるの、聞こえてしまったんですね」。わたしは甲高い声で言った。「車がありますから、ダウンタウンまでお乗せしますよ」

「888シャトルに乗ろうじゃないか」。エルジンは言った。「メールを送りたいから、Wi-Fi《ワイ・ファイ》が必要なもんでね」

「888シャトルですね」。わたしは断られて侮辱された気がしたけど、管理職以上しか利用できない888シャトルに初めて乗るチャンスなので、少し心が弾んだ。「正午に《ワイルド・ジンジャー》ですね。予約を入れておきます」

　それで今、人生でもっとも幸せになるはずの日だというのに食事を恐れてここにいるってわけ。ああ、オードリー。あなたがわたしよりすばらしい日を送れますように。

＊

Ｆｒｏｍ：オードリー・グリフィン
Ｔｏ：スーリン・リー＝シーガル

　エルジン・ブランチなんかどうでもいいけど、あなたのことが気がかりよ。離婚してからあなたが乗り越えてきたすべてを誇らしく思ってる。ついに正当に評価されてるのね。

　今日は最高の１日になりそう。機械がバーナデットの丘からブラックベリーの蔓を全部引き抜いてくれてるの。おかげでうきうきしてきたから、ゲイラーストリートでの出来事なんて笑い飛ばせるくらい。でなければ、まだイライラしてたかも。

　グウェン・グッドイヤー校長が今朝わたしをつかまえて、校長室で内密に話したいと言ってきたの。大きな革の椅子に背を向けて座ってたのは誰だと思う？　カイルよ！　グウェン校長はドアを閉め、机の向こうへ回った。カイルの隣に椅子があったから、わたしはそこに腰を下ろした。

　校長は引き出しを開け、「昨日、息子さんのロッカーで見つけましてね」と言うと、オレンジ色の薬瓶を持ち上げた。それにはわたしの名前が書いてあったの。〈ストレートゲートの聖母マリア〉の車に轢かれそうになった後にわたしがもらったバイコディン〔麻薬性鎮痛剤〕の処方薬よ。

「そんなもの、なぜここにあるんです？」。わたしはきいた。

「カイル？」。校長は言った。

「知りません」とカイル。

「ゲイラーストリートでは、薬物に対しては一切容赦しない方針を採っています」。校長は言った。

「でも処方薬ですよ」。わたしには、校長が何を言おうとしてるのかまだわからなかった。

「カイル」。校長は言った。「なぜそれはあなたのロッカーに入っていたの？」

　嫌な予感がした。ものすごく。わたしは校長にこう言った。「バーナデット・フォックスのおかげで救急治療室へ行ったんですよ。覚えておいででしょうけど、松葉杖をつく羽目になりました。ですから、カイルにハンドバッグと処方薬を持ってくれるよう頼んだんです。なんてことでしょう」

「いつバイコディンがなくなっていると気づかれました？」。校長はきいた。

「今、初めて気づきました」とわたし。

「どうして瓶は空《から》なんです？　息子さんに答えさせてください、オードリーさん」。校長はカイルに向かって言った。「なぜ空なの？」

「わかりません」。カイルは答えた。

「きっと、受け取ったときから空だったんでしょう」。わたしは言った。「ワシントン大学のメディカルセンターがいかに人手不足かご存じですよね。たぶん詰め忘れたんです。もうお話は済みました？　お聞きになっていないのでしょうけど、明日は、志望者の保護者60名のためにパーティーのホストを務めますので」。そう言うと立ち上がり、部屋を出たの。
今これを書いてるうちに、グウェン・グッドイヤー校長がいったいカイルのロッカーで何をしてたのか知りたくなってきた。それって、錠《ロック》がついてるはずよね？　だからロッカーと呼ばれてるんじゃないの？

＊

各ロッカーには、暗証番号式の錠がついている。何か取り出す必要があるたびに何度も小さなダイヤルをくるくる回すのはすごく面倒だから、みんな嫌がる。でも、カイルとその仲間たちは解決策を思いついた。錠をたたき壊して外すことだ。それでカイルのロッカーはずっと少し開いたままになっている。だから、グッドイヤー校長がカイルのロッカーで何をしていたか明らかだ。

＊

Ｆｒｏｍ：バーナデット・フォックス
Ｔｏ：マンジュラ・カプール

ダウンタウンを訪れるのは１年ぶりだった。その理由をすぐに思い出したの。パーキングメーターのせいよ。
シアトルで駐車するには８段階のプロセスが必要なの。ステップ１：駐車する場所を見つける（がんばって～～～）。ステップ２：斜めの駐車スペースにバックで入れる（あんなシステムを導入した人は刑務所送りにするべきね）。ステップ３：物乞い、ホームレス、ヤク中、家出人といった悪臭を放つ寄せ集め連中に、威嚇するよう囲まれないで済む発券機を見つける。これには、ステップ４：通りを渡る必要がある。ああ、しかも傘を忘れてしまうことも（髪形が崩れちゃうの。前世紀の終わりにはそんなもの心配するのはやめたから、お金はかかっていないけど）。ステップ５：発券機にクレジットカードを挿入する（見当違いの不満分子によって挿入口に接着剤を詰め込まれていない機械を見つけたら、ちょっとした奇跡よ）。ステップ６：車へ戻る（行きにお金を施さなかったばかりにやじり倒してくる、さっき挙げた連中からの不快な一斉攻撃の中を通り過ぎ——あら、連中はみんなぶるぶる震えている犬を連れているって言ったかしら？）。ステップ７：適切な窓に券を貼る（バックで斜めに入れる駐車場の場合は、助手席側？　それとも運転席側？　ステッカーの裏の決まりを読もうとしても、読めやしない。〈いったいどこのどいつが駐車するためにわざわざ老眼鏡を持ってくるっていうの？〉）。ステップ８：そもそもいったいなんのためにダウンタウンへ来たのか思い出すための気力が残っていますように、と信じていない神に祈る。

　この時点ですでに、いっそのことチェチェンの反乱者に背中を撃ってもらえたらなあ、と思った。

　調剤薬局はとても広く、木のパネル張りで、在庫の少ない棚が少しあるだけだった。店の中央にはブロケード織りのカウチが置かれていて、その上にはガラス彫刻家のチフーリのシャンデリアが吊《つる》されていた。その店はめちゃくちゃだから、わたしはもうすっかり神経がまいってしまって。

　カウンターへ近づくと、薬剤師の女の子がいた。修道女の頭巾のような白いかぶりものをしているけど、ひらひらの折り返しはついていない。そんな格好をしていたのはどんな民族だからかは見当もつかないけど、この辺りには、特にレンタカー会社で働いている人の中には、似たような人間が山ほどいるの。いつか実際に尋ねてみないと。

「バーナデット・フォックスですが」とわたしは言った。

　その女の子はわたしと目が合うと、いたずらっぽくこちらを見たの。

「少々お待ちください」。それから壇に乗り、男性薬剤師に何やらささやいた。彼はあごを引き、眼鏡越しに容赦なくわたしを観察している。ふたりとも壇から降りた。何が起きようとしているかはともかく、ふたりは一緒にやると前もって決めていたみたい。

「お客さまの主治医から処方箋をいただきました」。男性薬剤師はわたしに言った。「船酔いのために書かれたものですよね。ご予定されているクルージングのためですって？」

「クリスマスに南極へ行くんです。ドレーク海峡を渡らなくちゃいけないもので。水が渦巻くスピードと大波の高さに関する統計データをお伝えしたら、驚かれるでしょう。でも、できません。数字を覚えるのが苦手なものですから。それに、その数値を思い出さないよう懸命に努めていまして。娘のためなんです。娘のために行くにすぎません」

「お客さまに処方されているのはＡＢＨＲです。ＡＢＨＲは基本的に、ハルドールに、ベネドリル、レグラン、アチバンを加えたものでして」

「それで結構ですけど」

「ハルドールは抗精神病薬ですが」。男性薬剤師は老眼鏡をシャツのポケットにしまった。「囚人の意志をくじくために、ソビエトの刑務所制度に導入されていたんですよ」

「だったら、わたしは今になってようやくその存在に気づいたってことですか？」

　たとえわたしに魅力がたくさんあろうと、この男はなびかないとわかってきた。でなければ、わたしにはまるで魅力がないことになるけど、そうなのかもしれない。男性薬剤師は続けた。「重度の副作用を引き起こす恐れがあります。最悪の場合は遅発性ジスキネジアにかかります。遅発性ジスキネジアの特徴的な症状は、制御できない顔のゆがみ、舌の突出、唇鳴らし……」

「そんな人たちを見たことありますよね」。〈いたずら天使〉〔修道女の一団が起こす騒動を描いたシットコムのタイトル〕はまじめな顔でそう言うと、ねじ曲げた手を顔に添え、首をかしげ、片目を閉じてみせた。

「あなた方はきっと船酔いしないんでしょうね」。わたしは言った。「船酔いに比べたらそんな症状が数時間出たところで、浜辺で１日過ごすようなものにすぎませんから」

「遅発性ジスキネジアにかかったら一生治らないかもしれませんよ」。男性薬剤師は言った。

「一生ですって」。わたしは力ない声で言った。

「遅発性ジスキネジアを発症する可能性はおよそ４％ですが、年輩の女性なら10％まで増えます」

わたしは思い切り息を吐き出した。「なんてこと」

「お客さまの主治医に相談してみました。それで代わりに酔い止めとしてスコポラミンのパッチと、抗不安薬としてザナックスの処方箋を出されました」

ザナックスなら持ってたのに！　ビーの医者軍団は、いつもザナックスか何かの睡眠薬をわたしに持たせて帰したんだから（話したかしら？　わたしは不眠症なのよ）。そんなもの飲んではいないけど。前に一度飲んだら、ムカムカして、自分が自分でないような気がしたから（それがきっとセールスポイントなんだってわかっているけど。なんて言えばいいのかしら。わたしは眠れないことに慣れっこになってしまったのね）。ため込んでいたザナックスやら、ほかの何百とある薬やらは、困ったことに、今ではジップロックの中でごちゃまぜになっている。なぜって？　実は以前、薬物を大量に飲んで死のうと考えていたから、ありとあらゆる薬の瓶の中身を両手に空けてみたことがあるの。手の中に納まりさえしないくらいたくさんあって。それを全部飲み込めるかどうか、ただじっと見つめていた。でも、すぐにすっかり冷静になり、ジップロックに薬を全部放り込んだから、今日まで薬はそこに放置されたままってわけ。なぜわたしが自殺したかったか、不思議に思っているでしょうね。実は、わたしもよ！　覚えてさえいないんだから。

「薬の外観が載っている、ラミネート加工をした一覧表みたいなものはあります？」。わたしは男性薬剤師に尋ねた。わたしったら、どれがザナックスかわかれば、適切な容器に戻せるかもしれないとでも考えていたのね。哀れにも、その男はぽかんとした顔をした。それも当然ね。

「いいでしょう」。わたしは言った。「ザナックスとそのパッチとやらをください」

それでブロケード織りのカウチへ向かったの。耐えがたいほど座り心地が悪いカウチだった。そこでわたしは片脚を上げ、体を沈めてみた。ずっとまし。このときになって気づいたけど、それは横になっていると気が遠くなりそうになるカウチで、カウチ自体誰かに横たわってもらいたがっていた。頭上に浮かんでいたのは、チフーリのシャンデリアよ。チフーリの作品はシアトルのハトのような存在なの。あちこちで見かけ、たとえ邪魔にならなくても、どうしても嫌悪感らしきものを抱かせる。

このシャンデリアはもちろんすべてガラス製で、白くてひだがあり、雫の滴る触手のようなものがたくさんついていた。自ら冷たい感じの青い光を放っていたけど、光源は見当たらなかった。外では雨が打ちつけていて、そのリズミカルなピチャピチャいう音のせいで、この浮かんでいるガラスのけだものはいっそう心を乱すものになり、まるで嵐、いえ、雨乞い師本人とともにやって来たみたいだった。シャンデリアはこう歌いかけてきたの。チフーリ……チフーリと。70年代、デイル・チフーリは、すでに有名なガラス吹き工になっていたころ、交通事故に巻き込まれ、片目を失明したの。でも、あきらめなかった。さらに数年後、サーフィンで事故を起こし、片方の肩をひどく壊したので、二度とガラス吹きパイプを持てなくなった。それでも、あきらめなかったのよ。信じられる？　ユニオン湖でボートを出して、デイル・チフーリのスタジオの窓をのぞいてみてごらんなさい。今でもたぶんそこで、片目に眼帯をつけ、片腕は使い物にならないチフーリが、生涯で最高の奇抜な作品を作っているでしょう。そんなことを考えながら、わたしは思わず目を閉じた。

「バーナデット？」。そう呼ぶ声が聞こえる。

わたしは目を開けた。ぐっすり眠っていたみたい。これが不眠の厄介なところで、最悪の場合はこんなふうに公共の場でほんとうに寝てしまうことがあるの。

「バーナデット？」。エルジーの声だ。「こんなところで寝てどうしたっていうんだ？」

「エルジー――」。わたしは頬からよだれを拭き取った。「ハルドールを出してくれないから、ザナックスを待たなくちゃいけないの」

「なんだって？」。エルジーは窓の外をちらっと見た。通りに立っていたのは、うっすらと見覚えのあるマイクロソフトの連中よ。「何を着てるんだい？」

エルジーはわたしのフィッシング・ベストについて話していた。「ああ、これね。ネットで買ったのよ」

「立ってくれないか。ランチの約束があるんだ。キャンセルしたほうがいいかな？」

「まさか！　大丈夫よ。ゆうべ眠れなかったから、うとうとしちゃっただけなの。いいから、どうぞ行って」

「夕飯には帰るよ。今夜、外食できるかい？」

「ワシントンに行くんじゃ――」

「そんなの、後でいいんだ」
「ええ、わかった。バズとお店を選んでおく」
「ふたりきりでだ」。エルジーは去った。
これが破綻《はたん》の始まりだったの。外でエルジーを待っているうちのひとりは間違いなくゲイラーストリートのブヨだったから。ブラックベリーについてわたしたちを煩わせているブヨじゃなくて、〈空飛ぶサル〉〔『オズの魔法使い』に出てくる西の悪い魔女の手下〕のひとりよ。わたしは確かめようと目をぱちぱちさせた。でも、エルジーたちはすでにランチをする人の群れの中へと消えてしまっていた。
胸がとてもドキドキしてきた。その場に残って、ザナックスを1錠飲むべきだったけど。あの調剤薬局で、冷淡で恐ろしい物体と一緒に閉じ込められているのにもう耐えられなかった。あなたのせいよ、デイル・チフーリ！
わたしは逃げた。どちらの方角を向いているのか、ましてやどこへ行こうしているのか自分でもわからなかった。でも、四番街を通ったはず。何しろふと気づくと、レム・コールハースの設計した公共図書館の前にいたの。
どうやら立ち止まっていたみたい。ある男が近づいてきたから。大学院生らしく、根っからの好青年といった感じで、卑劣なところも威嚇的なところもない。
ところが、その青年はわたしのことを知っていたの。
マンジュラ、どうしてかわからないのよ。出回っているわたしの写真は、20年前、あの〈ものすごく忌まわしいこと〉が起きる直前に撮られたものしかなかったのに。その写真のわたしは美しく、顔は自信に満ちて輝き、自分の選んだ未来を思い描いて弾《はじ》けるような笑みを浮かべていた。
「バーナデット・フォックス」。わたしはうっかり口走った。

50歳にして、わたしったら、徐々に気が変になっていたのね。
あなたには理解できないでしょう、マンジュラ。理解する必要もないし。でも、わたしが人に接するとどうなるかは知ってるでしょ。南極旅行がどうなるか、思いやられるってもんね。

＊

その後、ママは学校まで迎えにきてくれた。あまり口をきかなかったけど、時にはそういうこともある。迎えにくる途中で、気のめいるようなニュースばかり報じている国際公共ラジオＰＲＩの『ザ・ワールド』を聴くからだけど、その日も例外ではなかった。わたしは車に乗り込んだ。コンゴ民主共和国の戦争について、そしてレイプがいかに攻撃手段として使われているかについて、恐ろしいニュースが流れているところだった。女性はみな、生後6ヵ月の赤ちゃんから、80歳のおばあさんに至るまで、どの年代の人もレイプされているという。毎月1,000人以上の女性や少女が被害に遭っていた。しかもその状態が12年間も続いていたのに、誰ひとり、なんの手だても講じてこなかった。ヒラリー・クリントンが現地を訪れて援助しようと約束したから、みんなは希望を抱いたけど、それからヒラリーのしたことといったら、腐敗した政府に金を援助することくらいだ。
「こんなの聴いてらんない！」。わたしはラジオをパチッと消した。
「そりゃ、ぞっとするわよね」。ママは言った。「でも、あなたはもう大きいんだから。わたしたちはシアトルで恵まれた生活を送っているけど。だからといって、内戦中にコンゴに生まれてきたことしか落ち度のないこの女性たちを完全に消し去ることなんてできないのよ。わたしたちが証人になってあげないと」。ママはラジオをつけた。

わたしは座席に倒れ込み、むっとした。

「コンゴの戦争は、終結の見通しのないまま勢いが増しています」。アナウンサーは言った。「そして今、すでにレイプした女性たちを探し出して再びレイプするという新たな軍事行動が兵士たちによって実行されつつあるとの一報が届いています」

「なんてこと！」。ママは言った。「再レイプなんて、我慢にもほどがあるわ」。そしてラジオを消した。

わたしたちは黙ったままでいた。それから４時10分前になると、ラジオをまたつけることになった。毎週金曜のこの時間は、わたしたちの好きなクリフ・マスを聴く時間だから。クリフ・マスのことを知らない人には教えてあげるけど、わたしとママの大のお気に入りで、天気を愛するゆえにこちらも愛し返さずにいられないようなものすごい天気おたくなの。

以前、たしかわたしが10歳のころ、ママとパパが何かの講演のためにタウンホールに出かけているあいだ、シッターと留守番したことがある。翌朝、ママはデジタルカメラに保存してある写真を見せてくれた。「ママと一緒に誰が写ってると思う？」。わたしには見当もつかなかった。「わかったら、とてもうらやましがるわよ」。わたしはママに意地悪な顔をしてみせた。ママとパパはそれをキューブリック顔と呼んでいる。わたしが赤ちゃんのころによくした、しかめっ面だ。ママはついに叫んだ。「クリフ・マスよ！」

しまった！　クリフ・マスについてもっと書いてしまう前に誰か止めてくれない？

わたしの言いたいのは要するにこういうこと。まず再レイプのために、それともちろん、ママとわたしがクリフ・マスをとても愛していたために、その日は家に帰る途中あまり話さなかったから、ママが心に傷を負っていることなど気づかなかった。わたしたちの乗った車は私道のわきに止まった。わき道には巨大なトラックが何台も止まっていて、１台は、門を開けておくためにループ・コイル〔自動式ゲートの前に埋め込まれた車両検知センサー〕の上に止まっていた。作業員たちが出たり入ったりしている。雨で汚れたフロントガラス越しからは、具体的に何が起きているかわかりにくかった。

「何も聞かないで」。ママは言った。「オードリー・グリフィンがブラックベリーを除去しろって言ってきたのよ」

わたしが幼いころ、ママにパシフィック・ノースウェスト・バレエの『眠れる森の美女』を観に連れていってもらった。あの物語では、悪い魔女が王女に呪いをかけ、100年間眠らせる。優しい妖精はイバラの森に閉じ込めることで眠っている王女を守る。バレエの公演中に、周りでとげだらけの枝が生い茂っていくあいだ、王女は眠っている。そんな王女と同じ気持ちをわたしも自分の部屋で感じていたの。ブラックベリーの蔓が書庫の床をゆがめ、カーペットには妙なこぶを作り、地下の窓を粉々に割っているとわかっていた。でも、わたしは笑みを浮かべていた。なぜって、眠っているあいだ、守ってくれる力を感じていたから。

「まさか全部じゃないでしょうね！」。わたしは叫んだ。「信じらんない」

「ママにぶすっとしないで。南極点まで連れていってあげるのは、ママなんだから」

「ママってば、南極点には行かないのよ」

「待って、行かないの？」

「観光客が行けるのは南極半島だけよ。南極のフロリダキーズ諸島ってところね」。びっくりだけど、ママはほんとうにこのことを知らなかったみたい。わたしは続けた。「そこも極地だけど、南極大陸のほんの一部なの。クリスマスにコロラドへ行くと言う人がいて、帰ってきたその人に『ニューヨークはどうだった？』って聞くようなものよ。同じアメリカにはちがいないけど。それにしてもなんて無知なの。そんなことくらい知ってたって言って、ママ。疲れてたから忘れてただけだって」

「疲れてるし、無知なのよ」。ママは言った。

＊

Ｆｒｏｍ：スーリン・リー＝シーガル

Ｔｏ：オードリー・グリフィン

〈「リアルタイム⚡ニュース速報！」と叫んだ女の子〉だとわたしを切り捨てる前に、この話を聞いて。

前に話したように、エルジンとパブロと一緒に、ダウンタウンでランチミーティングをすることになっていたの。エルジンは888シャトルに乗ろうと言い張った（結局、それは〈コネクター〉とちっとも変わらなかった。ドアが開くと、精霊が閉じ込められた瓶か何かの内部のように見えるんじゃないかとずっと長いこと想像していたのに）。ダウンタウンでは工事をしていたから、シャトルが五番街とセネカ通りの角に着くと、車の流れは完全に止まっちゃって。エルジンは、歩くほうが速いだろうと言った。バケツをひっくり返したみたいに雨が降っていたけど、わたしは文句を言える立場ではなかったから、シャトルを降りてふたりについていったの。

ところでオードリー、あなたはいつも神の思し召しについて話しているけど、今になって初めてあなたの言いたいことがわかる。土砂降りの雨の中を３ブロックも歩かされたときは、神に見捨てられているんだと思った。でも、神がわたしに見せようとしたものが、その３つ目のブロックにあったの。

エルジンとパブロとわたしは、フードをぎゅっとつかんで顔を隠し、うつむいたまま四番街を急いでいた。たまたまわたしが顔を上げたとき、何を見たと思う？　薬局で眠っているバーナデット・フォックスよ。

もう一度言うけど、バーナデット・フォックスが調剤薬局の真ん中で目を閉じてカウチに寝転がっていたの。シアトル中のみんなに見られる《ノードストローム》〔全米最大の高級老舗デパート〕のショーウインドーにいたようなものよ。あの女は、サングラス、パンツ、ローファー、シルバーのカフスボタン付きの紳士用シャツといった格好をして、レインコートの下にはベストらしきものを着ていた。それに、シルクのスカーフを結んだしゃれたハンドバッグをつかんでいた。

パブロとエルジンは先の角でくるっと振り返り、わたしがどこへ行ったか気にしていた。エルジンはわたしを見つけ、苛立たしげにつかつかと近づいてきた。

「あの——」。わたしは口ごもりながら言った。「すみませんが——」。その日は新しい職場で働き始めた日だったから、バーナデットに何が起ころうと、関わりたくなかったの。そこでふたりに追いつこうと走りかけたけど、時すでに遅し。エルジンが窓から店の中をのぞいちゃっていた。顔は真っ青。そしてドアを開け、中へ入っていった。

このころにはパブロも近寄ってきていた。「エルジンさんの奥さまがそこで寝ていまして」。わたしは説明した。

「ひどい土砂降りになってきたね」。パブロはそう言うと、にっこり笑って薬局のほうに顔を向けようとはしなかった。

「ランチで何を注文するか、もう決めてるんです」。わたしは言った。「ソルト＆ペッパー・カラマリですよ。メニューには載っていませんけど、頼めば作ってくれますから」

「おいしそうだね」。パブロは言った。「ぼくはメニューをじっくり見てから注文するとしよう」

ついにエルジンは出てきた。震えているみたい。「ワシントン行きの便を変えてくれないか。明朝、出発したいから」

わたしはエルジンのスケジュールについてまだ完全に把握していなかった。でも、プレゼンテーションが翌日の午後４時にワシントンで予定されているのは心得ていた。時差がありますからと説明しようとすると――。
「いいから――」。エルジンは言った。
「わかりました」
するとなんてこと！　ちょうど〈コネクター〉が通りかかったの。エルジンは車の往来に飛び込み、〈コネクター〉を止めた。運転手と話し合うと、手招きしてわたしを呼び寄せ、こう言った。「レドモンドまで送ってくれるって。それと新しい旅程表をメールで送ってもらえるかい？」
仕方なくわたしは〈コネクター〉に乗った。パブロはわたしのためにソルト＆ペッパー・カラマリ１人前を買ってきてくれたけど、味が落ちちゃってたの。

＊

Ｆｒｏｍ：オードリー・グリフィン
Ｔｏ：スーリン・リー＝シーガル

パーティーの準備で手いっぱいだから、このメールを早く済ませなくちゃ。ほんとうの「最新情報」は、バスを運転してるのは神さまだってあなたがわかってきたことね（あなたの場合は、文字どおりの意味だけど。プップー！）。近いうちにこのことについてもっと話したいな。お茶でも一緒にどう？　マイクロソフトに行くよ。

＊

図書館の前にいた男から
南カリフォルニア大学建築学科教授へのＥメール

Ｆｒｏｍ：ジェイコブ・レイモンド
Ｔｏ：ポール・ジェリネック

拝啓　ジェリネック教授

ぼくが公共図書館を見学するために行脚する途中でシアトルに寄ってみるとお話しし、バーナデット・フォックスを見かけたらお知らせしますと冗談を言ったのを覚えていらっしゃいますか？　それで、公共図書館の前で誰に会ったと思います？

バーナデット・フォックスです！　50歳くらいで、髪の毛は茶色でぼさぼさでした。彼女を二度見した理由はただひとつ。フィッシング・ベストを着ていたからです。そんな格好をしていたら目立ちますからね。

20年前にバーナデット・フォックスが賞を受けたときに撮った写真が１枚残っていますよね。彼女についての憶測をすべてお耳にしていることでしょう。どうしてシアトルへ移り、世捨て人になったのか、いえ気が変になったのかについてを。彼女を見たとき本人にちがいないと確信しました。ぼくからは何も言えないうちに、彼女はいきなり自ら「バーナデット・フォックス」と名乗ったのです。

ぼくは夢中でしゃべり始めました。南カリフォルニア大学の大学院生であること、公開されるたびに《ビーバー遠近両用眼鏡邸》を訪れたこと、今回のウインタープロジェクトは《20マイルハウス》を再解釈するコンペであることをバーナデット・フォックスに話したのです。

そこでしゃべりすぎたとふと気づきました。彼女はうつろな目をしていて、ひどく具合が悪そうでした。ひっそり暮らしているバーナデット・フォックスと一緒に写真を撮りたいと思いました（なんてすごいプロフィール写真になるでしょう！）。でも、それから考え直しました。この女性からはすでに多くのものをいただいたじゃないか。一方的な関係にすぎないものの、なんだってぼくはこれ以上のものを望むのか、って。合掌しながら会釈し、雨の中、外に立っている彼女を置いて、図書館に入っていきました。

彼女を混乱させたかもしれませんから、心苦しく思っています。ともかく不思議に思われるといけませんので言っておきますが、バーナデット・フォックスはフィッシング・ベストを着て真冬にシアトルを歩き回っています。

では、講義でお会いしましょう。

ジェイコブ

*

その晩、ママとパパはわたしを置いてバラード地区のメキシコ料理店へ食べに出かけたけど、別に構わなかった。金曜は、みんなと一緒に教会の青年部の集まりに参加し、フライドシュリンプを食べ、おまけに映画を見せてもらえる日だから。今回の映画は『カールじいさんの空飛ぶ家』だった。

パパは、ウォルター・リード陸軍病院で《サマンサ２》の仕事をするため[1]、飛行機に乗ろうと今朝の５時に家を出た。クレア・アンダーセンがベインブリッジ島でパーティーを開く予定だったから、わたしはその島にあるうちの別荘へ行きたかったし、ケネディに泊まってもらいたかった。ケネディはパパをイライラさせるから、パパも一緒だとお泊まり会を開けなくなる。だからわたしとしては、パパがいなくなってくれてうれしかった。

ママと一緒にある計画を立てた。わたしたちは10時10分発のベインブリッジ島行きのフェリーに乗り、ケネディは体操クラスの後に旅客用フェリーに乗るというものだ。ケネディは体操をサボろうとしたけど、お母さんに許してもらえなかった。

1 別にマイクロソフトの機密情報を漏らしているわけではない。マイクロソフトはアイディアの上に成り立っているので、社員はそうしたアイディアを家族にさえうかつに漏らすことはできない。なぜなら、たとえば社員であるパパがその家族であるわたしに何か漏らせば、今度はわたしがケネディに漏らすかもしれないからだ。そしてケネディが自分のお父さんに漏らせば、たとえケネディのお父さんが今ではアマゾンで働いているとしても、以前マイクロソフトに勤めていたこともあるから、知り合いのマイクロソフトの社員に話し、結局、うちのパパはそれについて耳にし、そうして教訓を得ることになる。だからふつうなら、パパがどこに出張するかわたしは絶対に言わないところだけど、このときに限っては、インターネットで調べられたし、その午後にウォルター・リード陸軍病院で行われたパパのプレゼンテーションのビデオが残っているから、公然たる事実だ。

*

12月11日（土）

クリフ・マスのブログ投稿

今回の嵐は複雑な天気事象になりそうです。メディアはその意味するところを十分理解していませんので、しばらくお時間をいただいてご説明させてください。迫りくる気象状況をもたらす筋状雲は、昨日の午後、ワシントン州西部を襲いました。最新の高解像度コンピューターモデルによると、時速120–130キロの突風を伴う、時速70–80キロの持続的な風が発生し、低気圧は先に予報されていた南の進路ではなく、北の進路を取ることが予測されます。

昨日のラジオでは、低気圧の中心の進路予報に対し非常に懐疑的な意見を述べましたが、最新の衛星写真を見ると、バンクーバー島南部を横切り、ブリティッシュコロンビアへと移動するであろうことが明らかです。こうした状況により、暖かく湿った空気がワシントン州西部へ直進し、激しい雨を伴うおそれもあります。

昨日メディアは、私が出したシアトルに向けての深刻な気象警報を『ヘニー・ペニー』〔雌鶏のヘニー・ペニーが、頭にどんぐりが当たったのを「空が落ちてきた」と勘違いするイギリスの寓話〕の誤警報として無視しました。これは誤警報ではありません。予測のつかない嵐の進路のせいで、低気圧がプジェット湾北部へと移動し、暖かい空気が充満する結果になっています。

シアトルでは、暖かい空気に、湿ったパイナップル・エクスプレス〔ハワイ周辺で発生し、北米に大雨をもたらす暖かく湿った気流〕が伴って、昨夜７時から今朝７時までのあいだにすでに50ミリの雨が降りました。そこで思い切って予測しますが、この低気圧はプジェット湾に停滞し、豪雨が数時間続くことでしょう。我々は非常に注目すべき天気事象の真っただ中にあります。

＊

ほら、わたしはクリフ・マスのこういうところが大好きなの。つまり、あの人が言いたいのはただ雨が降るだろうということなんだから。

＊

Ｆｒｏｍ：オリー・オー
Ｔｏ：〈志望者の保護者対象ブランチ会〉実行委員会

リアルタイム⚡ニュース速報！

ＰＰＢ当日を迎えました。あいにく最大のゲストである**太陽**は欠席するでしょう。アハハ。冗談のつもりですよ。

きっちり事を進めなければなりません。志望者の親たちに時間の無駄だと思われたら、ゲイラーストリートにとって致命的でしょう。**クリスマスの買い物シーズン**ですからなおさらです。私たちの目的は**メルセデス層の親**が互いに顔を合わせることですから、それが終われば、ショッピングモールの《ユー・ビレッジ》に押し寄せてこの驚異的な**50％オフの全店セール**を逃がさずに済むように、皆さんを解放してやってください。

10:00-10:45――　メルセデス層の親が到着。飲食物を提供。
10:45――　カンガナ先生と保護者のヘレン・ダーウッドさまが就学前クラス児童を連れて到着。児童は横の入り口から**教会に棲むネズミ**のように静かに入場し、マリンバ演奏のために位置につく。
10:55――　グウェン・グッドイヤー校長による短い歓迎のあいさつ。その後、メルセデス層の親をサンルームへ案内。カンガナ先生はマリンバ演奏で児童を指揮。
11:15――　閉会の言葉

グウェン・グッドイヤー校長は出口に陣取って**ゲストを見送り**、ゲイラーストリートのお土産袋を配る予定です。これが重要なことは言うまでもありません。**メルセデス層の親**だからといって、「**無料のやつ**」（失礼！）を好まないわけではないのです。

　ごきげんよう！

＊

Ｆｒｏｍ：スーリン・リー＝シーガル

Ｔｏ：オードリー・グリフィン

　今日はがんばってね！　たった今、《ピッツァ・ヌーボ》の人と話したところよ。雨が降っても薪窯《まきがま》はなんともないって。裏庭にテントを張るつもりみたい。わたしはレドモンドから抜け出せなくて。エルジンが別の都市でプレゼンテーションをすることになっていて、どんな問題があっても解決してもらえるよう席を外さないでくれと言われているから。これ以上は話せないの。

＊

Ｆｒｏｍ：オリー・オー

Ｔｏ：〈志望者の保護者対象ブランチ会〉実行委員会

　大変です。巨大な看板がオードリーさまの家に立ちはだかっています。**頭のいかれた隣人**が夜のうちに立てたのです（ゲイラーストリートの保護者のひとりですか？）。オードリーさまはヒステリックになり、ご主人のほうは市法務官に電話しています。私はこの**予期せぬ出来事**に関わっていません。

＊

Ｆｒｏｍ：ヘレン・ダーウッド博士
Ｔｏ：ゲイラーストリート校就学前クラスの保護者
ＣＣ：ゲイラーストリート全校リスト

拝啓　保護者の皆さま
　お子さん方から、今日のブランチ会での衝撃的な事件について断片的にお聞きになったのではと思います。きっとご心配され、困惑されていることでしょう。唯一付き添った就学前クラス児童の保護者であるわたしのもとには、実際に何が起こったのか問い合わせる電話が殺到しています。
　多くの方がご存じのように、わたしは《スウェディッシュ・メディカル・センター》のカウンセラーで、ＰＴＳＤ（心的外傷後ストレス障害）を専門にしています。ハリケーン・カトリーナの後にはニューオーリンズを訪れましたし、今でもハイチにたびたび出かけます。そこでグッドイヤー校長のお許しを得て、親として、またＰＴＳＤのカウンセラーとして、このメールを書かせていただいた次第です。
　事実に根ざして話し合うのが肝要です。
　皆さんはゲイラーストリートの前でお子さんを車から降ろしました。そこからわたしたちはバスに乗り込み、カンガナ先生が、クイーン・アン地区にあるグリフィンご夫妻（オードリーさまとウォレンさま）のご自宅まで運転してくださいました。雨にもかかわらず、すてきなお庭でした。プランターは色とりどりの花で埋め尽くされ、辺りには薪の燃えるにおいが立ち込めていたのです。

オリー・オーと名乗る男の方が出迎え、通用口に案内してくれ、そこでレインコートと長靴を脱ぐように指示してきました。

ブランチ会は大盛況で、50名ほどのお客さまが出席されていて、皆さん、楽しんでいらっしゃるようでした。グウェン・グッドイヤー校長やオードリー・グリフィンさまやオリー・オーからは明らかに緊張が伝わってきましたが、そのことを児童はまるで気づいていませんでした。

わたしたちはサンルームへ案内されましたが、そこにはすでに前の晩にカンガナ先生がマリンバをセットしていました。トイレへ行きたい子どもたちは用を済ませて、みんな、楽器の後ろでひざまずきました。ブラインドが下ろされていて、部屋は真っ暗で、子どもたちがばち《マレット》を探すのに苦労しましたので、わたしはブラインドを上げようとしました。

するとオリー・オーが不意に現れ、わたしの手をつかみました。「そんなことしても意味ありませんよ」。そう言うと、電気をつけたのです。

演奏を聴こうとお客さまが集まっていました。グウェン・グッドイヤー校長から簡単に紹介された後、子どもたちはまずは〈わが巨大な鯉〉を演奏しました。皆さんがお聞きになったらとても誇らしく思われたことでしょう！　愉快なほど順調だったのです。ところが、すぐにケータリング業者のいる裏庭で何やら騒ぎが起こりました。

「くそ――！」。外から誰かが叫びました。

数名のお客さまは悪気なくクスクス笑いましたが、子どもたちは演奏に夢中になっていましたので、ほとんど気づいていませんでした。曲が終わると、すべての小さな瞳がカンガナ先生に注がれ、先生は次の曲に向けて拍子を取りました。「ワン、ツー、スリー――」

「ちく――！」。ほかの人の叫び声も聞こえました。

これはちっとも好ましくありません。わたしは騒々しいケータリング業者を静かにさせようと思い、ランドリールームを通って裏口へと急ぐと、取っ手を回しました。すると、強く鈍い一定の圧力がドアを押し返してきたのです。たちまち向こう側に恐ろしい自然の力を感じ、ドアを閉めようとしました。けれど、人間業《わざ》とは思えない力が働いて閉まりません。ドアの下に片足を押しつけると、不気味なきしむ音が聞こえました。ちょうつがいが枠からゆるみ始めたのです。

どういうことか納得できないうちに、マリンバの演奏は急に止まりました。ポンとかピューンとかいう音が次々にサンルームから聞こえ、困ったあまり悲鳴を上げた子もいました。

わたしはドアの脅威を捨て置き、サンルームへ猛スピードで走っていきました。すると、窓ガラスが粉々に砕けているではありませんか。子どもたちは楽器を置いて叫びながら走っていました。駆けつけてきて安心させてくれる親はいないので、ひとまとまりになって志望者の保護者集団に潜り込みました。保護者の方々は代わる代わる、ひとつしかない小さなドアを押し分けるように通ってリビングへ逃げようとしていたのです。誰も踏みつぶされなかったのはちょっとした奇跡です。

娘のジニーはわたしのところに駆け寄り、脚に抱きついてきました。あの子の背中は濡れていて……おまけに泥だらけでした。見上げると、ブラインドが不気味にもひとりでに上がっていました。

そのとたん泥が襲ってきました。割れた窓を通して、バシャバシャ跳ねながら入ってきたのです。どろっとした泥。水っぽい泥。岩のような泥。面取りガラスの破片のまじった泥。窓格子のついた泥。草のまじった泥。バーベキュー用具のついた泥。モザイクの小鳥用水盤を伴った泥。一瞬のうちにサンルームの窓は消え失せ、そこには、泥だらけの穴がぽっかり開いていました。

大人も子どももすべての人が、残骸から走って逃れようとしていました。もはや家具までも残骸となっていたのです。わたしはカンガナ先生とあとに残りました。先生は、少年時代、祖国のナイジェリアから移住したときに持ってきたマリンバを救おうとしていました。

すると、始まったのと同じくらい突然、泥は止まりました。振り返ってみると、逆さまになった看板が、サンルームの穴にぴったり張りつき、ダムを築いていたのです。この看板がどこから来たのか見当もつきませんけど、それは真っ赤で、元はガラス張りの壁だった空間を覆うのに十分大きなものでした。

私有地
立入禁止
違反したゲイラーストリートのブヨどもは
逮捕され
ブヨ刑務所に連行される

それまでにお客さまは玄関を飛び出し、キーッという音を立てて車で去っていきました。泥まみれの給仕人やシェフはうろつき回り、こんなおもしろいもの見たこともないといったふうに、たち悪く喚声を上げていました。カンガナ先生は泥の中を泳ぎ、マリンバをすくい上げていました。グウェン・グッドイヤー校長は玄関広間でゲイラーストリートのグッズを配りながら、努めて平静を装っていました。オリー・オーは半ば呆然《ぼうぜん》としていて、「これは生物分解可能ではない……下流の影響は大きい……光学は困難な状況を招く……将来は……」といった意味不明な言葉を口走っていましたけど、「大失敗」という言葉でつかえると、その言葉を繰り返していました。

中でも信じがたかったのは、オードリー・グリフィンさまがご自宅を出て、通りを走っていってしまったことです。わたしは追いかけて呼び止めようとしましたけど、彼女はすでに角を曲がっていました。
　わたしひとりで心に傷を負った就学前クラス児童30人の世話をするしかなかったのです。
「さあ」。わたしは気を取り直しました。「長靴とレインコートを見つけましょう！」。こう言ったのは間違いだと今ではわかります。そんなことできっこないと気づかせるだけですから。それに、子どもたちは靴下だけしか履いておらず、裸足の子もいましたし、あちこちに割れたガラスが落ちていました。
「みんな動かないで」。わたしは手に入るクッションはひとつ残らず集めて、玄関のドアから歩道まで道を作りました。「このクッションの上を歩いて、生け垣の前に一列に並んでちょうだい」
　就学前クラス児童が理解することがひとつあるとしたら、それは並ぶことです。わたしは子どもたちをひとりずつ抱えて車道を進んではバスに乗せ、そのバスを運転してゲイラーストリートへと戻りました。
　こういうわけでお子さん方は靴も上着もなく、泥にまみれた状態で、奇妙な話をたくさんお土産にして皆さんのもとへ戻ったのです。
　ここから先は、ＰＴＳＤの専門家としてお話しさせてください。
「トラウマ」は大ざっぱに言えば、人が経験する出来事のうちで命を脅かすと感じるものすべてと言えます。たった18分の１秒の出来事でも、トラウマになることがあります。トラウマを受けた直後には、お子さん方は恐怖や混乱を示すかもしれません。わたしはスキンシップする機会を持つために、時間をかけてお子さんをひとりひとりバスに乗せました。研究によって、特に子どもにとっては、トラウマを負ったばかりのときに、癒やしの手がいかに有効か明らかになってきたのです。
　バスまで歩くあいだ、わたしは子どもたちひとりひとりの話に耳を傾け、好奇心を示し、ただ一緒に「いる」ことができました。ＰＴＳＤの初期の徴候が現れていないか観察することもできました。お子さん方はとてもうまく対応したようだとお知らせできてうれしいです。子どもたちが一番心配していたのは、雨具を取り戻せるかどうか、取り戻せたとしたらどんな状態で自分のもとに返ってくるかでした。できるだけ正直にすべての質問に答えました。汚れているとは思うけど、持ち物を取り戻してあげられるように全力を尽くすし、ママもきれいにしようと頑張ってくれるだろうと話してあげたのです。

良い知らせは、これが唯一のトラウマとなる出来事だったことです。ですから、ＰＴＳＤを発症する可能性はわずかしかありません。悪い知らせは、ＰＴＳＤは事件から数ヵ月後あるいは数年後でも発症する可能性があることです。お子さんに起こりうるＰＴＳＤの症状をお知らせすることが医者としてのわたしの責務だと感じています。

——死について心配する
——夜尿症、悪夢、不眠
——指しゃぶり、赤ちゃん言葉、おむつを履くといった退行
——根本的な身体的原因がないにもかかわらず、体の不調を訴える
——家族や友人を避ける
——不登校
——残虐な暴力行為

現在、もしくは今後数年以内に、こうした症状のいずれかにお気づきになりましたら、ただちに専門家に知らせ、オードリー・グリフィン宅での出来事について話すことが肝要です。こうした症状が現れると言っているわけではありません。現れない可能性のほうがずっと高いでしょう。

わたしは、グウェン・グッドイヤー校長に、両就学前クラスのために

カウンセリングを行おうかと申し出ました。このトラウマとなる出来事を共同で調査分析するために、全校集会を開くか、就学前クラスだけの会合を持つか、保護者の公開討論会を設けるかどうかはまだ検討中です。ご意見をお聞かせください。

敬具

ヘレン・ダーウッド博士

*

これで、あの朝の天気がいかに気まぐれだったか十分わかるだろう。フェリーの運行が休止になったのは9・11以来のことだ。

ママとわたしは《マクリナ・ベーカリー》で朝食を取ると、土曜恒例の買い物のためにパイク・プレース・マーケットへ向かった。わたしが、魚を投げるパフォーマンスで有名な魚屋で鮭を、《ビーチャーズ》でチーズを、肉屋で犬用の骨を買いに走り回っているあいだ、ママは車で待っていた。

わたしは、ビートルズの終焉にまつわる本を読んだばかりだったので、アビイ・ロード期に差しかかっていて、朝食中はほとんどずっとその本についてママに話していた。たとえばこんな感じ。B面のあのメドレーは、初めは別々の曲として考案されたのよ。スタジオで曲をつなぎ合わせたのはポールのアイディアだったの。それにポールは、「おまえはその重荷を背負っていくんだ」と書いたとき、状況をちゃんとわかってたんだから。つまり、ジョンがビートルズを解散させたがってると気づいてたけど、ポールとしては解散したくなかったのよ。それでまさにジョンに向けて、「おまえはその重荷を背負っていくんだ」と書いたんだって。「おれたちはうまくやってる。このバンドが解散するなら、それはすべておまえのせいだ、ジョン。ほんとうにそれでもいいのか？」と言おうとしてたの。それに最後の曲では、メンバーが代わる代わるリードギターを務めるし、リンゴの唯一のドラム・ソロもあるけど、それがいつもファンにとってはとても悲劇的で意図的な別れのあいさつのように思えることは知ってるでしょ。それでヒッピーのような格好をしたビートルズが顔を見合わせながらアビイ・ロードの終盤を演奏してる姿を思い描いては、やだあ、きっとみんな大泣きしてたんだろうな、とでも思ってるだろうけど。でも実は、後になってその曲全体をポールがスタジオで構成してるから、そんなの、みんなまやかしの感傷にすぎないの。

とにかくわたしたちがフェリー乗り場に着くと、車の列は、一番街の向こう側、高架橋の下にある船積み場まで延々と続いていた。ママもわたしも初めて目にするような長い列だ。ママは列の後ろに車を止めると、エンジンを切り、土砂降りの中を切符売り場へと歩いていった。戻ってくると、ベインブリッジ側の雨水配水管のせいでフェリー・ターミナルが水浸しになったんですって、と言った。陸に上がるのを待つ車でいっぱいのフェリー３隻が立ち往生しているらしい。かなり混乱しているみたいだけど、フェリーのこととなると、列に並んで願うしかない。

「例のフルート演奏はいつ？」。ママはきいた。「観にいきたいの」

「来てほしくないんだけど」。わたしはママが忘れていたらいいのにと思っていた。

ママは口を大きくぽかんと開けた。

「歌詞がかわいすぎるから」。わたしは説明した。「かわいすぎて死んじゃうかも」

「でも、かわいすぎて死にたいの！　そんなことで死ぬなら本望よ」

「いつやるか教えてあげない」

「困った子ね」。ママは言った。

わたしは、その朝に焼いたアビイ・ロードのＣＤをさっとセットし、再生した。後ろの席でアイスクリームが寝ているから、前のスピーカーしか音が出ないように気をつけながら。

もちろん１曲目は〈カム・トゥゲザー〉だ。あの大きくて妙な「シュッ」という声と、ベースギターのパートで始まる。ジョンが「あの角刈り頭がやって来る……」と歌い始めると、なんとママは歌詞を一字一句知っていたの！　歌詞ばかりか、リズムもすべて。「オーライ！」や「オーッ！」や「イエーイ！」もどこで入るか全部わかっていた。曲が変わってもその調子で、〈マックスウェルズ・シルヴァー・ハンマー〉が始まると、ママは言った。「うわっ、これはすごく青臭いっていつも思ってた」。でもママが何をしたかというと、やっぱりすべて正確に歌った。

わたしは一時停止ボタンを押し、「どうしてこれ知ってるの？」と尋ねた。「アビイ・ロードのこと？」。ママは肩をすくめた。「わからないわよ。知ってるのに理由なんかないでしょ」。そう言うと、一時停止を解除した。〈ヒア・カムズ・ザ・サン〉が始まると、何が起きたと思う？　いいえ、太陽は現れなかったけど、太陽が雲間から顔を出すように、ママが全開になったのよ。その歌の出だしの数音で、ジョージのギターにはとても希望に満ちたところがあるのを知ってる？　ママもまさに希望があふれんばかりに歌った。ギター・ソロの最中に不規則な手拍子が入ることさえママにはわかっていた。その曲が終わると、ママはＣＤを止めた。

「ああ、ビー。この歌を聴いてると、幼いころのあなたを思い出しちゃう」。ママは目に涙を浮かべている。

「ママ！」。だから、わたしはママに１年生のゾウのダンスに来てもらいたくなかった。どんなにつまらないものでも、ママは無理やり、愛情あふれるものにしてしまうから。

「たまには、わたしにとっていかに大変かってことも知ってもらわなくちゃ」。ママはわたしの手に自分の手を重ねた。

「何が大変だっていうの？」

「人生が平凡なことよ。でも、そんなことのせいで、南極点にあなたを連れていけなくなるわけじゃないから」

「南極点には行かないって！」

「わかってる。南極点では摂氏マイナス75度くらいになるんでしょ。科学者だけが行けるのよね。南極の本を読み始めたの」

　わたしは手をくねらせ、再生ボタンを押した。これからがおかしな話だ。iTunes《アイチューンズ》でＣＤを焼いたとき、曲のあいだに２秒空けたいかと問うチェックボックスが現れたところ、わたしは初期設定のままにしてチェックを外さなかった。それであのすごいメドレーがかかると、ママとわたしは、〈ユー・ネヴァー・ギヴ・ミー・ユア・マネー〉や〈サン・キング〉に合わせて歌い、〈サン・キング〉にいたっては、ママはスペイン語の歌詞まで知っていた。フランス語は話せても、スペイン語なんて話せないのに。

　すると２秒の曲間が始まった。

　これが悲劇的で腹立たしいことだと理解しないなら、まじめな話、〈サン・キング〉に合わせて歌い始めてみるといい。曲の終盤に近づくと、スペイン語で気だるそうに歌いながらも、次の曲の〈ミーン・ミスター・マスタード〉で盛り上がろうと心の準備をすることになる。というのも、〈サン・キング〉の終盤が最高なのは、ゆっくり進みつつも、リンゴのドラムを期待しているからだ。ドラムは〈ミーン・ミスター・マスタード〉が始まったとたん入ってきて、結果として、それはファンキーな曲になる。だがもしiTunesでチェックボックスのチェックを外さないなら、〈サン・キング〉が終わったかと思うと――。

〈不快なデジタルの２秒の無音〉

　それに〈ポリシーン・パン〉の最後に「Look out!《ルック・アウト》」という声が聞こえ

た直後、次の曲の〈シー・ケイム・イン・スルー・ザ・バスルーム・ウィンドー〉が始まるまで〈間隔が空く〉ことになる。まじめな話、そんなの苦痛だ。こうして曲が流れる中、ママとわたしは大声で歌っていた。ついにＣＤが終わると、ママは言った。

「愛してるわ、ビー。がんばってはいるのよ。うまくいくこともあれば、そうでないこともあるけど」

フェリーの行列は進んでいなかった。「家に帰ったほうがいいんじゃない」。わたしはそう言いながらも、がっかりだった。ケネディはシアトルのうちの家には怖くて泊まりたがらないから。以前、ラグマットの中で何か塊が動くのを見たと言い張ったことがあり、「生きてる、生きてるよ！」と叫んだ。ブラックベリーの蔓が床板から生えてきているだけよとわたしが説明してあげても、ストレートゲートの女子生徒のお化けだとケネディは思い込んでいた。

わたしたちの車はクイーン・アン・ヒルを上っていった。ママは以前、頭上で電気バスの電線が入り組んでいる様子を見て、ヤコブの梯子みたいね、と言った。わたしは車でそこを通るたびに、扇形に広げた指をその電線網に伸ばして、あや取りするようにてっぺんから電線を引っ張るのを想像した。

車は私道へと入っていき、門を通ろうとしていた。すると、オードリー・グリフィンが車に近づいてきた。

「まったくもう」。ママは言った。「またデジャブね。今度はなんだっていうの？」

「足を轢かないように気をつけて」。わたしはすっかりふざけて言った。

「あら、嫌だ！」。ママは吐き捨てるようにそう言うと、両手で顔を覆った。

「何？」。わたしは言った。「何よ？」

オードリー・グリフィンは上着を着ていなかった。パンツはひざから下が泥まみれだし、靴も履いていない。髪の毛にも泥がついている。ママはエンジンを切らないままドアを開けて、車から降りた。わたしも外に出たときにはすでに、オードリー・グリフィンは叫んでいた。
「たった今、お宅の丘がわが家に滑り落ちてきたのよ！」
　わたしはなんのことという顔をした。うちの庭はとても広く、芝地の端はずっと下ったところにあったので、なんの話をされているかわからなかったのだ。
「パーティー中によ」。オードリーは続けた。「ゲイラーストリートの志望者の親たちを招いたパーティーの」
「ちっとも知らなくて――」。ママの声はすっかり震えていた。
「そりゃそうでしょうね。学校にまったく関わってないんだから。就学前クラスの両方ともいたのよ！」
「けが人はいるんですか？」。ママは言った。
「ありがたいことに、いないけど」。オードリーは妙な笑顔を浮かべた。ママもわたしも、いわゆるうれしそうに怒っている表情をする人たちに魅力を感じる。オードリー・グリフィンが見せたこの笑顔は、そんな表情の最高傑作になっていた。
「そう、よかった」。ママは大きなため息をついた。そうやって自分に言い聞かせようとしているのだな、とわたしにはわかった。
「よかった⁉」。オードリーは金切り声で言った。「うちの裏庭には泥が2メートル近くも積もってるのよ。泥のせいで、窓は割れるわ、草木も、フローリングもだめになるわ、洗濯乾燥機なんて壁から外れたんだから‼」。オードリーはめちゃくちゃ早口で話し、やたらと息を吸い込んでいた。すらすら項目を挙げるごとに、オードリーの喜び・怒りメーターの針はますます右のほうに振れていくようだった。「バーベキュー道具は消えてなくなったし。窓周りの装飾はずたずた。温室はぺしゃんこ。苗もだめ。根付いて成長するのに25年もかかった標本のようなリンゴの木は根こそぎにされたし、モミジはなぎ倒されて。先祖伝来のバラも台無し。自分でタイルを張った炉も崩れちゃったのよ！」

　ママは笑みをこらえようと口をすぼめ、わたしも笑いころげないようにさっと下を向かなくてはいけなかった。こんな状況でもわたしたちはひねくれたユーモアを見出そうとしていたけど、突然それどころではなくなった。

「しかもあの看板よ！」。オードリーはうなるように言った。

　ママはうつむき、やっとのことでこう言った。「看板」

「なんの看板？」。わたしはきいた。

「いったいどんな人間が看板を立てる――」とオードリー。

「今日、下ろすつもりです」とママ。

「なんの看板？」。わたしはもう一度きいた。

「泥のおかげでその手間が省けたわよ」。オードリーはママに言った。オードリー・グリフィンの瞳がライトグリーンだということに、ママに向かって大きく見開かれたのを見て初めてわたしは気づいた。

「全部弁償しますから」。ママは言った。

　ここがママのすごいところだ。煩わしいことは苦手だけど、ここぞというときにはめっぽう強い。３回頼んだのにウエイターが水のお代わりをついでくれないとか、太陽が出ているときにサングラスを忘れでもしたら、大変だから気をつけて！　でもほんとうに悪いことが起こると、ママはこんなふうにめちゃくちゃ冷静になる。わたしのために小児病院で半ば暮らした年月からその冷静さが身についたのだろう。うまくいかないことがあるとき、ママ以上に味方につけて心強い人はいない。でも、ママのこんな冷静な態度は、オードリーの神経をいっそう逆なでしたにすぎなかったみたい。

「あんたにとってはそれがすべてなの？　お金が？」。オードリーが腹を立てれば立てるほど、その瞳はきらきら輝いた。「わたしども下々の者を見下ろすこのばかでかい家で小切手を書くだけで、王座から離れてご臨席いただけないんですか？」
「明らかに感情的になってますね」。ママは言った。「わたしが丘に手を入れたのは、あなたから迫られたせいだってことを忘れないでくださいね、オードリーさん。あなたが雇っていた人を使って、あなたが指定した日にやってもらっただけですもの」
「だったら、そっちにはなんの責任もないっていうの？」。オードリーは舌打ちした。「ずいぶん都合がいいこと。それなら看板はどうなのよ？それもあたしが立てさせたってわけ？　教えてほしいものね」
「なんの看板よ！」。わたしは看板の話を聞いているうちに怖くなってきた。
「バズ」。ママはわたしのほうを向いて言った。「とてもばかなことをしたの。後で話すから」
「この子ったらかわいそうに」。オードリーは苦々しげに言った。「こんなにいろんなことに耐えなくてはいけなかったなんて」
「な、なに――？」とわたし。
「看板のことはほんとうにごめんなさい」。ママはオードリーにきっぱりと言った。「あなたが庭師と一緒にうちの芝地にいるのを見つけた日に、思わずしてしまって」
「あたしのせいだって言うの？　おもしろいこと！」。オードリーの喜び・怒りメーターの針が危険地帯を勢いよく突き抜け、今や、うれしそうに怒っている人が誰も足を踏み入れたことのない未知の領域に入ろうとしているみたい。わたしとしては怖かったけど。
「わたしのせいですよ。ただ今日の出来事にはもっと大きな背景があるって言ってるんです」

「ある男性が市の条例で義務づけられてる庭仕事の見積もりをしにお宅に入ったことが、看板を立て、就学前クラスの子たち全員の心に傷を負わせ、ゲイラーストリートの入学者が減る危険を冒し、わが家をめちゃくちゃにすることと同じようなものだとでも思ってるってわけ？」

「看板を立てたのは家に侵入されたことへの反応でしたから、そう思ってます」

「うーーーわーーー」。オードリー・グリフィンは、ジェットコースターみたいにその言葉を伸ばしながら上げたかと思うと下げた。オードリーの声は憎しみと狂気に満ちあふれていたので、わたしの肌に突き刺さった。ここまでドキドキするのは初めてで、怖いくらいだ。

「実におもしろいこと」。オードリーは目を丸くした。「だったら、わが家の上にいまいましい看板を立てるのは、庭仕事の見積もりをされたことに対する適切な反応だってあんたは思ってるのね」。そう言いながら、八方を指さした。「そういうことでしょ」

「過剰反応でしたけど」。ママはさらに冷静になってオードリーに言った。「うちの私有地に不法侵入したことを忘れないでください」

「ってことは、つまり」。オードリーは怒り狂っていた。「あんた、イカれてるのよ！」。目はぴくぴくとけいれんしている。「まったく、いつもそうじゃないかって思ってたのよ。今、はっきりわかった」。気がおかしくなりそうなほど驚いたらしく顔は引きつり、すごく速く小刻みに拍手し始めた。

「オードリーさん」とママ。「そこに突っ立って、このゲームに参加していないふりをするのはやめてください」

「ゲームなんかしてないけど」

「わたしがあなたの足を轢いたなんていう手紙をグウェン・グッドイヤー校長に出させるのはどうなんです？　あれはなんのまねですか？」

「あら、バーナデット」。オードリーは悲しげに首を振りながら言った。

「そんな被害妄想はほんとうによさないと。もっと人付き合いをすれば、あたしたちがあんたをつかまえようと必死になってる恐ろしいお化け集団なんかじゃないってわかるはずなのに」。そう言うと両手を上げて、空《くう》を引っかくようにしてみせた。
「もう話は終わりましたね」。ママは言った。「看板についてはもう一度謝らせてください。ばかげた間違いでしたから、金銭的にも、時間的にも、グウェン・グッドイヤー校長とゲイラーストリートに対しても全責任を負うつもりです」。ママはオードリーに背を向け、車の前をぐるっと回った。そして車に乗り込もうとすると、オードリー・グリフィンは、映画の中のモンスターが生き返ったみたいにまた急に現れた。
「こんな家に住んでるって知られてたら、ビーはゲイラーストリートに入学できなかったところよ」。オードリー・グリフィンは言った。「グウェン校長に聞いてみたら。あんたたちがロスからシアトルに移ってきて、美しい地域の真ん中に立つ1,100平米の建物を買い、それを『わが家』と呼んでるなんて誰も知らなかったんだから。今あたしたちはどこに立ってると思う？　半径6.5キロ以内にあたしが育った家が、母や祖母が育った家があるのよ」
「そうでしょうね」。ママは言った。
「うちのひいおじいさんはアラスカで毛皮を取るわな漁師をしてたの。その毛皮をウォレンのひいおじいさんは買ってたし。あたしが言いたいのは、あんたはマイクロソフトのお金でこの地へやって来て、ここの人間になれた気になってるけど、ちがうってことよ。絶対になれっこないから」
「同感です」
「あんたを好きなママなんていないのよ、バーナデット。ウィドビー島で８年生のママと娘が集まって感謝祭を祝ったけど、あんたとビーは誘われなかったって気づいてる？　でも代わりに《ダニエルズ・ブロイラー》ですばらしい休日を過ごしたんだそうね！」

そのとき、わたしは息が止まった気がした。そこに立ってはいたけど、オードリー・グリフィンに息の根を止められたみたいだ。ぐらつかないように車に手を伸ばした。

「そこまでよ、オードリー」。ママはオードリーのほうに５歩ほど歩み寄った。「くそったれ《ファック・ユー》」

「いいでしょ。せいぜい子どもの前でＦワードを使ってちょうだい。さぞかしパワフルに感じるでしょうね」

「もう一度言ってやる。ビーをこんなことに巻き込むなんて、ファック・ユー」

「あたしたちはビーが大好きよ。優秀な生徒だし、すばらしいお嬢さんだもの。いろいろとあったのにこんなに立派に成長したんだから、子どもはいかにたくましいか、わかるってものね。ビーが自分の娘なら、ウィドビー島にいた母親全員の代弁をしてるんだけど、寄宿学校へ送り込むなんてまね絶対しないのに」

わたしはようやく息を整えると、こう言った。「寄宿学校に行きたいのはわたしです！」

「もちろんそうでしょ」。オードリーは哀れみたっぷりにわたしに言った。

「自分で考えたことなんですってば！」。わたしはかんかんに怒って叫んだ。「前にそう言ったじゃないですか！」

「やめなさい、ビー」。ママは言った。こちらを見もせず、ただわたしのほうに片手を上げている。「そんなこと言っても無駄よ」

「もちろん自分で考えたんでしょうね」。オードリー・グリフィンはママの後ろから顔を出し、目を思い切り見開き、わたしに言った。「そりゃ家を出たいでしょうよ。無理もないってもんね」

「そんなふうに話しかけないで！」。わたしは叫んだ。「わたしのことなんて知らないくせに！」。びしょ濡れになっていたし、車はずっとエンジンがかかったままで、ガソリンが無駄になっていて、ドアはどちらも開いていたものだから、雨が車内に吹き込み、革の座席を台無しにしていた。おまけに、わたしたちの車はループコイルの上に駐車していたので、門は開いたり閉まったりを繰り返し、エンジンがオーバーヒートするのではないかと心配で、アイスクリームときたら、口をぽかんと開け、舌をだらりと垂らし、ただぼうっと後ろから眺めているだけで、わたしたちを守る必要があるとわかってもいないみたいだ。それにアビイ・ロードの〈ヒア・カムズ・ザ・サン〉が流れていて、それってつまり耳にしたら幼いころのわたしを思い出してしまうとママが話していた歌で、もう二度とアビイ・ロードなんて聴く気になれないだろうとわたしは思った。
「あら、ビー、どうしたの？」。ママはこちらのほうを向いていたから、わたしの様子がおかしいのに気づいた。「話してちょうだい、ビー。心臓がどうかした？」
　わたしはママを押しのけ、オードリーの濡れた顔を引っぱたいた。わかってる！　でもすごく頭にきていたの。
「あなたのために祈りましょう」。オードリーは言った。
「自分のために祈りなさいよ」。わたしは言った。「うちのママは、おばさんやほかのママにはもったいないってもんよ。おばさんこそみんなから嫌われてるのに。カイルはスポーツも部活もしない不良だし。あの子に友だちがいるのはただ、ドラッグをくれるし、おばさんを笑いものにしてるときはおもしろいからよ。それにおじさんときたら酔っ払いで、3回も飲酒運転でつかまったけど、処罰されずに済んでるのは判事を知ってるからじゃない。誰にもバレさえしなければいいって思ってるんでしょうけど、手遅れよ。カイルが学校中のみんなに何もかもぶちまけてるんだから」
　オードリーは慌てて言った。「あたしはクリスチャンだから許してあげましょう」

「いいかげんにして。クリスチャンなら、さっきママにしてたみたいな話し方はしないから」

わたしは車に乗り込み、ドアを閉め、アビイ・ロードを止めて、めそめそ泣き始めた。2、3センチの水の中に座っていたけど、構わなかった。わたしがとても怖かった理由は、看板とも、ばかげた土砂崩れとも無関係だし、ママとわたしがウィドビー島に誘われなかったからなんかじゃない。絶対にあのばかたちとどこかに行きたくなんかなるもんか。そうではなく、これからは何もかもが変わってしまうだろうってとにかくわかっていたからだ。

ママも車に乗り、ドアを閉めた。「あなた、すっごくかっこいいわよ。自分でもそう思うでしょう」

「あの人、大っ嫌い」

こんなことがあったとパパに打ち明けなかった理由は、その必要がなかったからだし、ほのめかしてはいたからだけど、ほんとうのところはわからない。だって、それまではパパに隠し事なんかしたことはなかったんだから。でも、とにかくわたしもママもわかっていた。パパには話さないだろうって。

それ以来ママはすっかり変わってしまった。変わったのは調剤薬局で例のことがあった日ではなかった。ママは元気を取り戻していたもの。車の中でママがアビイ・ロードに合わせて歌うのをわたしは目の前で見ていたんだから。パパやお医者さんたちや警察や誰かが何を言おうと知ったことじゃない。ママがまるで別人になったのは、オードリー・グリフィンがママに向かって叫んだせいよ。うそだと思うなら、次のメールを見て。

＊

その５分後に送られたメール

Ｆｒｏｍ：バーナデット・フォックス
Ｔｏ：マンジュラ・カプール

　わたしが精一杯努力しなかったなんて誰にも言えやしない。でも、どうしてもがんばりとおせないの。南極には行けないわ。どうやってこの状況から抜け出せるかわからない。でも、自分たちを信じているの、マンジュラ。わたしたち家族が一緒ならなんでもできるって。

＊

パパからマドロナ・ヒル病院の精神科医、ジャネール・カーツ医師へ

拝啓　カーツ先生

　友人のハンナ・ディラードから、彼女の夫のフランクがマドロナ・ヒル病院に入院した際に先生がすばらしかったと伺いました。聞くところによると、フランクは鬱《うつ》病に苦しんでいましたが、先生の監視のもとマドロナ・ヒルで入院治療を受けると、驚くほど効果があったそうですね。
　私も妻のことが大変心配なものですから、この手紙を書いている次第です。妻はバーナデット・フォックスと申しまして、とても具合が悪いのではないかと案じています。
(乱筆をお許しください。飛行機に乗っているところですが、ノートパソコンのバッテリーが切れてしまったもので、数年ぶりにペンを執りました。記憶に新しいうちに一部始終を書き留めておくのが大事だと思いますから、続けます)。

まずは背景からお話ししましょう。バーナデットと私はロサンゼルスで25年ほど前に出会いました。彼女の勤めていた建築会社が、私の勤めていたアニメ制作会社の改装を手がけていたのです。私たちはふたりとも東海岸の出身で、プレップ・スクールに通っていました。バーナデットは期待の星でした。私は彼女の美しさ、社交性、無頓着なところに惹かれ、結婚しました。当時の私は、自ら思いついたコンピューター・アニメーションのアイディアに取り組んでいましたが、勤めていた会社はマイクロソフトに買収されました。バーナデットは建築中の家でトラブルを起こしましたので、ロスの建築現場とは手を切るといきなり宣言しました。意外なことに、私たちがシアトルへ引っ越すことになったのは妻がきっかけだったのです。

バーナデットは家を見て回ろうとシアトルへ飛び、もってこいの場所を見つけたと電話してきました。クイーン・アン地区のストレートゲート女子校です。ほかの人にとっては、崩れかけた感化院など家と呼ぶには妙な場所だと思えるかもしれません。でも、これこそまさにバーナデットらしいところで、妻は熱狂していました。バーナデットと彼女の熱狂の対象は、カバと水のようなもので、両者のあいだに割って入ろうとすれば、踏み殺されてしまうでしょう。

私たちはシアトルへ移りました。私はマイクロソフトに丸のみにされ、バーナデットは妊娠し、初めて流産しました。さらに流産を繰り返した3年後、妊娠初期を乗り越えましたが、中期の初めにはベッドで安静にするよう指示されました。するとバーナデットが魔法をかけることになっていた、白いキャンバスだったわが家は、当然ながら傷んできました。雨漏りがしたり、妙なすきま風が入ってきたり、時には雑草が床板のあいだから顔を出したりしたのです。私が心配だったのは、バーナデットの健康です。妻には改築のストレスは不要で、安静にしていなければなりませんでした。そこで私たちは家の中でもパーカーを着て、雨降りのときはスパゲッティ鍋を交換し、リビングの花瓶には剪定ばさみ1丁を常備しておきました。そんなことがなんだかロマンチックに感じたものです。

娘のビーは月足らずで生まれました。出てきたときは真っ青で、左心低形成症候群と診断されました。病気の子どもを持つと、夫婦の絆が強まることもあれば、仲を裂かれることもあるのではないかと思います。私たちの場合はどちらでもありませんでした。バーナデットはビーの回復のためにとことん力を注ぎましたので、それが妻にとってすべてとなりました。私はむしろ以前より長く働くようになり、そうして協力している気になっていました。バーナデットが家のことを仕切る一方で、私は家族のために諸費用を払ってやっているのだと。

就学前クラスに入るころには、ビーは健康になりました。年齢のわりに並はずれて小柄ではありましたが。そのころになれば、バーナデットは建築の仕事に復帰するか、少なくともわが家を修理してくれるものと私はずっと思い込んでいました。雨漏りしていた屋根のすき間は穴となってしまい、小さなひびの入った窓は、段ボールとダクトテープで作ったパネルに取って代わっていました。週に1度は、庭師がラグマットの下の雑草を刈りに来ました。

わが家は文字どおり、大地に返っていったのです。ビーが5歳のころ、私はあの子の部屋でレストランごっこの相手をしてやっていました。ビーは注文を取り、おもちゃの小さなキッチンであれこれ盛んに動いてから、「ランチ」を運んできてくれました。それは湿っぽくて茶色でした。泥みたいなにおいがしますが、もっとふわふわしています。「掘ったのよ」。ビーは得意になって言い、木の床を指しました。床は長年の雨のせいでとても湿気を帯びていましたので、まさにスプーンで掘ることができたのです。

ビーが就学前クラスになじんでからも、バーナデットは家の修理やほかの仕事に一切興味を示しませんでした。かつて建築へと果敢に注いだ活力はすべて、シアトルを酷評することに向けられました。1時間もかけて暴言をまくし立てるようになったのです。

五叉交差点を渡ってみてください。バーナデットがシアトルには五叉交差点がたくさんあることについて初めて意見を言ったとき、それは実にもっともだと思いました。私自身はそれまで気づいていませんでしたが、ほんとうに余分な通りが突き出ている交差点が数多くあり、そのせいで余分な信号機が青になるのを待たなければなりませんでした。たしかに夫婦の会話にふさわしい話題です。しかしバーナデットが再び同じ話題を持ち出したとき、付け加えたい新しいことでもあるのかなと私は思いました。けれど、ありませんでした。妻はさっきも熱心に愚痴をこぼしていたところです。こんなにたくさんばかげた交差点のある街にどうしてまだ住んでいるのか、ビル・ゲイツに尋ねてくれと頼んできたこともあります。それで私が家に帰ると、もう尋ねてみたかときかれました。あるときは、バーナデットは昔のシアトルの地図を手に入れ、かつては6つの別々の送電網システムがあったけど、それはやがて基本計画も策定されないまま合流していったのだと説明してきました。またある晩には、車でレストランに出かける途中で、数キロも回り道をして送電網のうち3つが合流した場所を私に見せようとしたところ、7本もの街路が伸びている交差点に出くわしました。すると赤信号で待つあいだ、妻は時間を計りました。街路の乱雑な配置は、バーナデットがシアトルに対してした強烈な酷評のほんの一例です。

夜、ベッドで眠っていると、バーナデットに「エルジー、起きてる？」と声をかけられることもたびたびありました。

「今、起きたよ」

「ビル・ゲイツはウォーレン・バフェットと知り合いじゃない？　ほら、《シーズ・キャンディーズ》のオーナーってウォーレン・バフェットでしょ」
「知り合いだと思うよ」
「よかった。だって、ウェストレイク・プラザでの出来事を、バフェットに知ってもらわないと。《シーズ・キャンディーズ》は、試供品を配ることにしているって知ってるでしょ。とにかく、おぞましい家出人たちはみんな、そのことに気づいちゃったの。それに今日、私は30分も列に並んで待たなくちゃならなかったのよ。しかも屋外で、ホームレスやジャンキーの後ろでね。連中は何も買わないのに、試供品をねだり、それからもう1個もらおうと列の最後についたんだから」
「だったら、もう《シーズ・キャンディーズ》に行かなければいいだろ」
「信じて。行かないわよ。でも、マイクロソフトの周りでウォーレン・バフェットを見かけたら、彼に伝えてほしいの。でなければ、彼がいるって教えてくれたら、私から伝えるから」
　私は妻の気を引いたり、無視したり、やめるように頼んだりいろいろ試してみました。でも、どれもうまくいかず、中でもやめるように頼むのは無駄で、いつもの熱弁が10分増えるだけでした。私は自分が窮地に追いつめられて無防備な狩りの獲物にでもなった気がしてきました。
　考えてもみてください。シアトルへ移ってから最初の数年間、バーナデットは妊娠しているか、流産したばかりだったのです。こんなふうに気分にむらがあったのは、おそらくホルモンの影響による感情の起伏か、悲しみを整理するひとつの手段だったのでしょう。
　私はバーナデットに友だちを作ったらどうかと勧めてみましたが、友だちを作るよう試みたけど誰からも好きになってもらえなかった、と攻撃されるだけでした。
　シアトルは、友人を作るのがもっとも難しい都市のひとつだと言われています。その現象を表した「シアトル・フリーズ」という言い方があるくらいです。自分ではそう実感したことはありませんが、同僚たちは、それは実際に存在するんだ、ここにいるスカンジナビア系の人たちのせいにちがいない、と言っています。最初のうちバーナデットがなじむのはたしかに難しかったのでしょう。けれども18年たった今でも、都市全体に理不尽な嫌悪感を抱くなんてことがあるでしょうか。

私は大変ストレスの多い仕事をしています、カーツ先生。それなのに朝も時おり、バーナデットと彼女のくだらないおしゃべりに耐えなければならなかったせいで疲れ切って職場に着くこともありました。そこでとうとうマイクロソフトの〈コネクター〉に乗って通勤するようになりました。それは朝の猛攻撃を避けるために1時間早く家を出る口実となったのです。

この手紙をこれほど長く続けるつもりはほんとうにありませんでしたが、飛行機の窓から外を眺めていると、つい感傷的になってしまいます。この手紙を書こうと思い立った昨日の出来事に話を進めましょう。

同僚たちと昼食を共にしようと歩いていると、そのうちのひとりが、薬局のカウチで寝ているバーナデットを指さしました。なぜか妻はフィッシング・ベストを着ていました。これは特に不可解な点でしたが、というのもバーナデットはしゃれた服を着たがり、他人のひどいファッションセンスに抗議するくらいですから（あの愉快な暴言について詳しくお話しするのはやめておきましょう）。私は急いで店内へ入り、やっとのことでバーナデットを起こしました。すると妻は、ハルドールの処方薬を待っているのよ、と実に事もなげに言ったのです。

先生に説明するまでもありませんが、ハルドールは抗精神病薬です。妻は精神科医にかかってハルドールを処方してもらっているのですか？　それとも違法に入手しているのでしょうか？　私にはまったく見当もつきません。

　とても驚いたので、バーナデットとふたりきりで夕食を取れるように出張の日程を変更しました。私たちはメキシコ料理店で落ち合いました。注文を終えたとたん、私はハルドールの話を切り出しました。「今日、薬局できみを見かけてびっくりしたよ」

「シーッ！」。妻は後ろのテーブルの会話を盗み聞きしていました。「あの人たち、ブリトーとエンチラーダのちがいもわからないんですって」。そうやって聞き耳を立てているあいだ、顔をこわばらせていました。そして「あらまあ」とささやきました。「モレ〔メキシコ料理を代表するソース〕なんて聞いたこともないそうよ。どんな人たち？　振り向きたくないんだけど」

「ただの……人だよ」

「どういうこと？　どんな――」。妻はこらえきれず、さっと振り向きました。「タトゥーだらけじゃない！　ねえ、体じゅうにタトゥーを入れるくらいイケてるのに、エンチラーダとブリトーのちがいもわからないなんてことある？」

「今日のことだけど――」。私は話を戻しました。

「あっ、そうだ。あなたが一緒にいたのはブヨのひとりだったわよね？　ゲイラーストリートの」

「スーリンはぼくの新しい秘書でね。ビーと同級生の息子さんがいるんだ」

「まったく。もうおしまいね」

「何がおしまいなんだ？」

「あのブヨたちはずっと私のことが大嫌いだったの。だから彼女ったら、あなたが私を嫌いになるよう仕向けてるのよ」

「そんなばかな。誰もきみのことを嫌ったりなんか――」

「シーッ！　ウエイターよ。注文を取ろうとしてる」。妻は、体を後ろにそらしたかと思うと、左に傾け、どんどん左に寄せました。まるでキリンの首のようです。ついには椅子から放り出され、床に倒れました。レストランにいた人たちが一斉にこちらを見ました。私はさっと立ち上がり、助けてやりました。妻は起き上がり、椅子を直して座ると、またさっきのように始めました。「片方の人が腕の内側にしているタトゥー、見た？　セロハンテープみたいよ」
　私はマルガリータをぐっと飲み、代替案で妥協することにしました。妻の話が終わるのをじっと待とうとしたのです。
「ドライブスルーの《スターバックス》の店員が腕になんのタトゥーを入れているか、知ってる？」。バーナデットは言いました。「ペーパー・クリップよ！　タトゥーをするのって、昔はとても勇気の要ることだったのに、今では事務用品のタトゥーをしてるんだから。私の言いたいこと、わかる？」。もちろん答えを求めているわけではありません。「私にはタトゥーをする勇気なんて絶対にないってことよ」。妻はまた後ろを向き、息をのみました。「うわあ、ただのセロハンテープじゃなくて、まさにスコッチテープよ。緑と黒の格子縞の。すっごく笑える。腕にテープのタトゥーをするなら、せめてメーカー名なんて入ってない昔ながらのテープ・ディスペンサーにしてくれないと！　どうしてそんなデザインにしたんだと思う？　タトゥーをしようとしたまさにその日にたまたまステープル社のカタログがタトゥー・パーラーに配達されたのかしら？」。そう言うと、妻はワカモレ〔つぶしたアボカドにトマト、タマネギ、香辛料を混ぜたペースト〕にチップを突っ込んだので、チップはその勢いに耐えかねて割れました。「まったく、ここのチップ、嫌いよ」。そしてワカモレの中にフォークを突っ込んでチップを探し、ひと口食べました。「さっき、なんの話をしてたかしら？」
「薬局で出してもらえなかった薬について聞きたいんだ」
「そうだったわね！　お医者さんが処方箋を書いてくれて、それがたまたまハルドールだったのよ」

「不眠症だからかい？　よく眠れないの？」
「眠るですって？　何、それ？」
「なんのための処方箋なんだ？」
「不安症よ」
「精神科医にかかってるのかい？」
「ちがうわ！」
「かかりたい？」
「まさか！　旅行のことが心配なだけよ」
「つまり何がそんなに心配だっていうんだ？」
「ドレーク海峡とか、みんなのことよ。わかるでしょ」
「あいにくわからないね」
「たくさん人がいるでしょ。人に接するのは苦手だから」
「話し相手を見つけたほうがいいんじゃないかな」
「あなたと話してるじゃない」
「専門家のことだよ」
「一度試したことがあるけど。まるで無駄だったの」。妻は身を乗り出してきて、ささやきました。「やっぱりね。窓のそばにスーツ姿の男が立ってるでしょ。この３日間で４回もあの人を見かけたのよ。いいこと。今見たら、きっといなくなってるから」
　私が振り向くと、スーツ姿の男は歩道へと消えていきました。
「私、なんの話をしてたっけ？」。妻は言いました。
「あとをつけられてるっていうのか？」
「わからないけど」
　フィッシング・ベストを着るわ、人前で寝るわ、抗精神病薬を飲んでるわ、おまけに男たちに追われてるだと？
　ビーが２歳のころ、あの子は、その数年前にバーナデットとわたしがローマの露天商から買った希少本に異常な愛着を持つようになりました。

ローマ　過去と現在

—古代ローマ遺跡センター案内—

遺跡の復元図付き

それには現在の遺跡の写真が載っていて、各写真の上には全盛期の姿を描いた透明な紙が重なっていました。ビーはモニターにつながれて病院のベッドに座りながら、透明な紙をめくったり戻したりしたものです。その本のぷくっとした赤いビニール表紙には、ビーのかんだ跡がついていました。

私は今や、〈バーナデットの過去と現在〉を見ているのだなと思いました。私が恋した女性と、向かいに座っている手に負えない女性とのあいだにはものすごく大きな隔たりがあったのです。

それからバーナデットと一緒に家へ帰りました。バーナデットが眠っているあいだ、妻の薬箱を開けてみると、多くの医者によって処方された投薬瓶が詰まっていました。ザナックス、クロノピン、アンビエン、ハルシオン、トラゾドンなど。瓶はすべて空でした。

カーツ先生、バーナデットのどこが悪いのかわかっているふりはしません。鬱病なんでしょうか？　それとも躁《そう》病ですか？　薬物中毒？　偏執症？　神経衰弱の原因が何かわかりません。先生がなんと呼びたいかはともかく、妻には本格的な治療が必要だと言えるでしょう。

ハンナ・ディラードはとりわけ、カーツ先生、あなたと、苦難からフランクを救うために先生のなさったすべてを絶賛していました。私の記憶がたしかなら、初めのうちフランクには治療が効かなかったものの、その後まもなく先生の治療計画はうまくいったそうですね。ハンナはすっかり感心したので、今では先生の病院の理事になっているほどです。

バーナデットとビーと私は２週間後に南極へ出かける予定です。でもバーナデットが行きたくないのは明らかです。ビーと私のふたりだけで南極へ行き、そのあいだ、バーナデットにはマドロナ・ヒルに入院してもらうほうがいいかもしれないと今では思っています。おそらく本人としてはあまり気が進まないでしょうけど、監視下での保養休暇が妻に必要なのは明らかです。ぜひお考えをお聞かせください。

敬具

エルジン・ブランチ

2

バーナデット　過去と現在

アメリカ・グリーン住宅建設業者協会主催の建築コンペティション

【即日発表】

アメリカ・グリーン住宅建設業者協会とターナー財団は以下のように告知する。

20×20×20――20マイルハウス

20年後

20年先の未来

【提出期限】２月１日

バーナデット・フォックスの《20マイルハウス》はもはや現存しない。写真もほとんどなく、フォックス氏が設計図をすべて破棄したと考えられている。それでも、年を追うごとに《20マイルハウス》の今日的な意義は増している。《20マイルハウス》の20周年を祝して、アメリカ・グリーン住宅建設業者協会は、ターナー財団と協力し、建築家、学生、建設業者から、《20マイルハウス》を再構想し、再建するための設計図を募集する。これにより、今後20年のあいだに「環境に優しいものを建てる」ことがいかなる意味を持つかに関して対話を始める。

【課題】

ロサンゼルス市マルホランド・ドライブ6528番地に建てる、延べ面積390平米に及ぶ一戸建て３ベッドルーム用の設計図を提出せよ。唯一の条件は、まさにフォックス氏が自らに課したもの、すなわち建築現場の20マイル〔約32キロメートル〕以内で入手できる資材のみ使用すること。

【受賞者】
ゲティ・センターで開催予定のＧＢＡ（アメリカ・グリーン住宅建設業者協会）とＡＩＡ（アメリカ建築家協会）の合同パーティーで発表され、賞金４万ドルが授与される。

12月11日（土）

＊

南カリフォルニア大学建築学科のポール・ジェリネック教授から
ママが図書館の前の通りで出くわした男へ

ジェイコブへ
きみがバーナデット・フォックスに関心を抱き続けてきたので、未刊の現代美術誌『アートフォーラム』２月号に掲載予定の聖人伝を少しご紹介しよう。私はその雑誌に看過できない誤りがないか確かめるよう頼まれた。きみがバーナデット・フォックス目撃情報を伝えるためにこの記事のライターと接触したい衝動に駆られても、どうかやめてほしい。バーナデットは明らかに消息を絶つことを選んだので、その気持ちを尊重すべきだと思う。
ポール

＊

『アートフォーラム』記事のＰＤＦ
「聖ベルナデット――皆さんの知らないもっとも影響力のある建築家」

アメリカ建築家・建設業者協会は、先ごろ建築学専攻の大学院生300人にアンケートを行い、もっとも尊敬する建築家は誰か尋ねた。結果は予想通りで、フランク・ロイド・ライト、ル・コルビュジエ、ミース・ファン・デル・ローエ、ルイス・I・カーン、リチャード・ノイトラ、ルドルフ・シンドラーといった名前が挙がったが、ただひとつ例外があった。そうした偉人のあいだにほぼ無名の女性が紛れている。

バーナデット・フォックスは多くの理由で非凡と言える。男性優位の職場で孤軍奮闘していた若い女性であり、32歳にしてマッカーサー助成金を受け、彼女の手作り家具は《アメリカ民俗芸術美術館》に常設展示されており、グリーン建築運動の先駆者と考えられている。ところが、フォックスの建てた唯一の家はもはや現存しないし、自身は20年前に建築業界から去り、以降は何ひとつ設計してこなかった。

こうした特徴をどれかひとつでも備えていれば、建築家は著名になるものだ。全部そろっていたので、偶像が生まれた。だが、バーナデット・フォックスとはいったい何者だったのだろう。若い女性建築家が歩む道を切り開いていたのだろうか。天才だったのか。環境保護が唱えられる前から環境運動家だったのか。今、どこにいるのだろう。

『アートフォーラム』は、バーナデット・フォックスと密接に働いたひと握りの人物にインタビューを試みた。以下は、建築の真の謎を解き明かそうとする当誌の試みである。

1980年代中ごろのプリンストン大学は、いわば建築の将来をめぐる戦いにおける最前線だった。モダニズム派が確固たる地位を築き、その信奉者は称賛され、幅を利かせた。プリンストン大学教授のマイケル・グレイヴスが率いるポストモダニストたちは、重大な課題に取りかかっていた。グレイヴスはポートランド・パブリックサービス・ビルを建てたばかりで、そのビルのウイット、装飾、折衷主義は、モダニズムの簡素なミニマルアート形式に対する大胆な拒絶だった。一方で、より対立的な分派である脱構築主義者は結束していた。元プリンストン大学教授のピーター・アイゼンマン率いる脱構築主義は、モダニズムとポストモダニズムの双方を拒絶し、破片と幾何学的予測不能性を支持した。プリンストンの学生たちは敵味方に分かれ、戦いを始め、血を流すにちがいないと思われていた。

　エリー・サイトウはプリンストンでバーナデット・フォックスと同じクラスだった。

エリー・サイトウ：わたしは論文のために富士山観光案内所の茶室を設計しました。ピンクの帆を破裂させて作ったばらばらの桜の花を基本にしたデザインです。論文の審査中、わたしは自分の設計の正しさを立証しようとしていました。質問攻めに遭っていましたが、ふとバーナデットが編み物から顔を上げてこう尋ねてきたのです。「靴はどこに置くの？」。わたしたちは一斉に彼女を見ました。彼女は続けて尋ねました。「茶室では靴を脱ぐはずじゃない？　どこに置けばいいっていうの？」

　こうしたつまらないことへのこだわりがマイケル・グレイヴス教授の目に留まり、フォックスは教授のニューヨークの事務所で雇われることになった。

エリー・サイトウ：教授が雇った同級生はバーナデットしかいません。ものすごくショックでした。

マイケル・グレイヴス：強烈なエゴと壮大なアイディアを抱く建築家を雇いたいとは思わないね。ぼく自身が強烈なエゴと壮大なアイディアを抱く建築家だからさ。ぼくのアイディアを実行し、こちらが投げかける問題を解決してくれる能力のある人物を望んでいるんだ。バーナデットが感心なのは、たいていの学生なら自分にふさわしくないと思うような作業を楽しんだことだ。建築業は、エゴのない働きバチがめったに選択しない職業でね。だから誰か雇おうとして、そんな能力のある人間を見つけたら、そいつをすぐにつかまえるといい。

フォックスは、カリフォルニア州バーバンクの《チーム・ディズニー・ビル》を担当したグループの最年少メンバーとなった。初仕事は典型的なつまらない下働きで、重役棟のトイレの設計だった。

マイケル・グレイヴス：バーナデットのせいでみんな気が変になりそうだったんだ。彼女は、重役がオフィスでどのくらいの時間を過ごすか、どのくらいの頻度で何曜日に会議をするか、何人が会議に出席するか、男女の比率はどれくらいかを知りたがった。ぼくはバーナデットに電話し、いったい何をしてるんだと尋ねた。

彼女は「わたしのデザインでどんな問題を解こうとしているのか知る必要がありますから」と答えた。

ぼくはこう言ったんだ。「ＣＥＯのマイケル・アイズナーは小便する必要があるだけで、みんなに見てもらいたいわけじゃないぞ」って。

花開きそうな才能があるとわかっていたからバーナデットを雇ったと言いたいところだ。でも、実際はセーターが好きだっただけさ。彼女はぼくのために４枚も編んでくれたからね。そのセーターは今でも持っていて、子どもたちはしきりにくすねようとしているし、妻はグッドウィルに寄付したがっている。でも手放さないつもりさ。

《チーム・ディズニー・ビル》の建設は許認可手続きのため何度も延期された。全所会議中に、フォックスは市の建築局を丸め込む方法に関するフローチャートを提示した。グレイヴスは現場で働かせようとフォックスをロサンゼルスへ送り込んだ。

マイケル・グレイヴス：バーナデットが去るのを見て悲しんだのはぼくだけだった。

半年後、《チーム・ディズニー》の仕事は終わった。フォックスは、以前の職場のニューヨークへ戻ってくるようグレイヴスに言われたが、ロサンゼルスの建築現場の自由を好んだ。そこでグレイヴスの推薦で、すでに《ゲティ・センター》の建設に取りかかっていたリチャード・マイヤーの事務所に雇われた。イタリアから美術館を覆うためのトラバーチン〔炭酸石灰からなる建材〕を１万６千トン調達・輸入し、品質チェックする任務に当たった若い建築家５、６人のひとりとなったのだ。

1988年、フォックスはコンピューターアニメ製作者のエルジン・ブランチと出会い、翌年ふたりは結婚した。フォックスは家を建てたいと思った。そこで世話になったのは、ジュディ・トールという不動産業者だ。

ジュディ・トール：すてきな若夫婦でしたよ。おふたりとも大変聡明で魅力的で。サンタモニカ、というかパリセーズ公園の一軒家を再三お勧めしました。でもバーナデットさんは、ご自身で何かを設計できる土地を手に入れることにこだわっていまして。そこで土地のみの値段で売りに出されていたヴェニスビーチの廃棄工場をお見せしました。

彼女は見回し、完璧ね、と言いました。驚いたことに、建物そのものについてそう言ったのです。わたし以上に驚かれたのはご主人でした。でもご主人は奥さまを信じていました。とにかくこうした決定をするのは決まって奥さまですから。

フォックスとブランチは、かつて《ビーバー遠近両用眼鏡工場》だった建物を買った。その直後に夫妻はディナーパーティーに出かけ、フォックスの職業上もっとも影響力を及ぼすふたりに出会った。ポール・ジェリネックとデーヴィッド・ウォーカーだ。ジェリネックは建築家であり、南カリフォルニア建築大学の教授でもあった。

ポール・ジェリネック：あれはまさにバーナデットとエルジーが《ビーバー遠近両用眼鏡工場》を購入した日だった。それに対する彼女の情熱がパーティー全体を華やいだものにしたんだ。バーナデットは、工場にはまだ古い遠近両用眼鏡や機械の詰まった箱がたくさん置いてあるから、それを使って「何かしたい」と言った。とりとめのない支離滅裂な話しぶりからは、彼女が修業を終えた建築家であり、ましてやグレイヴスの愛弟子であるとは思いもしなかったよ。

その工事を請け負ったのはデーヴィッド・ウォーカーだ。

デーヴィッド・ウォーカー：デザートを食べながら、新居の工事を請け負ってもらいたいとバーナデットに頼まれましてね。わたしは、業者を紹介しましょうと言いました。彼女は「いえ、あなたがいいんです」と言い、次の土曜日に数人連れて寄ってほしいと頼んできたんです。

ポール・ジェリネック：バーナデットからゲティのトラバーチンを担当しているところだと聞いたとき、ぼくはなるほどと思ったよ。トラバーチンの任務に当たっている友人がいたからね。こうした有能な建築家たちが流れ作業の監督者並みに格下げされてしまっていたんだ。うんざりするほど単調な作業さ。ビーバーは、バーナデットが建築の好きなところ、つまり建てることそのものと再びつながりを持つ彼女なりの方法だったんだ。

《ビーバー遠近両用眼鏡工場》は、280平米の軽量コンクリートブロックの箱で、高さ約3.3メートルの天井には、高窓《クリアストリー》が設けられていた。屋根には天窓がずらっと並んでいた。この工業空間を住宅へと変えるのに、フォックスはそれからの人生の２年を費やした。請負業者のデーヴィッド・ウォーカーは毎日現場に立ち会った。

デーヴィッド・ウォーカー：それは外からはがらくたに見えましたよ。でも中に入ると、光があふれんばかりでした。あの最初の土曜日、わたしはバーナデットの希望どおり数人の男どもを引き連れてそこを訪れたんです。設計図も許可証もありません。代わりにほうきやゴム製ワイパーが用意されていまして、わたしたちはみんな床を掃き、窓や天窓を掃除する仕事に取りかかりました。わたしが大型ごみ容器《ダンプスター》を注文しましょうかと彼女に尋ねると、叫ぶような声が返ってきました。「要りません！」
　その翌週、バーナデットは建物内のありとあらゆるものを手に取り、床に広げて過ごしましてね。大量の遠近両用眼鏡のフレーム、レンズの箱、段ボールの束、おまけにレンズを切ったり磨いたりする機械まであリました。

毎朝わたしが顔を出すと、バーナデットはすでに来ていました。立ったまま編み物ができるように、毛糸が飛び出ているリュックサックを常に背負っていまして、それでただ編み物をし、すべてのものを観察します。そんな彼女を見ていると、自分が子どものころカーペットにレゴのブロックをどっとぶちまけたことを思い出しました。じっと座ったままレゴを見つめてから、何を作ろうか考えたものです。

その週の金曜日、バーナデットは遠近両用眼鏡のワイヤーフレームの箱を持ち帰ったんですが。月曜に戻ってくるときには、それをすべてワイヤーで編んでつないでいました。その中にレンズをはめ込んでいくと、見事な鎖かたびらができます。しかも丈夫なんです！　そこでバーナデットは、男どもに剪定ばさみやペンチを持たせ、大量の古い遠近両用眼鏡のフレームを仕切りに変えさせると、それを内壁として使ったんです。

屈強なメキシコ男どもが椅子に座って日なたで編み物をする姿を眺めるのは、愉快でした。やつらは喜んでやっていましたけどね。ラジオでランチェラ〔ラテン風のカントリー・アンド・ウエスタンミュージック〕をかけ、ご婦人方のようにうわさ話をしていたものです。

ポール・ジェリネック：《ビーバー遠近両用眼鏡工場》は、まさに進化したという感じだったよ。別にバーナデットに大きな計画があったわけじゃない。眼鏡を編み合わせることから始まったんだ。それからレンズでテーブルの天板が作られ、次に機械の部品でその土台ができた。すごく見事だったんだ。ぼくは学生たちと一緒に立ち寄り、手伝ってくれる学生には特別単位を与えた。

奥の部屋には床から天井までカタログが積まれていたんだが。バーナデットはそのカタログを接着剤でくっつけて、一辺が1.2メートルの頑丈な立方体をいくつか作った。ある晩、みんな酔っ払って、その立方体をチェンソーで切って椅子の座部を作った。それがリビングの家具になったんだ。

デーヴィッド・ウォーカー：それからまもなく、金物店へ走っていかずに敷地内にあるものだけを使うことを目指すようになりました。一種のゲームと化したんです。それを建築と呼べるかどうかはわかりませんが、面白かったのはたしかですよ。

ポール・ジェリネック：当時の建築というのは技術にすべてがかかっていたんだ。誰もが製図版からAutoCADへ乗り換えていたし、みんなが話したかったのはただ建て売り住宅についてだ。土地の境界線の15センチ近く手前までマックマンションが建てられていたし。バーナデットがしていることは主流からまったく外れていたんだ。《ビーバー遠近両用眼鏡邸》のルーツはルンペンの芸術にある。それはすごく巧妙な家でね。こう言うとフェミニストにお叱りを受けるだろうけど、バーナデット・フォックスはとても女性らしい建築家なんだ。《ビーバー遠近両用眼鏡邸》に足を踏み入れると、心配りと根気が込められていることに圧倒される。ぎゅっと抱き締められるような気がするんだ。

ゲティでの本業で、フォックスは、イタリアからトラバーチンをどんどん大量に輸送しても、結局はささいな欠陥のせいで上司に拒絶されるという無駄に腹を立てるようになった。

ポール・ジェリネック：ある日、バーナデットにこんな話をした。市の文化事業部がワッツ・タワー〔ロサンゼルスのスラム街、サウスセントラル（現在はサウスロサンゼルス）のワッツ地区にある高層建築〕の隣の空き地を買ったところで、そこにビジターセンターを建てるために建築家と面接するそうだと。

フォックスは、ゲティで使ってもらえなかったトラバーチンを利用して建てる噴水、美術館、数々の展望台をひそかに設計して１ヵ月過ごした。

ポール・ジェリネック：ワッツ・タワーは他人のごみをもとに建てられたので、バーナデットはそれと関連する建物を考えたんだ。それでオウムガイ型の展望台を設計したが、それはトラバーチンの中にあった化石やワッツ・タワーの螺旋に共鳴するデザインだった。

フォックスがゲティの上層部に設計図を提出すると、すみやかにきっぱり却下された。

ポール・ジェリネック：ゲティのやつらはひとつのことにしか興味がなかった。ゲティを建てることだ。余分な資材をどうするべきか意見してくる低レベルの使用人など必要としていなかったんだ。そんなことをＰＲするなんて想像できるかい？　その資材はゲティのためには役立たないけど、サウスセントラルのためには役立つとでもいうのか？　誰が好きこのんでそんな頭痛の種を必要とするだろう？

リチャード・マイヤーや共同経営者たちは、ゲティ・センターの記録保管所でフォックスの設計図を見つけられなかった。

ポール・ジェリネック：きっとバーナデットはその設計図をただ捨てたんだと思う。この話から得られる大事な点は、本人にはわかっていたが、彼女が独特な考え方を構築していたということだ。つまりそれはただ何も無駄にしないことさ。

フォックスとブランチは、1991年、《ビーバー遠近両用眼鏡邸》へ引っ越した。フォックスは別のプロジェクトに向けて活発に動き回った。

ジュディ・トール：ご夫妻は住まいにされているあの眼鏡工場にすべてを注いでしまったので、バーナデットさんには使えるお金があまり残っていませんでした。そこでわたしはバーナデットさんのために、ラニヨン・キャニオンにほど近い、ハリウッドのマルホランドに雑木の茂った土地を見つけて差し上げました。平坦な通路と市街のすばらしい眺め付きです。隣の土地も売りに出されていましたので、それも買ったらどうかとお勧めしましたが、ご夫妻にはそんな余裕などありませんでした。

フォックスは半径20マイル以内にある資材だけを使って家を建てることに熱中した。といっても、近所のホームセンター《ホーム・デポ》へ行って、中国産のスチールを買っていいわけではない。材料はすべて地元産に限られることになった。

デーヴィッド・ウォーカー：「挑戦を受けて立つか」とバーナデットに尋ねられ、わたしは「もちろん」と答えました。

ポール・ジェリネック：バーナデットがしたもっとも賢明なことのひとつは、デーヴと手を組んだことだ。請負業者はたいてい設計図なしでは働けないが、あいつにはできたからね。《20マイルハウス》が何かを証明するとしたら、それは、バーナデットが許可証に関してはいかに天才だったかということだろう。

　バーナデットのこととなると、誰もがビーバーと20マイルについて語るが、ぼくは許可証についてお話ししよう。彼女が計画・検討用に提出した設計図を見たら、気が触れずにいられない。情報などほとんど含まない形式ばった文書でいっぱいのページが続くんだ。当時は今とは状況がちがっていてね。一大建築ブームも、例の大地震もまだ起きていなかった。建築局に出かけて局長と話しさえすれば済んだんだ。

　当時、ロサンゼルス市建築安全局の局長を務めていたのはアリ・ファハドだった。

アリ・ファハド：もちろんバーナデット・フォックスのことは覚えてるよ。魅力的な女性だったからね。バーナデットはわたし以外の者と交渉しようとしなかった。ちょうどうちの双子が生まれたところだったから、手編みの毛布と帽子を子どもたちのために持ってきてくれた。バーナデットは座ってわたしとお茶を飲み、家をどうしたいか説明したから、わたしはその方法を教えてやったんだ。

ポール・ジェリネック：ほら！　そんなことができるのは女性だけじゃないか。

建築は常に男性優位の職業だった。2005年にザハ・ハディッドが現れるまでは、有名な女性建築家の名前を挙げるのは難しかった。今でも、アイリーン・グレイとジュリア・モーガンの名が時々挙がるくらいだ。たいていの場合、女性建築家は有名な男性パートナーの陰に隠れていた。ルイス・カーンの陰にはアン・ティンが、フランク・ロイド・ライトの陰にはマリオン・グリフィンが、ロバート・ヴェンチューリの陰にはデニス・スコット・ブラウンがといったように。

エリー・サイトウ：プリンストン大学でもバーナデットがそんなまねをしていたせいで、わたしは頭にきました。建築学科全体でふたりしかいない女性のひとりだっていうのに、編み物をして過ごしてるんですよ。審査中に泣くのと同じくらいたちの悪いことです。女性として男性と真っ向からやり合うのは大切だとわたしは感じていましたから。このことについてバーナデットと話そうとしても、いつも関心を示してもらえませんでした。

デーヴィッド・ウォーカー：何かを溶接する必要があれば、わたしがまずある男を雇い、バーナデットが何をしてほしいかをその男に説明するんですが、男はわたしに向かって答えました。でもそんなこと彼女はまるで気にしませんでした。家を建ててもらいたかったのであって、そのせいで下請け人に失礼な扱いをされても構わなかったのです。

ポール・ジェリネック：そういうわけでデーヴの存在はとても重要だったんだ。もしバーナデットが女ひとりで金属を溶接しようとして現場に立っていたとしたら、軽くあしらわれただろうね。それに、バーナデットがほんの30歳だったことを忘れないでほしい。建築ってものは、年齢と経験が強みだと実際に考えられる数少ない職業のひとつなんだ。若い女性がひとりで基本的には設計図なしに家を建てるなんてことはとうていうまくいくわけがなかった。アイン・ランド〔アメリカの女性作家、思想家〕の雇った建築家でさえ男だったんだから。

独立したガレージと離れのついた3ベッドルームの、370平米に及ぶガラスとスチールの箱のために建築許可を受けると、フォックスは《20マイルハウス》の建設を始めた。ガーディーナのセメント工場に砂を供給してもらい、それを現場で混ぜた。スチールに関しては、グレンデールのリサイクル集積場から、梁が入ってくるたびに連絡をもらった（ゴミ捨て場からの資材は、たとえ資材自体が20マイル半径外からのものでも使用可能とされた）。通りの向かいの家は取り壊され、そのダンプスターが資材の重要な供給源となった。伐採機によって木材が供給され、戸棚、フローリング、家具のために使われた。

エリー・サイトウ：建て売り住宅地の開発業者に会うためにパームスプリングスへ向かう途中でロスにいたわたしは、《20マイルハウス》に寄りました。すると、腰に工具ベルトを巻いたオーバーオール姿のバーナデットが満面に笑みを浮かべながら、作業員たちとたどたどしいスペイン語で話していたのです。それを見ているとついつられて、わたしは思わずイッセイ・ミヤケの服の袖をまくり、溝を掘る手伝いをしてしまいました。

ある日、トラックが列をなして隣の土地に入ってきた。その敷地はテレビ界の大物である英国人のナイジェル・ミルズ＝マレーが購入していた。大ヒットゲーム番組『つかんでゲットしよう』で有名な人物だ。ミルズ＝マレーは、1,300平米に及ぶチューダー様式の白大理石造りの邸宅を設計するために、英国人建築家を雇っていた。フォックスはそれを《ホワイトキャッスル》と呼んでいた。初めのうち、双方の作業員たちの仲は良好だった。フォックスは《ホワイトキャッスル》に行っては、1時間ほど電気技師を借りたものだ。検査官は《ホワイトキャッスル》の整地許可を取り消そうとしたが、フォックスはそれを撤回するよう検査官を説得した。

デーヴィッド・ウォーカー：《ホワイトキャッスル》の建設は、高速で映画を観ているようなものでした。何百人もの作業員が現場に押し寄せ、文字どおり四六時中働いていましたから。３班に分かれ、各班が毎日８時間交替で働いていたんです。
『地獄の黙示録』の撮影中に、フランシス・フォード・コッポラ監督がトレーラーに「速い、安い、良い。そのうち２つを選べ」と書かれた紙を貼っていたという逸話が残っていますが、家についても同じことが言えます。わたしとバーナデットは断然「安い」と「良い」を選びました。でも何しろ、わたしたちは遅くて。《ホワイトキャッスル》では、ええ、彼らは「速い」と「速い」を選んだんです。

《ホワイトキャッスル》は、フォックスとウォーカーが《20マイルハウス》の壁を仕上げる前にはすでに入居できる準備が整っていた。

デーヴィッド・ウォーカー：『つかんでゲットしよう』の男は、内装業者と一緒に実地検分をしに立ち寄るようになりました。ある日、真鍮製品が気に入らないと思うに至ったようで。そこで、取っ手、ドアノブ、ちょうつがい、浴室設備といったありとあらゆるものを交換させました。
　われわれにとってはクリスマスが早く来たようなものでした。翌日、バーナデットがまさに《ホワイトキャッスル》のダンプスターに立っていると、そのイギリス人がロールスロイスに乗ってやって来たんです。

　ナイジェル・ミルズ＝マレーは再三インタビューを要請されても応じなかった。代わりに、ミルズ＝マレーのマネージャーが応じてくれた。

ジョン・L・セイヤー：車で乗りつけて、隣人が自分の家のごみ箱をあさっているのに出くわしたい者などいるでしょうか。誰もいません。適正な価格で備品をお譲りするためなら、本人は喜んでご相談に応じたでしょう。でも、あの女は尋ねてもきませんでした。ただナイジェルの土地に侵入し、盗んだのです。この前わたしが調べたとき、それは不法行為でした。

　一夜にして、ミルズ＝マレーは有刺鉄線の柵を建て、私道の入り口に24時間監視する警備員を置いた（《ホワイトキャッスル》と《20マイルハウス》は私道を共同使用していた。つまり法律上、《ホワイトキャッスル》は、《20マイルハウス》の敷地に対する地役権を取得したことになる。このことが将来重要な要因となるのだ）。
　フォックスは廃棄された真鍮製品を入手することに夢中だった。そこでトラックが《ホワイトキャッスル》へやって来て、ダンプスターのごみを回収していくと、自分の車に飛び乗り、信号までトラックを追いかけた。そして、トラックの運転手に100ドル渡してミルズ＝マレーの真鍮製品を救い出した。

デーヴィッド・ウォーカー：それはあまりにダサいので、そのままでは家の資材として使えないとバーナデットは考えました。そこで以前のようにワイヤーでそれをしっかりつなぎ合わせて、正門にすることにしたんです。

ミルズ＝マレーは警察に通報したが、訴えは却下された。翌日、その正門は消えた。フォックスは、ミルズ＝マレーが盗んだにちがいないと確信したが、証拠はなかった。ゲティでの仕事は徐々に減っていったので、フォックスはその職を辞し、《20マイルハウス》に全力を注いだ。

ポール・ジェリネック：バーナデットがひとたび仕事を辞めたら、それまでとはちがった活力に満ちていることにぼくははっきり気づいたよ。学生たちと現場に顔を出しても、彼女の話すことといったら、《ホワイトキャッスル》についてばかりで、その家がいかに醜いか、どのくらい金が無駄になっているかといったことだった。それはすべて真実だが、建築とは一切関係ない話だ。

《ホワイトキャッスル》はついに完成した。さらに花を添えたのは、共有の私道に沿って植えられた100万ドル相当のワシントンヤシで、1本ずつヘリコプターで所定の位置に降ろされた。フォックスは自分の家の入り口が今やリッツ・カールトンのようになってしまったと言って怒り狂い、苦情を訴えた。ところがミルズ＝マレーは、フォックスの土地に対する自分の地役権は、「入場と退出」のみならず、「造園の決定と管理」に対しても有効だと明示してある権原報告書をフォックスに送りつけた。

デーヴィッド・ウォーカー：20年たった今でも、「地役権」「入場」「退出」といった言葉を耳にするたびに、胸がむかむかします。バーナデットはその件についてわめき散らし続けました。そこで、わたしは彼女の声を聞かなくて済むよう、ウォークマンを耳につけるようになったんです。

ミルズ＝マレーは、豪華なアカデミー賞アフターパーティーを開いて新居を使い始めることにし、裏庭で演奏してもらおうとプリンスを雇った。駐車場不足はマルホランド・ドライブには付き物の問題であるため、駐車係も雇った。パーティーの前日、ミルズ＝マレーの付き人が駐車係の責任者と一緒に私道を歩きながら、100台の車をどこに止めたらいいか話し合っているのをフォックスは立ち聞きした。そこでフォックスは、車がうちの私道に違法駐車されるようだとレッカー車の会社10社ほどに通報した。

パーティー中、プリンスの〈レッツ・ゴー・クレイジー〉の演奏を見るために駐車係たちが裏庭に忍び込んだすきに、フォックスは、エンジンをかけたまま待機しているレッカー車の一団を手招きして私道へ入れた。たちまち、20台の車が撤去された。怒り狂ったミルズ＝マレーがフォックスに直接抗議すると、フォックスは冷静に敷地の権利証書を取り出した。それには、私道は「入場と退出」については可能だと明記してあったが、駐車に関する記載はなかった。

ポール・ジェリネック：エルジーとバーナデットは、当時は《ビーバー遠近両用眼鏡邸》に住んでいたんだが、いずれは《20マイルハウス》へ引っ越し、子どもをもうけるつもりだった。でもエルジーは、その近所とのいざこざがバーナデットにもたらす影響にうろたえていた。その家に引っ越すのはとうてい無理だったんだ。ぼくは、状況が変わるかもしれないから待つよう、あいつに忠告した。

1992年４月のある朝、フォックスは１本の電話を受けた。「バーナデット・フォックスさんですか」とその声は尋ねた。「今、おひとりでしょうか？」

電話の相手は、マッカーサー「天才」助成金を獲得されましたよ、とフォックスに伝えた。その助成金が建築家に与えられるのは初めてだった。50万ドルの助成金は、「非凡な独創性、創造的営みへの献身、また顕著な自己指示の能力を示してきた才能ある人物」に贈られる。

ポール・ジェリネック：マッカーサー財団に加盟しているシカゴの友人が——どうしたら加盟できるかさえわからないがね。すべてが謎に包まれているから——、建築業界で目下起きているもっとも胸躍ることはなんだと思うか尋ねてきたんだ。ぼくは彼に真実を話した。バーナデット・フォックスの家だと。いったい誰が彼女の真の姿を知ってるだろうか。建築家、門外漢の芸術家、手仕事の好きなご婦人、はたまた、ダンプスターに飛び込むいんちき女なのか。とにかくわかっていたのは、彼女の建てた家は、足を踏み入れると快適だということくらいだ。

あれは1992年のことだった。グリーン建築が話題に上るようになってはいたが、ＬＥＥＤ（環境性能評価システム）やＵＳＧＢＣ（米国グリーンビルディング協会）はまだ存在せず、Dwell「居住する」という概念が現れる10年も前のことだった。環境建築というものはたしかにその数十年前から存在していたが、美しさは優先事項ではなかったんだ。
　シカゴの友人は大勢引き連れてやって来たよ。おそらく連中は、ナンバープレートやタイヤで作ったひどく見苦しいユルト〔遊牧民の円形移動式テント〕のようなものだと思い込んでいたんだろう。でも《20マイルハウス》に足を踏み入れると、声を上げて笑い出した。それくらい豪華だったもんでね。美しい内張りをしたきらきら光るガラスの箱といったふうで、乾式壁やペンキは一切使われていない。床にはコンクリート、壁と天井には木材、調理台にはむき出しの骨材が使われ、半透明の割れたガラスの破片が散りばめられている。そんな温かみのある材質を使っているものだから、外より家の中のほうが明るく感じたんだ。
　その日、バーナデットはガレージを建てたり、コンクリートを流し込んで成型したり、ティルトアップ工法で壁を組み立てたりしていてね。マッカーサー財団の連中はスーツの上着を脱ぎ、シャツの袖をまくり、手を貸した。そのときぼくは、バーナデットは助成金を手に入れるだろうと確信したんだ。

　こうして評価されたおかげで、フォックスは《20マイルハウス》を手放し、売りに出す決心がついた。

ジュディ・トール：バーナデットさんは、あの家を売却リストに載せて、共有私道のない別の土地を探してほしいと頼んできたんです。隣にナイジェル・ミルズ＝マレーが住んでいることは、あの物件の資産価値にとってはとても結構なことでした。わたしは写真を数枚撮り、競争を仕掛けようとバーナデットさんに言いました。
　オフィスに着くと、留守番電話にメッセージが入っていました。よく一緒にお仕事させていただくビジネスマネージャーからで、あの家が売りに出ていることを耳にしたというのです。わたしは、数ヵ月はリストに載せるつもりはないと答えましたが、建築マニアの彼は、「天才賞」を取った家を手に入れたがっていました。

バーナデットさんと彼女の愛するご主人と一緒に、《スパゴ》で食事をしてお祝いをしました。おふたりをお見せしたかったです。ご主人は奥さまのことをとても誇らしく思っていました。バーナデットさんは大きな賞を取ったばかりでしたし、あの家で大もうけしていました。誇りに思わない夫などいるでしょうか。デザートの途中で、ご主人は小さな箱を取り出し、バーナデットさんに渡しました。中身はシルバーのロケットペンダントで、その中には、怖い顔をした不安そうな少女の黄ばんだ写真が入っていました。

「聖ベルナデット〔バーナデットのフランス語読み〕だよ」とご主人は言いました。「ルルド〔フランス南西部の町〕の聖女だ。聖ベルナデットは全部で18回も幻を見たんだって。きみは《ビーバー遠近両用眼鏡邸》で最初の幻を見て、《20マイルハウス》で２番目の幻を見た。だから、あと16回残ってるんだ」

バーナデットさんは泣き出しました。わたしも泣き出しました。ご主人も泣き出しました。ウエイターが伝票を持ってやって来たときには、わたしたち３人は水たまりの中にいました。

あのランチで、ご夫妻はヨーロッパへ行くことに決めました。聖ベルナデットの故郷、ルルドを見たいと思ったからです。とにかくすてきでした。おふたりの前には全世界が広がっていたんです。

それでもバーナデットさんは、自分の業績を示す作品集に載せるために、あの家の写真を撮りたがりました。もう１ヵ月待てば、庭は草花でいっぱいになるところでしたので、バーナデットさんは帰国してから写真を撮ることにしました。わたしは買い手に電話し、この件について了解してもらえるかききました。「ええ、もちろん」との答えが返ってきました。

ポール・ジェリネック：ぼくはバーナデットととても親しいとみんなに思われているが、実際はあまり彼女とは話していなかったんだ。あれは秋のことで、新しい学生たちを抱えていた。連中に《20マイルハウス》を見せてやりたいと思ったから、バーナデットがヨーロッパに出かけてしまったことは知っていたが、いつもどおりのことをした。「今からうちの学生たちを連れて《20マイルハウス》に寄るよ」とメッセージを残したんだ。合鍵は持っていたからね。

マルホランドからわき道へ入ると、《20マイルハウス》の門が開いているのに気づいたが、それが最初におかしいなと思った点だ。家に着き、車から降りた。自分が何を見ているか理解するのにさほど時間はかからなかった。なんと1台のブルドーザーがその家を取り壊していたんだ！　実際は3台ものブルドーザーが壁に突っ込み、ガラスを割り、梁をバリバリ踏みつぶし、家具、電灯、窓、キャビネットをまさに粉々に砕き、ぺしゃんこにしていた。ものすごくやかましかったから、よけい状況がつかめなかった。

何が起きているか見当もつかなかった。バーナデットがその家を売ったことすら知らなかったんだから。ブルドーザーのひとつに駆け寄り、まさに運転手を引きずり下ろし、叫んだ。「いったい何をしてるんだ？」。でも、そいつは英語を話せなかった。

携帯電話などない時代だった。そこで学生たちにブルドーザーの前で人間の鎖になってもらうと、ぼくはできるだけ早くハリウッド大通りまで車を走らせ、近くの公衆電話へ飛び込んだ。バーナデットに電話したが、留守番電話になっていた。「いったい何をしてるんだ？」。留守番電話に向かってそう叫んだ。「話してもらえなかったなんて信じられんよ。ただヨーロッパへと去って家を壊すなんて、あんまりじゃないか！」

２週間後、ジェリネックが研究室を留守にしていたとき、フォックスは次の伝言を残した。ジェリネックはまだそれを保存していて、聞かせてくれた。「ポール」。女性の声が言う。「どうしたの？　なんのことを話してるの？　戻ったから。電話して」。それからフォックスは不動産屋に電話した。

ジュディ・トール：家がどうかしたのか、バーナデットさんにきかれました。わたしは、ナイジェルが何かしたかどうかなんて知りませんと答えました。すると「誰ですって？」と尋ねられたので、わたしは「ナイジェルですよ」と答えました。もう一度「誰？」ときかれましたが、今度は金切り声でした。わたしはこう答えました。「お宅を買った男の方ですよ。お隣のナイジェルです。ほら、梯子から高価なものを落として、それをつかめたら自分のものにできるっていうテレビ番組をやってる。イギリス人の」

「ちょっと待って。あなたのお友だちのジョン・セイヤーって人がわたしの家を買ったんでしょ」

それから、そうだった、バーナデットさんは知らなかったんだ、と気づきました！　彼女がヨーロッパにいるあいだ、あのマネージャーの指示を受けて、わたしはナイジェル・ミルズ＝マレーに名義を変更する手続きをしたんです。まったく知りませんでしたが、マネージャーは担当しているナイジェル・ミルズ＝マレーのためにあの家を買っていました。それはよくあることで、有名人がマネージャーの名義で家を買い、後で名義変更をするんです。ほら、プライバシーを守るためにね。

「そもそも最初からナイジェル・ミルズ＝マレーが買い手だったんですよ」。わたしはバーナデットさんに言いました。
　沈黙が流れ、彼女は電話を切りました。

　完成するのに3年もかかった《20マイルハウス》は1日で取り壊された。残っている写真は、不動産屋のジュディ・トールが全自動カメラで撮ったものだけだ。設計図については、フォックスが建築局に提出した、面白おかしく書いた未完成なものしか残っていない。

ポール・ジェリネック：この一部始終の最大の被害者がバーナデットだと考えられているのは承知しているよ。でも《20マイルハウス》が取り壊されたのは、ほかでもなく、バーナデット自身のせいさ。

　その家が取り壊されたといううわさが広がると、建築業界のあいだで悲しみの声が巻き起こった。

ポール・ジェリネック：バーナデットは失踪したんだ。ぼくは大勢の建築家にある文書に署名してもらうよう頼み、それを新聞に載せた。建築評論家のニコライ・オロソフはいい記事を書いてくれてね。歴史建造物委員会は現代建築の保存に本腰を入れるようになった。あの一件からそんな成果もあったってわけさ。
　バーナデットに電話してみたが、彼女とエルジーは《ビーバー遠近両用眼鏡邸》を売り、街を去っていた。どうしてそんなことになったか、ぼくには想像できない。とにかく想像できないし、考えるとうんざりしてくる。今でも《20マイルハウス》があった場所のそばを車で通るが、そこには何もないんだから。

バーナデット・フォックスは二度と家を建てなかった。マイクロソフトで職を得た夫と一緒にシアトルへ引っ越したのだ。アメリカ建築家協会から会員の資格を与えられても、授与式に参加しなかった。

ポール・ジェリネック：バーナデットの話になると、妙な立場に立たされてね。誰もがぼくから話を聞けるものと期待するんだ。ぼくは近くにいたし、彼女に遠ざけられようとしても許さなかったから。でも、バーナデットは自分のために２軒の家を建てたにすぎない。それはすばらしい建物だったが、そんなことを言いたいわけじゃないんだ。ぼくが言いたいのは、依頼人も予算も時間の制約もなく家を建てるのは別の話だということだ。バーナデットが他人のためにオフィスビルや家を設計しなければならなかったら、どうなっていただろう？　そうしたことには向いていなかったと思う。たいていの人とうまく付き合えなかったからね。それでどんな建築家になれるっていうんだ？

バーナデットはほんの少しの物しか作り出さなかったからこそ、みんなから神聖視されるんだ。聖ベルナデットだ！　男性社会におけるたったひとりの若い女性だったんだ！　環境保護なるものが存在する前に、環境に配慮した建物を建てたのさ！　家具作りの名人だった！　彫刻家だったんだ！　無駄の多いやり方に対してゲティに喧嘩を売ったそうだ！　DIY運動の生みの親なんだって！！　そんなふうになんでも好きなことを言ってもらって構わないし、そもそも、それに反論できる証拠などあるだろうか。

あの時期にバーナデットがいなくなったのは、おそらく彼女の名声にとっては何より望ましい出来事だったろう。ナイジェル・ミルズ＝マレーが《20マイルハウス》を破壊したせいでバーナデットがおかしくなったのだとみんなは言うが、ぼくも同感だ。おかしいほどずる賢いってね。

フォックスが現在どうしているかについてネットで検索しても、なんの手がかりも得られない。５年前、シアトルの私立学校、ゲイラーストリート校の学校案内に載ったオークションの品があった。それには「オーダーメードのツリーハウス――３年生の保護者のバーナデット・フォックスさんがお子さんのためにツリーハウスを設計し、資材をすべて提供し、ご自分で建てます」と書いてあった。このオークション品について問い合わせようと、ゲイラーストリート校の校長に連絡を取った。校長はメールを返信してきた。「本校の記録によると、このオークション品は落札されずに、売れ残りました」

12月13日（月）

＊

ママからポール・ジェリネックへ

ポールへ

晴れたシアトルからこんにちは。ここシアトルでは、「ウーマン」は「ギャル」、「ピープル」は「フォークス」、「すこし《ア・リトル・ビット》」は「スコッシュ」、疲れていたら「ローギー」、何かが少しおかしければ「疑わしい《ヒンキー》」で、「あぐらをかく」は「インディアン・スタイルで座る」ではなく、「クリス・クロス・アップルソースで座る」と言い、「太陽《サン》」の代わりに「陽光《サンシャイン》」が顔を出すといつも言うし、ボーイフレンドやガールフレンドは「パートナー」で、みだりに神の名を呼んでののしる人はいないけど、時には「Ｆワードを使う」人はいるかもしれないし、咳はひじに向かってしなければならず、どんな要求をしても、それが妥当であろうとなかろうと、「心配無用《ノー・ウォーリーズ》」と返されるのよ。

どのくらいわたしがこの街を嫌いか、これで十分伝わったかしら？

でも、この街は世界有数のハイテク都市だから、ここの人間は〈インターネット〉なるものを利用していて、そのおかげで〈グーグルサーチ〉なるものができるの。だから公共図書館の前でばったり変な男に出くわし、その男が、まあ言ってみれば本来のわたしからインスピレーションを得たロスの建築コンペティションについて話し始めるなら、その情報をさっき話した〈グーグルサーチ〉に入力し、もっと知ることができるってわけ。

困った人ね、ポールったら。よみがえったあの《20マイルハウス》はあなたの指紋だらけよ。なぜそんなに愛してくれるの？　わたしのどこがいいと思ってくれたか理解に苦しむけど。ばかね。

光栄に思うべきか怒るべきか、まあ、ほんとうは〈nonplussed《ナンプラスト》〉という言葉を使えばぴったりでしょう（辞書でその言葉を調べたばかりだけど、何がおかしいかわかる？　第一定義は「どう反応したらいいかわからないほど驚き、戸惑う」なのに、第二定義は「まったく動じない」なのよ。その言葉の使い方がまるでわからないのも当然ね！　今は後者の意味でそれを使ってるの）。

ポール・ジェリネック。いったいどうしてるの？　わたしのこと、怒ってる？　わたしのいない人生はつまらないから会いたいなあ、なんて思ってる？　〈ナンプラスト〉の第一定義の状態？　それとも第二定義のほう？

あなたに電話を返さなくちゃいけないでしょうね。

この20年、わたしは何をしていたんだろうと思ってるわよね。一戸建て住宅における公的空間と私的空間との対立を解消しようと努めていたの。

冗談よ！　インターネットでくだらないものばかり注文していたの！

わたしたちがシアトルへ移ったことはもうご存じよね。エルジーはマイクロソフトに雇われたの。マイクロソフトは社内ではＭＳと呼ばれてるけど。こんなにも頭字語をやたらと使いたがる会社なんて初めてよ。

ここへ引っ越したのは、アメリカ大陸48州の左上の隅にあるこの陰気な州で年を取っていくためでは決してなかった。腹立ち紛れにロスを去って、かなり傷ついた自尊心を慰めたかっただけで、みんなの同情を十分買ったとわかれば、ケープを広げ、さっと舞い戻って第２幕を始め、建築業界の成功の女神がほんとうは誰かを連中に示そうと思っていたの。

でも結局、エルジーはここを愛してしまって。あの人の中には、自転車に乗ったり、スバルを運転したり、ＫＥＥＮ《キーン》〔オレゴン州ポートランドを拠点とするフットウェアブランド〕のサンダルを履いたりするもうひとりの彼がいて、その新しい彼を外に出させたがっていたなんて誰も思いもしなかった。そして、天才的ＩＱの持ち主たちにとってこんなにすばらしい理想郷であるマイクロソフトに入ったら、実際にその彼が姿を現したの。待って。マイクロソフトがすばらしいとか理想郷とか言ったかしら？　陰険で悪質だと言うつもりだったのに。

マイクロソフトにはあちこちに会議室があって、オフィスよりもたくさんあるくらい。オフィスはどれもとっても小さいの。エルジーのオフィスを初めて見たとき、わたしははっと息をのんだ。机の大きさと大差なかったのよ。あの人は今ではそこのお偉方のひとりになっているけど、いまだにオフィスはちっぽけなまま。昼寝するのに十分な長さのカウチを置くのがやっと。なんてオフィスなんでしょう！　もうひとつ妙なのは助手がいないこと。エルジーは250人のチームを率いているけど、ひとりの助手をみんなで共有しているの。あそこの人たちの言い方をまねるなら、第１音節にアクセントをつけた秘書《アドミン》なら数人いるけど。ロスだったら、エルジーの半分しか重要でない人でも助手がふたりはついていたでしょうに。その助手にはまた助手が複数つくことになり、しまいには405号線から西の誰かの賢い息子や娘はみんな雇われていたくらい。でも、マイクロソフトではちがうの。あそこの人たちは特別に暗号化された正門をひとたびくぐれば自分でなんでもやってのけるから。

　はいはい、落ち着いてちょうだい。会議室についてもっと詳しくお話ししましょう。会議室のどの壁にも地図が貼ってあるけど、それってごく当たり前のことよね？　会社が受け持ち区域や販売ルートを示す地図を壁に貼るのは。でも、マイクロソフトの壁に貼ってあるのは世界地図なの。あなたがまだあの会社の領土について知らない場合に言っておくけど、この地図の下には〈世界〉という言葉が書かれているのよ。マイクロソフトの目標が〈世界制覇〉だと気づいた日、わたしはエルジーとレドモンドで昼食を取っていた。

「ところでマイクロソフトの使命って何なの？」。わたしは《コストコ》の誕生日ケーキをがつがつ食べながらエルジーにきいた。その日は社内の〈コストコ・デー〉で、店員たちが無料の薄っぺらいケーキで社員をつって割引会員に登録させていた。わたしが混乱し、時にはあの会社をすばらしい理想郷だと誤解するのも無理ないってもんね。

「長いあいだ」エルジーは自制心を備えているからケーキを食べずに答えた。「わが社の使命は、世界中の全家庭にデスクトップ型パソコンを普及させることだった。でも、何年も前にそれはほぼ達成したんだ」

「だったら、今は何？」

「それは……」。エルジーは警戒しながらこちらを見て、「ええと」と見回しながらこう言った。「それは話題にするようなことじゃないよ」

　ほらね、マイクロソフトの社員との会話は２通りのどちらかで終わるのよ。これがまずひとつの終わり方ね。被害妄想と疑い。あそこの社員は自分の妻でさえ恐れているの。あの人たちの好きな表現を使うなら、マイクロソフトは情報に基づいて築かれた会社であって、その情報はすぐに社外へ歩いていけるから。

　ＭＳの社員との会話のもうひとつの終わり方はこうよ（ＭＳですって。まあ、あの人たちのせいでわたしまでこんな言い方しちゃった！）。わたしが娘と公園にいるとしましょう。しょぼしょぼした目で娘をブランコに乗せて漕《こ》いでやっているの。向こうのブランコには、アウトドアウェア姿のお父さんがいる。父親ってものはこういう場所には決まった服装でやって来るもので、それがアウトドアウェアだから。その人はわたしが抱えているおむつ用バッグを見ている。もっとも、それはおむつ用などではなく、エルジーが家に次から次へと持って帰ってくるマイクロソフトのロゴのついた出荷記念品よ。

アウトドアウェア姿のパパ：マイクロソフトにお勤めですか？

わたし：あら……いえ、夫が勤めているんです。（次の質問に先回りして）ロボット工学部門で働いていまして。

アウトドアウェア姿のパパ：わたしもマイクロソフトの社員ですよ。

わたし：（関心のあるふりをして。ほんとうに興味を示してやってもよかったけど、う〜ん、この男は話好きだから）あらっ。何をしてらっしゃるの？

アウトドアウェア姿のパパ：メッセンジャー部門にいます。

わたし：それって何です？

アウトドアウェア姿のパパ：Windows《ウィンドウズ》 Live《ライブ》はご存じですか。

わたし：ええと……。

アウトドアウェア姿のパパ：ＭＳＮのホームページは？

わたし：まあ……。

アウトドアウェア姿のパパ：（苛立って）コンピューターをつけるとどんな画面が立ち上がります？

わたし：ニューヨーク・タイムズですけど。

アウトドアウェア姿のパパ：ええっと、ふつう立ち上がるWindowsのホームページがありますよね。

わたし：パソコンを買うときに、前もってインストールされているもののことでしょうか？　ごめんなさい。Mac《マック》ユーザーなもので。

アウトドアウェア姿のパパ：（神経過敏になって。何しろ、あそこの社員はみんなiPhone《アイフォン》が欲しくてたまらないのに、そんなもの持っているところをバルマーＣＥＯに見られたら首になるだろうといううわさがあるから。このことは立証されていないけど、反証されてもいない）Windows Liveの話をしてるんです。世界で一番アクセス数の多いホームページですよ。

わたし：そうでしょうね。

アウトドアウェア姿のパパ：検索エンジンは何を使っています？

わたし：Googleです。

アウトドアウェア姿のパパ：Bingのほうがいいですよ。

わたし：Bingのほうがよくないとは誰も言ってませんけど。

アウトドアウェア姿のパパ：もし一度でもHotmail《ホットメール》、Windows Live、Bing、ＭＳＮのどれかにアクセスしたことがあれば、ページの一番上に「メッセンジャー」と書いてあるタブを見かけたはずです。それがわたしの所属する部門ですよ。

わたし：すごいですね！　メッセンジャーではどんなお仕事をなさっているんです？

アウトドアウェア姿のパパ：うちのチームはエンドユーザー向けの担当でして。HTML5向けのC# インターフェースが……。

そして本題から少しずつそれていくの。会話の途中で話をやさしくできるほど賢明な社員は、あの会社には絶対にいないから。

結局のところ、ロスではずっとエルジーは、夜通し歩き回れる、蛍光灯に照らされたカーペット敷きの廊下がないか探している靴下姿の男にすぎなかったみたい。だけどマイクロソフトでは理想的な生息地を見つけたの。ＭＩＴ〔マサチューセッツ工科大学〕に戻ったみたいだった。徹夜し、鉛筆を天井のタイルに向かって投げ、外国なまりのあるコードばかたちともう流行《はや》らなくなったスペースインベーダーで遊んで過ごしていたあのころに。マイクロソフトが最新のキャンパスを構えると、それはエルジーのチームの本拠地になったの。その新しいビルのアトリウムには軽食堂があって、〈イノシシの頭　極上のデリ・ミートがここで提供される〉なんて書かれた看板が掲げられているんだから。わたしはそれを見たとたん、もうあの人に会えないんじゃないかと思った。

そうして、ここシアトルにわたしたちはいるの。

まず第一に、この都市の設計をしたのは誰であれ、四叉交差点に出くわせば必ず五叉交差点に変えていった。対面通行の道路に出会えばいつも、いきなり理由もなく一方通行に変えてしまった。美しい景観を見かけたら決まって、建築的品位など皆無の20階建て老人ホームを建てて景観を遮った。ちょっと待って。シアトルについて語られる中で「建築的」と「品位」という言葉が一緒に使われたのは初めてでしょうね。

この街を走るドライバーったらひどいのよ。ひどいと言ったのは、わたしにも行きたい場所があるって気づかないという意味。あんなにスピードを出さないドライバーなんてお目にかかったことがないから。五叉路の信号で止まっているドライバーが年老いてしまうくらい長いこと待ち、ついに青になって進める時間になると、どんな行動を取るか知ってる？　発車したかと思うと、交差点のど真ん中でブレーキをかけるの。席の下に食べかけのサンドイッチを落としでもしたんだろうと思って探してあげても無駄よ。ただスピードを落としているにすぎないけど、なぜって、ほら、それはまさに交差点だからってわけ。

こんな車にはアイダホのナンバープレートがついていることもある。そこでわたしは、いったいアイダホから来た車がここで何をしているんだろうと思う。すると思い出すの。そうだ。この州はアイダホに隣接しているんだって。わたしはアイダホの隣の州に引っ越してきたんだから。そして自分の中にまだいくらか残っているかもしれない気力までも少しフーッと消えていく。

娘が「ステップブック」と呼ばれるアートプロジェクトに取り組んだことがあったの。それは宇宙から始まり、太陽系へと続き、それから地球へ、アメリカ合衆国へ、ワシントン州へ、シアトルへ――するとわたしは正直なところ思った。いったいワシントン州はこの子とどんな関係があるんだっけって。そこで思い出したの。そうだった、わたしたちはワシントン州に住んでいるんだって。フーッ。

シアトル。家出人やジャンキーやホームレスでこんなにあふれ返っている都市なんて見たことがないわ。パイク・プレース・マーケットではあちこちにいるし、パイオニア・スクエアにもうようよしている。《ノードストローム》の本店では、入る途中でまたいでいかなければいけないくらいいるし。《スターバックス》の１号店ときたら、連中のひとりがミルクのカウンターを独り占めしていて、頭に無料のシナモンを振りかけているんだもの。ああ、それにみんなピット・ブルを連れていて、あの闘犬たちの多くはこんな名言を手書きした札を首から下げている。〈あなたがこの札を読めるほうに１ドル賭けよう〉どうして物乞いはみんなピット・ブルを連れているんだと思う？　ほんとうにわからない？　たちの悪いやつらだからよ。それを忘れちゃだめ。

ある朝早くダウンタウンにいると、通りがキャスター付きスーツケースを引っ張っている人でいっぱいなのに気づいたことがあったの。そこで思った。わあ、やり手のたくさんいる街なんだなあって。でもそれから気づいた。いや、この人たちはみんな戸口で夜を過ごし、追い出される前に荷造りしていたホームレスなんだって。シアトルはうんちに足を突っ込んだら、どうかこれが犬のうんちでありますようにと祈る唯一の場所なのよ。

ほかのどんな都市よりも市民ひとり当たりの百万長者が多いこのアメリカの都市が、それを上回る数のホームレスを抱えていることに甘んじている状況について仰天すると、決まって同じ答えが返ってくる。「シアトルは情け深い町だ」と。

マリナーズの試合でチューバを演奏していた愛すべき名物男〈チューバマン〉が、ゲイツ財団本部の近くで街のちんぴら連中によって惨殺されたことがあったの。そのときにどんな反響があったかって？　ちんぴらにも何に対しても取り締まりはなかったのよ。そんなの情け深いとは言えないでしょう。その代わりに、ここの住民は「犯罪組織の暴力の根源を究明する」ためにいっそうの努力をしたし、このばかな努力のために資金集めをしようと〈根源究明のための大会〉を計画した。もちろん〈根源究明のための大会〉はトライアスロンだった。こうした運動好きな慈善家ぶった人に、日曜ごとにひとつのスポーツだけに参加するよう頼むなんてとんでもないから。

市長までも一枚かんでるのよ。窓ガラスにこんな貼り紙を出すことで大きな勇気を示した漫画店が近所にあってね。〈お尻の下までズボンを下げた方の入店はお断りします〉。それで市長は、どうして子どもたちがズボンをずり下げて履くかに対する「root《根源》」〔rootには「陰茎」の意もある〕を探りたいなんて言ったのよ。あのくそ市長ったら。

それとカナダ人については話をさせないでちょうだい。複雑な話になってしまうから。

数年前、警察官が、テキサスにあるあの一夫多妻制をうたうモルモン教分派〔ＦＬＤＳ。カナダのブリティッシュコロンビア州に拠点がある〕の施設に押し入ったことは覚えてる？　何十人もの妻たちがカメラの前で見せしめにされたことは？　そして彼女たちはみんな、白髪のまじった長いねずみ色の髪をし、取り立てて言うほどのものではないヘアスタイルに、ノーメイクで、肌は粉を吹き、フリーダ・カーロのようなひげを生やし、似合わない服を着ていたわよね。それを見たトーク番組『オプラ・ウィンフリー・ショー』の観覧客はタイミング良くショックを受けて怖がっていたでしょ。やれやれ、あの人たちはシアトルに来たことなんてないでしょうね。

ここシアトルではヘアスタイルは２つしか選べないの。短い白髪と長い白髪よ。ヘアカラーをしてもらおうと美容院へ行くと、店員はひじをぴしゃりとたたき舌打ちするんだから。「あら、うちではヘアカラーなんてできませんよ！」って。

でも実際に何があったかというと、ここに来て４回も流産したの。どうがんばっても、それをナイジェル・ミルズ＝マレーのせいにするわけにはいかないけど。

ああ、ポール。ロスでの最後の年はとにかくそれはもう悲惨だった。自分のふるまいが恥ずかしくてたまらない。いかに自分が恥ずべき人間になってしまったかについて、今日までずっと嫌悪感を抱き続けてきたの。すべてはつまらない１軒の家のために。あの家のことが頭から離れなかった。でもこの身をすっかり犠牲にする前に、ナイジェル・ミルズ＝マレーのことばかり考えている。ある金持ちの卑劣野郎の悪ふざけのために人生の３年が台無しにされても仕方ないくらい、わたしはひどいことをしたのかしら。たしかに、数台の車をレッカー移動させたし、捨てられたドアノブで門も作った。だってわたしはアーティストよ。マッカーサー助成金だって手に入れたんだから。まったくもう。これでもわたしは運が良くないっていうの？　やがては、テレビを観てナイジェル・ミルズ＝マレーの名前を見かけても耐えられるようになるでしょう。気が変になるとは思うけど。あの男は創造し続けていられるのに、わたしだけが今でも心がばらばらになったままなんだもの。

おもちゃ箱の一覧表を作りましょう――恥、怒り、妬《ねた》み、幼稚、自責、自《じ》己《こ》憐憫《れんびん》。

数年前にはＡＩＡからあの名誉ある賞をいただいたし、この20×20×20のコンペもあるので、『アートフォーラム』の記者からある記事の件で話を聞きたいと言われたの。そんなの、事態をいっそう悪化させるだけよ。失敗を克服できなかった芸術家だとみんなから思われているわたしにとっては、ブービー賞にすぎないから。

ちょうど昨晩、わたしは用を足したくて目が覚めた。寝ぼけていて自分が誰だかわからなくなり、一瞬頭が空っぽになったかと思うと、データがリロードし始めた――バーナデット・フォックス――《20マイルハウス》は取り壊された――当然の報い――わたしは失敗者。失敗はわたしに食らいついたままで、揺れ続けるでしょう。

今、《20マイルハウス》について尋ねられたら、わたしはつむじ曲がりだから、何食わぬ顔でこう答える。あの古いものですか？　知ったことではありませんって。それは見せかけの態度だけど、貫くつもりよ。

初めて流産したころ、エルジーはそばにいて寄り添ってくれた。

「全部わたしが悪いの」とわたしは言った。

「いや、バーナデット。きみのせいじゃないよ」

「当然の報いね」

「こんな目に遭って当然の人間なんていないよ」

「何を作ったって全部だめにしちゃうんだもの」
「やめてくれ、バーナデット。そんなことないって」
「わたしはモンスターよ。なのに、どうして愛してもらえるはずがあるの？」
「きみのことをわかってるからさ」

エルジーは知らなかったけど、そんな彼の慰めの言葉は、流産よりずっと深い悲しみからわたしが癒えるのに役立っていた。認めるわけにいかない悲しみ、つまり《20マイルハウス》に対する悲しみよ。エルジーは今でも知らないまま。でも、そのせいでよけいこの果てしなくわき返ってくる恥が増しているの。そうしてわたしは気がおかしく不誠実になったばかりか、今まで出会った中で一番聡明で立派な男性にとって見知らぬ人間になってしまったんだから。

エルジーを責められることがひとつだけあるけど、それは彼のせいで人生がひどく単純に見えてしまうことね。好きなことをすればそれでいいって。彼の場合には、仕事、家族と一緒に過ごすこと、大統領の自伝を読むことよ。

ええ、すぐにわたしは精神科医へ行ったわ。ここシアトルで一番の名医にかかったの。３回ほど面談した結果、あの無能なばか医者をこてんぱんにやっつけ、暴言を吐いた。医者はわたしの治療に失敗したことを心苦しく思って、こう言った。「すみませんね。でもこの辺りの精神科医はあまり腕が良くないもので」

ここに来ると１軒の家を買った。ありとあらゆる建築制限の付いたこのとんでもない女子感化院よ。それをちゃんとした家にするにはハリー・フーディーニ〔「脱走王」の異名を取った伝説の奇術師〕並みの創意工夫が必要だろうなと思った。もちろんこの家を気に入ったの。自分とエルジーといつもお腹の中にいた赤ん坊のために家を修理して、《20マイルハウス》の挫折からほんとうに立ち直るつもりだった。それから便器に座り、体をかがめて見下ろすと、なんとパンティーに血がついていて、もう一度エルジーのもとへ行って泣いた。

やっと流産せずに済んだと思ったら、娘の心臓は発育不全を起こしてしまって、手術を繰り返して修復しなければいけなかったの。生存率は、特に当時のことだからすごく低かった。生まれたとたん、もがき苦しんでいるわが青きグッピーは、触れることもできないうちに手術室へさっと連れていかれた。

５時間後、看護師がやって来て、わたしの乳が出なくなるよう注射を打った。手術は失敗に終わっていたし、赤ん坊は別の手術に耐えられるほど強くなかったの。

これからお話しするのはまさに慰めようのない状態よ。わたしは小児病院の駐車場で車の中に座っていた。窓はすべて閉まっていて、わたしは患者用のガウン姿で、股間に30センチのパッドを挟み、肩にエルジーのパーカーをかけている。エルジーは外の暗がりの中で立っていて、曇った窓越しにこちらの様子をうかがっている。わたしは苦痛とアドレナリンの塊で、考えも感情も持ち合わせていなかった。わたしの中で何かが狂ったように暴れていたから、神さまは赤ん坊を生かしておく必要があると思ったみたい。さもなければ、このほとばしった感情は宇宙中に解き放たれてしまうからと。

翌朝10時、フロントガラスをたたく音がした。「今なら赤ちゃんに会えるよ」とエルジーは言った。それでわたしはビーに対面したの。あの子は保育器の中ですやすやと眠っていた。黄色いキャップをかぶった小さな青い長方形の塊。胸の上にはシーツがぴんとかけられている。ワイヤーやチューブが体中至るところに差し込まれていて、そばには13台のモニターの載った台がそびえている。あの子はすべてのものとつながっていた。「お嬢さんは」。看護師は言った。「大変な目に遭ってきたんですよ」

そのときわかったの。ビーはあくまでも別の人間であって、わたしに託されたのだと。「バラクリシュナ」として知られる赤ん坊のクリシュナ神のポスターを見たことあるでしょ。創造神であり破壊神であるビシュヌの化身よ。バラクリシュナは太っていて幸せで青いわよね。ビーはまさにそんな存在だった。創造神であり破壊神だったの。それは紛れもない事実だった。

「この子は死ぬもんですか」。わたしはこの世でもっとも愚かな人間どもに話しかけるみたいに看護師たちに言った。「だってバラクリシュナですもの」。その名前がそのままあの子の出生証明書に載ったの。エルジーが調子を合わせてくれたのは、わたしたちが1時間後にグリーフケア専門のカウンセラーと面会する予定だと知っていたからにすぎないけど。

　わたしは娘とふたりきりにしてほしいと頼んだ。前にエルジーから、18回も幻を見た聖ベルナデットのロケットペンダントをもらったことがあって、そのとき、《ビーバー遠近両用眼鏡邸》と《20マイルハウス》は、きみの見た最初の２つの幻だよと言われた。ふたりきりになると、ビーの保育器の前でひざまずき、ロケットペンダントをつかみ、「二度と建築はしません」と神に誓った。「赤ちゃんを生かしておいてくださるなら、ほかの16の幻はすべて放棄します」と。それがうまくいったってわけ。

　シアトルの誰からも好きになってもらえなくて。ここへ引っ越してきた日、マットレスを買おうと《メイシーズ》へ行った。誰か手を貸してもらえないか尋ねると、「ここの方ではありませんよね」と女店員に言われたのよ。「あなたのエネルギーからわかります」。どんなエネルギーだっていうの？　マットレス売り場でマットレスを売る女店員に手を貸してもらうよう頼むエネルギーってこと？

　何度おざなりな会話をしたことかしら。こう言えば、「本音をしゃべったほうがいい」とか「カフェイン抜きに変えたら」とか忠告してくる人がいるかもしれないけど。カナダに近いせいよ。それ以上は話さないでおく。でなければ、カナダ人について語り始めてしまうから。あなたにはそんなことを聞く暇などとうていないでしょうし。

でも、最近友人をひとり作ったの。マンジュラという名の女性で、はるばるインドからわたしのために使い走りをしてくれるのよ。バーチャルの友人だけど、取っかかりにはなるでしょう。

この都市のモットーは、あのフランスの陸軍元帥がセヴァストポリの包囲中に残した不朽の名言にちがいないと思う。「わたしはここにいる《ジ・スイ》。わたしはここに留まる《ジ・レスト》」。人々はここで生まれ、ここで育ち、ワシントン大学へ行き、ここで働き、ここで死ぬの。出ていきたいと思う人はいない。この街の人に「シアトルの何をそんなに愛してるんでしたっけ？」と尋ねてみると、こんな答えが返ってくる。「ここには何もかもあります。山も、海も」。これが理由よ。山と海。

食料雑貨店のレジで他人と関わらないようにしているけど、ある日、シアトルを「国際的」と女の人が言うのを耳にしたときは耐えられなくて、思い切って「ほんとうに国際的でしょうか？」と尋ねてみたの。その人は「もちろんです。シアトルは世界から来た人たちでいっぱいですから」と答えた。「たとえばどこです？」とわたしがきくと、「アラスカですよ。アラスカ出身の友人がたくさんいます」という答えが返ってきたの。バタン。ほらごらんなさい。

ゲームをしましょう。ある言葉を言うから、真っ先に思いついた言葉を答えてね。いい？

わたし：シアトル
あなた：雨

ここの雨についていろいろ聞いているだろうけど、全部ほんとうよ。

だから、とりわけ昔からここに住んでいる人にとっては生活の一部になっているのではないかと思うでしょうね。でも雨が降っていて、誰かと一緒に過ごさなければいけないときはいつも、あの人たちはこうきくの。「この天気、信じられる？」って。そしたらこう答えたくなる。「実のところ、天気は信じられるけど、信じられないのは、自分がこうしてほんとうに天気について会話していることよ」って。でも知ってのとおり、わたしはそんなこと言わない。言えば喧嘩《けんか》を売ることになって、いろいろな結果をもたらすから。喧嘩なんてなるべく避けたいもの。

誰かと喧嘩すると胸がドキドキする。喧嘩しないときでさえドキドキするし、眠っているときもよ！　ベッドで寝ていると、ドキドキが外国からの侵入者のようにやって来る。映画の『2001年宇宙の旅』に出てくるモノリスのように恐ろしい黒っぽい塊で、自立しているけどまったく不可知だし、わたしの体に侵入し、アドレナリンを放出するの。そしてブラックホールのように、脳をスクロールしていく有益な考えを吸い込み、その考えに本能的な恐怖を添えてしまう。たとえば日中に、うーん、ビーのお弁当に新鮮なフルーツをもっと詰めたほうがいいかな、とか考えたとするでしょう。するとその晩、〈ドキドキ〉がやって来るとともに、〈ビーのお弁当に新鮮なフルーツをもっとたくさん詰めなくちゃ!!!〉なんて思ってしまうの。こんなふうに理性を失い心配するあまり、自分のエネルギーの蓄えが尽きていくような気がする。まるで電池式レースカーがコーナーをギシギシいわせながらゆっくり曲がっていくみたいに。このエネルギーは翌日を切り抜けるのに必要なのに。でも、わたしはただベッドに横たわり、エネルギーが燃えていき、それと一緒に生産的な明日への期待も燃え尽きていくのを眺めている。皿洗いも、食料雑貨店も、運動も、ごみ入れを運んでくることも消えていく。基本的な人間らしい優しさまでも失う。すごく汗をかいて目覚めるので、ベッドのそばに水を入れたピッチャーを置いて眠らないといけない。さもないと脱水症で死んじゃうかもしれないから。

ああ、ポール。《20マイルハウス》から通りをちょっと行ったところにあるあのお店を覚えてる？　ローズウォーター・アイスクリームが置いてあるラ・ブレア通りの店よ。あそこで打ち合わせをしたり電話を使わせてもらったりしたでしょ。あなたにはぜひビーに会ってもらいたいな。

あなたが何を知りたがっているか、わかってる。わたしにはシャワーを浴びる時間があるかってことよね？　ありっこないでしょ！　数日間なら浴びなくても平気よ。まったくひどいありさまだけど、自分のどこが悪いのかわからない。隣人と口喧嘩になって。そう、またよ！　今度は仕返しに看板を立てたところ、不覚にもその女の家を壊してしまった。そんなばかなこと信じられる？

この悲しい身の上話は就学前クラスから始まるの。ビーが通っている学校は親の関与に熱心で、いつも保護者を委員会に入らせたがっている。もちろんわたしは入ったことなんかないけど。ある日、学校の廊下にいると、保護者のオードリー・グリフィンが近づいてきた。

「どの委員会にも入らなかったそうね」。彼女は満面に笑みと敵意を浮かべて言った。

「委員会にあまり関心がないものですから」

「ご主人はどうなの？」

「わたしよりもっと関心がないみたいで」

「つまり、おふたりとも共同体なんて信じてないってことね」

そのころまでにはやかましいママ軍団に囲まれていた。待ちに待っていた、病める少女を持つ社交嫌いなママとのこの対決を楽しんでいる。

「共同体って信じるとか信じないとかいうものなのかしら」。わたしは答えた。

数週間後、ビーの教室へ行くと、《ワンダー・ウォール》なるものが設置されていた。それに子どもたちはこんな質問を書いていた。「ロシアの子どもたちは朝食に何を食べるの？」「どうしてリンゴは赤や青になるの？」。かわいいなという気持ちでいっぱいになっていたところに次の質問をふと見つけた。「お父さんお母さんたちはひとりを除いてみんな、どうして学校でボランティア活動をするの？」。あのガミガミばあさんの子ども、カイル・グリフィンが書いたのよ。

わたしはこのカイルって子をずっと好きになれなかった。就学前クラスにいたころのビーには、まだ胸いっぱいに鮮やかなひどい傷跡が残っていた（時がたつにつれ薄くなったけど、当時はなかなかのものだった）。ある日、カイルがその傷跡を見て、ビーを「毛虫」と呼んだの。あの子からその話を聞いたとき、もちろんいい気はしなかったけど、子どもってそんなふうに残酷なものだし、本人はあまり怒っていなかったから、わたしも放っておいた。でもカイルがもともと悪い子だと知っている校長はビーのことを口実にして、いじめフォーラムを開いた。

１年後、《ワンダー・ウォール》事件の後もまだ腹の立っていたわたしは邪悪な自分に打ち勝ち、実は初めてボランティアの仕事に参加し、マイクロソフトに社会見学へ行く際の保護者ドライバーを務めたの。それで４人の子ども、つまりビーのほかにあのカイル・グリフィンを含めた３人を預かり、みんなで、ずらりと並んだキャンディー・マシンの前を通り過ぎようとしていた（マイクロソフトにはあちこちにキャンディー・マシンが置いてあって、お金を入れなくても、ボタンを押せばキャンディーが出てくる仕掛けになっている）。〈グリフィン坊ちゃま〉ときたら、あの子の初期設定《デフォルト》は軽度の破壊だから、キャンディー・マシンを思い切りたたいたの。キャンディーバーが１本落ちてくると、カイルはほかのキャンディー・マシンも次々とたたいてもっと出したものだから、子どもたちもみんなまねした。ビーもよ。ソーダ味のキャンディーが床に転がり落ちると、子どもたちは叫び、ぴょんぴょん飛び跳ねた。『時計じかけのオレンジ』のワンシーンのようなとても信じられない光景だった。ちょうどそのとき、校長に付き添われた別のグループがちびっこギャングの暴れ回っているところに出くわしたの。「この騒ぎを始めたのは誰です？」。校長はきいた。

「誰も始めませんでした」。わたしは言った。「わたしが悪いんです」

　すると、こともあろうにカイルが片手を上げ、自首したの。「ぼくです」。それ以来、カイルの母親のオードリーはわたしを憎み、ほかのママたちも仲間に加わったってわけ。

　なのにどうしてビーを転校させなかったのかって？　あの子を通わせてもいいような良い学校はほかにもいくつかあったけど……そのう、そこへ行くには、イタリアンレストランの《ブッカ・デ・ベッポ》の前を車で通る必要があったから。ただでさえわが人生を憎んでいたのに、なんだって１日に４回も《ブッカ・デ・ベッポ》を通り過ぎなくちゃいけないっていうの。

　もう飽きてきた？　まあ、わたしもうんざりよ。

　かいつまんでお話ししましょう。わたしが幼かったころ、カントリークラブで復活祭《イースター》の卵探しがあって、金の卵を見つけたから、赤ちゃんウサギをもらえたの。両親はまったく喜んでいなかったけど、険しい顔をしながらも小屋を買ってくれた。うちのパーク・アベニューのアパートでそのウサギを飼い始め、わたしは「セーラー」と名づけた。その夏、わたしがキャンプに出かけると、両親は、エサを与えるようお手伝いさんのグロリアに指示してセーラーをアパートに残し、ロングアイランドへ向かった。ところが、わたしたちが８月の終わりに家へ帰ってみると、グロリアはその２ヵ月も前に銀食器とママの宝石を持って家を出ていたの。

わたしはセーラーが無事かたしかめようとウサギ小屋へ走っていった。するとセーラーは隅っこに引っ込み、震えていて、最悪の状態だった。すっかり栄養失調になっていたから、毛は恐ろしく伸びていた。衰えた代謝と低温を補おうとする防衛本能よ。鉤爪は２、３センチまで伸び、さらに悪いことに前歯が丸まって下唇に当たっていたので、口を開けることもままならなかった。どうやらウサギはニンジンのような固いものをかむ必要があるみたいで、そうしなければ歯が伸びてしまうの。わたしはおびえながらも、かわいいセーラーを抱き締めてあげようと小屋の戸を開けた。でも、過剰なほど怒り狂ったセーラーに顔や首を引っかかれてしまって。いまだにそのときの傷跡が残っているの。誰からも世話してもらえなくて、セーラーは野生化していたってわけ。

まさにシアトルでわたしの身にはそんなことが起こったのよ。愛してくれているとしても、どうぞかかってきてちょうだい。めちゃくちゃ引っかいてあげるから。マッカーサー賞を受けた天才にこんなことが降りかかったなんて、嘆かわしい運命だと思わない？　フーッ。

でも、あなたのことは心から大好きよ。

バーナデット

12月14日（火）

＊

ポール・ジェリネックから

バーナデットへ

話は済んだかい？　こんなばかげたこと実際に信じているわけないよ

ね。きみのような人間は創造しなければいけないんだ。もし創造しないなら、バーナデット、きみは社会にとって脅威となるだろう。

ポール

3

社会への脅威

12月14日（火）

＊

グリフィン家のクリスマスレター

あれはクリスマスの前のこと
家中いたるところに
泥がどっと流れ込み
何から何までビチャビチャに

ウェスティンホテルへ移っても
わたしたちは絶望しなかった
だってそのとき気づいたの
ここの部屋はこのうえなくすばらしいって

ウォレンは美しいバスローブを羽織り
わたしはキャップをかぶると
毎晩そろってプールへ向かう
長い冬中ずっと

夜になると喜んで横たわる
ベッドですっかり心地よく
ルームサービスの幻が

頭の中でゆらゆらと揺らめく

だからあなたが耳にしたことはなんであれ
びっくりさせてしまったけど
グリフィン家は元気いっぱいよ
「すてきなクリスマスの夜をお過ごしあれ！」

＊

Ｆｒｏｍ：スーリン・リー＝シーガル
Ｔｏ：オードリー・グリフィン

オードリーへ
　土砂崩れについて聞いた後にあなたを見つけ出そうとして、神経がすっかりまいってしまっていたの。でもたった今、すばらしいクリスマスレターを受け取ったところよ。それで、あなたは連絡をくれなかったのね。逆境をうまく利用しようとして忙しかったなんて！
　ウェスティンホテルがそんなに豪華だなんてびっくり。わたしがこの前訪れてからきっと改装でもされたのね。退屈になったら、ぜひうちに来て。離婚した後にバリーの仕事部屋をゲストルームに変えて、マーフィーベッド〔壁に収納するタイプのベッド〕を入れたから、あなたとウォレンにはそこで眠ってもらえると思う。新しいランニングマシンが置いてあってちょっと狭いけど。カイルはリンカーンとアレクサンドラの部屋で寝ればいいし。でも断っておくけど、バスルームはみんなで一緒に使ってもらうことになるから。《サマンサ２》が３ヵ月後に出荷されるから、もちろんエルジン・ブランチは、地球上でインターネットのない唯一の場所、南極へ行くには今が絶好なときだと思っているみたい。エルジンがネットを使えないあいだにあれこれ円滑に進めるのは、わたしの務めよ。正直言って、彼が気まぐれな要求をしてきたら、まったく慌てずにいようとしてもちょっとははらはらしてしまうけど。

今朝の彼を見せたかった。マーケティング部門の女たちを叱りつけていたんだから。わたし自身、5つ星ホテルに滞在して世界中をぶらついている営業ギャルたちなんか別に好きじゃないけど、後でエルジンをわきへ連れていって、こう言ってやった。
「この週末は家のことで手いっぱいだったんでしょうね。でも、いいですか。みんな同じ目標に向けてがんばってるんです」。やれやれ、それでエルジンは黙ったの。わたしたちに1点入ったってところね、オードリー！

＊

12月15日（水）

Ｆｒｏｍ：オードリー・グリフィン
Ｔｏ：スーリン・リー＝シーガル

ああ、スーリン！

実はね、ウェスティンホテルはわたしが休暇の詩で描いたものとはまるでちがうの。どこから話そうかな？

一晩中、自閉ドアはバタンバタン閉まるわ、トイレが流れるたびに配管はポッポッと音を立てるわ、誰かがシャワーを浴びると決まって、やかんが耳元でピーピー鳴ってるみたいなんだから。家族連れの外人観光客ときたら、わたしたちの部屋の前に立ってから会話を始めるし。小型冷蔵庫は息を吹き返そうとしてるのかと思うくらい激しくガタガタ、ブーンブーン音を立て、ごみ収集車は夜中の１時にタイヤをキーときしらせて止まっては、ダンプスターいっぱいに捨てられた瓶をガチャンガチャン鳴らせて回収するの。それからバーは閉店し、通りはガラガラ声で叫び合う酔っ払いであふれるけど、どの会話にも車が出てくるのよ。「車に乗れ」「車になんか乗らない」「黙れ。さもないと車に乗れないぞ」「おれの車に乗れないなんて、誰も言えるわけないだろ」なんてね。
そんなのはまだ目覚まし時計と比べたら子守歌みたいなものよ。きっと客室係が掃除するときに時計の上まで雑巾を走らせてるんだと思う。だからいつも真夜中のちがう時間に鳴るの。しまいには、そのいまいましい時計のコンセントを抜いてやった。
それからゆうべは３時45分に煙報知器がけたたましく鳴り出したの。でも、用務員は無断欠勤してた。この耳障りな音に慣れかけてたちょうどそのとき、今度は隣の部屋のアラーム付きラジオが鳴り始めたのよ！最大のボリュームで、雑音の半分まじった、半分はメキシコ人が話すトーク番組だった。ウェスティンの壁が何でできてるか不思議に思ったことがあるなら、答えを教えてあげる。ティッシュペーパーよ。ウォレンは死んだように眠るから、まるで役に立たなかった。
服に着替えて、助けてくれる人がいないか、誰でもいいから探しに部屋の外へ出たの。エレベーターのドアは開いていて、信じてもらえないだろうけど、そこから堕落者の一団が飛び出してきたのよ。ウェストレイク・センターの向かいに集まってる恐ろしい家出人たちみたいだった。全部で６人くらいいて、みんなこれまで見たこともないほど悪趣味なピアスをいっぱいつけて、けばけばしい色の髪をかっこ悪くまだらに剃り、頭からつま先までぼかしたタトゥーを入れてたの。ある男の首にはぐるっと１本の線と、〈ここを切れ〉という言葉が彫られてたし、ある女は革ジャン姿で、その背中には、血まみれのタンポンのひもをぶら下げたテディーベアが安全ピンで留めてあって。こんなこと、でっち上げられっこないって。

わたしはついに夜間支配人をつかまえ、ホテル内にいかがわしいグループを入れたことに対して不満をぶつけたの。

かわいそうに、２部屋向こうにいるカイルはストレスを感じてるみたい。目はいつも寝不足のせいで血走ってるんだもの。バイシンを持ってたらよかった。

あげくに、グウェン・グッドイヤー校長はもう一度〈カイル・サミット〉を開くためにウォレンとわたしを呼び出そうとしてるの。今の状況を考えたら同情してくれるでしょ。校長はいつものように退屈なことをくどくど言い始める前にわたしたちに猶予期間を与えてやるべきだって。カイルは学業に熱心とはとても言えないとわかってるけど、校長は〈キャンディー・マシン・スキャンダル〉以来ずっとあの子を目の敵《かたき》にするようになった。

ああ、スーリン、今これを書いてると、わたしたちがバーナデットに腹を立てて楽しんでたあの穏やかな日々へタイムスリップしたような気がする！　あのころはなんてシンプルだったんだろ。

＊

Ｆｒｏｍ：スーリン・リー＝シーガル
Ｔｏ：オードリー・グリフィン

あなたはタイムスリップしてここへ戻ってきたいのね。それならオードリー、シートベルトを締めて。わたしはエルジー・ブランチとものすごく衝撃的な会話をしたばかりで、その内容を知ればあなたはショックを受けるだろうから。

わたしは午前11時からの全員参加会議のためにエルジーを会議室へ送り込んだ。ノートパソコンの要望に応え、備品の交換を迅速に済ませ、電池の注文を許可することに奔走していた。テーブル・サッカーのなくしたボールを見つけることまでしていたの。あのお人よしさんがどんな人生を送っているかについて言えるのは、降れば必ず土砂降りってことくらいよ。わたしがオフィスに着くと——もう話したっけ。ついに窓のあるオフィスを持てたの！——、6人もの同僚から、エルジーがわたしを探しに直々やって来ていたと言われたし、オフィスのドアにはみんなの目につくように、一緒にランチしないかと誘うメモが貼ってあった。それにはEBと署名してあったけど、どこかのおどけ者がやって来て、それをエルジーにつけられた多くのあだ名のひとつ「E-Dawg《イー・ドーグ》〔シアトルのヒップホップ・アーティスト〕」に書き換えていた。

オフィスから出ようとすると、靴を履いたエルジーがドアのところに現れ、こう言った。

「自転車で出かけないかと思ってね」。とても天気の良い日だったので、わたしたちは階下のデリでサンドイッチを買い、キャンパス外のすてきな場所へ自転車で出かけることにした。

わたしは《サマンサ2》チームに入ったばかりだから、うちのチームが専用の自転車を何台も所有していることを知らなかった。エルジーはなかなか見事な曲芸師よ。ペダルに片足を置き、もう一方の足を使って滑るように進むと、サドルの上のほうまでその足を振り上げたの。わたしは自転車に乗るのは数年ぶりで、それがバレバレだったと思う。

「どうかした？」。わたしが道から外れて芝地に乗り上げると、エルジーは言った。

「ハンドルがぐらぐらしてるみたいなんです」。とても驚いたんだけど、わたしは自転車をまっすぐ向かせておくこともできなかったの！　ようやく道へ戻ると、エルジーはペダルに両足を乗せて立ち、転ばない程度にひょいひょい動かしてみせた。そんなこと簡単だと思う？　いつかやってみて。

わたしはとうとう自転車にうまく乗れるようになると、エルジーと一緒にスピードを上げて走った。自転車に乗ると自由を味わえるってことを忘れていたみたい。風が顔に強く当たり、太陽は輝き、木々は豪雨のせいでまだ雫を滴らせていた。わたしたちは、社員が戸外で昼食を取ったり日光浴を楽しんだりしている〈コモンズ〉や、シーホークスのチアリーダーが実地練習をしているサッカー場の横を走り抜けた。そのあいだわたしは自分に好奇の目が注がれているのを感じた。あれは誰？　あの女はエルジン・ブランチと何をしているのって。

1、2キロ走ったところで、わたしたちは美しい噴水付きの中庭とベンチのある教会を見つけたの。サンドイッチを取り出すと、エルジーは言った。

「昼食に誘ったのは、家のことで手いっぱいじゃないかってきみに言われたからなんだ。バーナデットについて話していたんだよね？」

「えっ？」。わたしはショックだった。仕事は仕事なのに。頭を切り換えるのに戸惑ってしまった。

「このところ妻がどこかいつもとちがうことに気づいたかなと思ってね」。エルジーの目は涙であふれていた。

「どうしたんですか」。わたしは彼の手を取った。それは出すぎたまねに聞こえるかもしれないとわかっているけど、同情しただけよ。エルジーは目を伏せ、手をそっと引っ込めた。別に全然構わないけど。

「バーナデットにどこか悪いところがあるとしたら、それは本人のせいであるのと同じくらい、ぼくの責任でもあるんだ。ぼくはそばにいてあげられない。いつも働いているからね。つまり、バーナデットはすばらしい母親だって言いたいんだ」

エルジーの話しぶりが気に入らなかった。ＶＡＶのおかげで、わたしは精神的虐待を受けている徴候に気づく名人になっていたから。混乱、引きこもり、現実回避、自責。この会では新参者を助けない。ＣＲＵＳＨするの。

C：Confirm（確認する）　相手の現実を確認する
R：Reveal（打ち明ける）　自分自身の虐待について打ち明ける
U：Unite（結びつける）　ＶＡＶと相手を結びつける
S：Say（告げる）　虐待にさよならを告げる
H：Have（過ごす）　良い人生を過ごす！

わたしは、別れた夫バリーが事業に失敗し、ベガスへ旅をし、間欠性爆発性障害にかかっていたこと（はっきり診断されたわけじゃないけど、わたしはそうだと確信している）、そしてどうにか彼と離婚する勇気があったこと、でもそのころには、夫婦ふたりで貯《た》めたお金を彼に使い果たされてしまっていたことについて長々と説明を始めた。
「バーナデットのことだけど」とエルジーは言った。
わたしは顔を赤らめた。自分やＶＡＶについてしゃべりすぎてしまっていたみたい。わたしにそんなところがあるのはすでに知れ渡っていたけど。「ごめんなさい。それでどうなさったの」
「学校で目にする妻ってどんな感じかなと思って。何か気づいたことでもある？」
「そうですね、正直言って」。わたしは言葉を選んで言った。「そもそも初めから……バーナデットはコミュニティーというものを尊重していなかったようです」

「それがどうしたっていうんだ？」

「ゲイラーストリートの基本理念はコミュニティーです。親が関与しなければならないとはどこにも書かれてはいません。でも、あの学校は暗黙の了解に基づいて築かれていまして。たとえば、わたしは教室ボランティアの責任者です。なのに、バーナデットは一度だってボランティアを務めたことがないんですよ。さらに申し上げるなら、教室までビーを連れていったこともありません」

「だって、子どもたちを車で連れていって降ろすことになってるからだろ」。エルジーは言った。

「それでも構いません。でも、たいていの母親は子どもたちを教室まで連れていきたがるものです。専業主婦ならなおさらですよ」

「理解できないな」

「ゲイラーストリートの基盤は保護者の関与ですから」。わたしは言い返してやった。

「けど、毎年ぼくらは学費に加えて小切手を切っているんだ。それで十分関与しているってことにならないのかい？」

「金銭面での関与もありますけど、もっと有意義な関与の仕方もあるんです。交通整理の当番を務めたり、〈隠し芸大会《タレント・ナイト》〉にはヘルシーなお菓子を焼いたり、〈写真の日〉には髪をとかしてあげたりといったふうに」

「申し訳ないが、これについてはバーナデットの味方――」

「わたしはただ――」。自分の声が大きくなっているのに気づき、ひと息ついた。「週末の悲劇が起こった背景をお話ししようとしているだけです」

「どんな悲劇？」

オードリー、彼はてっきり冗談を言っているのだとわたしは思ったの。

「メールを受け取っていらっしゃらないんですか？」
「どんなメール？」
「ゲイラーストリートからのですよ！」
「えっ、いや。数年前にリストから外してもらうよう頼んだんだ……ちょっと待って。なんの話？」
　わたしはバーナデットがあの看板を立ててあなたの家を破壊したことについて話し始めた。神に誓って言うけど、エルジーは何も知らなかったのよ！　ただそこに座って、状況を把握しようとしていた。そのうちサンドイッチを落としたのに、拾おうとさえしなかった。
　わたしの携帯電話のアラームが鳴った。２時15分。エルジーは２時30分から１対１のスキップレベルミーティング〔上司の上司との個別ミーティング〕に参加する予定だった。
　そこでわたしとエルジーは、自転車に乗って引き返した。空は真っ白なまだらの雲を除けば黒く、その雲間からは日の光が顔をのぞかせている。わたしたちは、平屋建ての小さな家々がぴたりと寄り添った美しい地区を自転車で通り抜けた。葉の落ちた桜の木やモミジに映える、あのくすんだ緑がかった黄灰色がわたしは大好きよ。地下に潜んでいるクロッカス、ラッパズイセン、チューリップの球根が、力をつけてじっと冬に耐え、光り輝くシアトルの春に芽を出そうと待っているのを感じ取った。
　そして片手を伸ばし、重くきれいな空気を切るようにヒューッと動かした。ジャンボジェット、ネットスーパー、パソコン、携帯電話、オンライン旅行、グランジ〔1980年代後半にシアトルなどから広まったロック〕、巨大小売店、おいしいコーヒー。そんなものを生み出してきた都市がほかにあるかしら。わたしのような者がＴＥＤトーク視聴率４位を誇る男と並んで自転車に乗れる場所がここ以外のどこにあるっていうんだろう？　わたしは笑い始めた。
「どうかしたのかい？」。エルジンは尋ねた。

「あら、なんでもありません」。わたしは思い出していたの。南カリフォルニア大学の授業料を父に払ってもらえずにワシントン大学へ進むことになったとき、自分がどんなに打ちひしがれたかを。当時のわたしはワシントン州から出たことはほとんどなかった（そしていまだにニューヨーク市を見たことがないのよ！）。今になって急にそんなこと気にならなくなった。ほかの人たちに世界旅行してもらえばいい。みんながロサンゼルスやニューヨークやほかの至るところで探し求めているものは、わたしがここシアトルですでに手にしているものなんだから。それを独り占めしたい。

＊

Ｆｒｏｍ：オードリー・グリフィン
Ｔｏ：スーリン・リー＝シーガル

　わたしが今朝起きてから、そんなばかげた話をたっぷり味わったとでも思ってるの？　エルジン・ブランチが妻の残した破壊の爪痕《つめあと》について一切知らなかったとしたら、好都合すぎるんじゃない？　あなたが教えてくれたことをウォレンに話したけど、あの人もわたしと同じ考えよ。エルジン・ブランチが過去の文書記録を固めておこうとしてるって。わたしたちに訴えられて自分の全財産を請求されたとしても、何も知らないって主張できるようにね。まあ、その手は通用しないそうよ。今度あなたたちがまた教会でごみを散らかしてるときに、イー・ドーグにそのことを話してあげたらどう？　メールを一切受け取らなかったなんて！　いまいましいやつ！

＊

Ｆｒｏｍ：オードリー・グリフィン
Ｔｏ：グウェン・グッドイヤー校長

全校Ｅメールリストを調べて、エルジン・ブランチがリストに載っていることを確かめてください。お願いしているのはバーナデットではなく、あくまでもエルジン・ブランチです。

＊

あれはケネディの誕生日の夜だった。ケネディのお母さんは夜に働いているから、ママと一緒に毎年恒例のことをしてあげた。誕生日ディナーに連れ出すのだ。その朝、降車場で、ケネディはわたしとママの乗った車が止まるのを待っていた。
「どこへ連れてってくれるの？　どこ？」。ケネディは言った。
ママは車の窓を開けた。「スペースニードルのレストランよ」
ケネディはうれしさのあまり叫び、ぴょんぴょん飛び跳ねた。
最初は《ダニエルズ・ブロイラー》で、今度はスペースニードルのレストラン？　「ママ」。わたしは言った。「いつからそんなにかっこいいレストラン選びをするようになったの？」
「今からよ」
教室へ向かう途中で、ケネディは興奮を抑えられなくなり、甲高い声でこう言った。
「スペースニードルのレストランに行く子なんていないよ！」。それはほんとうだ。たとえそのお店が最上階にあって回転するとしても——だからみんながいつか行きたいと思う唯一のレストランになっているはず——、まさに観光客向きで高くつくから。それからケネディはいつものようにうなって、思い切り抱きついてきた。

スペースニードルのレストランへ行くのは少なくとも10年ぶりなので、どんなにすごいお店か忘れていた。注文を済ませると、ママはハンドバッグに手を伸ばし、鉛筆と白い厚紙をさっと取り出した。紙の真ん中にはすでに、色とりどりのマーカーを使ってこう書かれてある。〈わたしの名前はケネディです。花の15歳になります〉

「はあ？」。ケネディは言った。

「ここに来たことがないのね」。ママはケネディにそう言うと、わたしのほうを見た。「で、あなたは覚えてないのね」。わたしはうなずいた。「窓台にこれを置くのよ」。ママは窓ガラスにカードを立てかけた。「それで隣に鉛筆を置くの。レストランが回転するあいだ、みんなが何かを書いてくれて、それからぐるっと一周して戻ってくると、誕生日メッセージでいっぱいになったカードをもらえるってわけ」

「めっちゃイイ！」。ケネディは言った。と同時にわたしは「ずるい！」と言った。

「来年のあなたの誕生日にもここに来ましょう。約束ね」。ママは言った。

誕生日カードはゆっくりわたしたちのもとを離れていき、それからとても楽しいときを過ごした。ケネディとわたしは、ママと一緒にいるときは決まってする唯一のことをした。それは教会の青年部について話すことだ。ママはカトリック教徒として育てられたけど、大学在学中に無神論者になったので、わたしが青年部に通い始めるとすごくうろたえた。でも、わたしが通うようになったのは、ケネディの思いつきにすぎない。ケネディのお母さんは《コストコ》で人生の半分を過ごしているから、あの子の家には、ものすごく大きな袋入りのキャンディーバーや、ドラム型缶に詰まったリコリス〔甘草入りキャンディー〕が常備してある。それに、どのケーブルチャンネルも観られる巨大なテレビもある。だから、わたしはケネディの家でキャンディーを食べながら、ドラマの『フレンズ』を観て多くの時間を過ごしていた。でもそんなある日、ケネディは、太っているからダイエットしようと思い立ち、こんな感じのことを言った。「ビー、もうリコリスは食べちゃだめよ。あたし、太りたくないから」。ケネディはそんなふうにすごく変わっていて、わたしたちはいつもとびきりおかしな会話をする。そこであの子は、うちにはもう来ないで、太っちゃうから、代わりに青年部へ行かなくちゃ、と大それた宣言をした。あの子はそれを「青年部ダイエット」と呼んでいる。

青年部に通っていることは、ママにはできるだけ長く秘密にしていたけど、ママは気づくと、わたしが熱狂的なキリスト教信者になるものと考えて怒り狂った。でも、青年部を仕切っているルークとその奥さんのメイは、ちっとも熱狂してなんかいない。ううん、少しは熱狂しているのかも。だけど、ふたりの聖書トークはたった、そうね、15分しか続かないし、話が終わると、わたしたちはテレビを観たりゲームをしたりして2時間過ごす。ルークとメイは、毎週金曜にゲイラーストリートの生徒の半数がやって来るのを見てすっかり喜んでいるから、そんなふたりをちょっと気の毒に思う。でも、ふたりにはわかっていない。金曜は、スポーツやほかの課外活動がない唯一の日だから行く場所がそこしかないのであって、わたしたちのほんとうの目的は、テレビを観たいからにすぎないってことを。

それでもママは青年部が大嫌いで、ケネディはそれが世界一おかしいことだと思っている。「ねえ、ビーのママ」。ケネディは言った。あの子はママのことをそう呼ぶ。「シチューに入ったうんちって聞いたことあります？」

「シチューに入ったうんちですって？」。ママは言った。

「青年部で教わったんです。ルークとメイがドラッグについてのパペットショーをやってくれて。それでロバがこんなことを言いました。『いやあ、マリファナをちょっと吹かしたところでなんともならないよ』って。でも子羊は言いました。『命はシチューで、マリファナはうんちさ。誰かがシチューにうんちをほんのちょっぴり入れてかき混ぜたとして、ほんとうにそれを食べたいかい』って」
「それで、あの頭の空っぽな動物たちは、なぜ人間は教会を避けてるんだろうって思ってるんです。ティーンエージャーのためのパペットショー――」。ママが完全に気絶しないうちに、わたしはケネディの手をつかみ、こう声をかけた。
「またトイレに行こうよ」。トイレは回転しないところにあるから、戻ってくると自分のテーブルは元の場所では見つからない。だからあのときわたしたちは戻ってきて、「うちのテーブルはどこへ行っちゃったの？」みたいなことを言いながら、ようやくママを見つけた。
　パパもそこにいた。ジーンズ、ハイキング用シューズ、パーカーといった格好で、まだ首にマイクロソフトのIDカードをぶら下げている。自然とただ何かを知ることもある。そのときわたしには、パパに土砂崩れのことがバレたんだととにかくわかった。
「ビーのパパよ！」。ケネディは言った。「あたしの誕生日パーティーに来てくれたなんて信じらんない。すごくうれしい」。わたしはケネディを引き止めようとしたけど、あの子は身をよじって逃れ、駆け出した。
「あのブラックベリーだけが丘の斜面を支えていたんだぞ」。パパが話しているところだった。「そのことはわかっていただろ、バーナデット。いったいどうして観測史上もっとも雨の多い冬の真っ最中に丘全体を丸裸にしたんだい？」
「どうしてわかったの？」。ママは言った。「当ててみましょうか。どうせあの秘書があなたの耳に毒を注いでるんでしょ」

「スーリンを巻き込まないでくれ。３週間も休めそうなのは彼女のおかげなんだから」
「あなたが事実を知りたいなら教えてあげるけど、ブラックベリーを取り除いてもらったのは、〈バッグズ・ミーニー〉の指示に従ったまでよ」
「それって、『少年たんていブラウン』に出てくるバッグズ・ミーニー〔ストリートギャングのリーダー〕のこと？」。ケネディは言った。「ヤバい！」
「冗談にしないでくれ」。パパはママに言った。「きみを見ていると、バーナデット、怖くなるよ。ぼくと話そうとしないし、医者へ行こうともしない。ほんとうはもっとましな人間なのに」
「パパ」。わたしは言った。「落ち着いて」
「そうよ、ホントに」。ケネディは言った。「あたしにお誕生日おめでとうをしましょうよ」
　一瞬、間《ま》があったかと思うと、わたしとケネディはクスクス笑い出した。
「あたしにお誕生日おめでとうをしましょう、だって」。ケネディがそう言うと、わたしたちはまた笑いころげた。
「グリフィン家は倒壊したんだぞ」。パパはママに言った。「今ではホテル暮らしさ。ぼくらが弁償しなければいけないのかい？」
「土砂崩れは天災だと考えられてるのよ。だからあの家の保険でまかなえるでしょ」
　パパったら、狂人になって、弾の込めた銃を振り回しながらスペースニードルへやって来たかと思うと、今度はわたしに銃を向けたみたいにふるまった。「おまえはなんで言ってくれなかったんだ、ビー？」
「わかんない」。わたしは小声で言った。
「グッディ・グッディ・ガムドロップス！」。ケネディは言った。「ほら、あたしの誕生日カードが戻ってきた！」。それからわたしの腕をぐっとつかむと、力を込めた。

「リタリン〔精神刺激薬〕でも飲んで黙ってくれない？」。わたしは言った。
「ビー！」。パパはどなった。「なんて言ったんだ？　そんな口のきき方するもんじゃない」
「いいのよ」。ママはパパに言った。「この子たちは、こんなふうにお友だちと話すものなの」
「いや、だめだ！」。パパはケネディに向かって言った。「ケネディ、娘に代わって謝るよ」
「なんでですか？」。ケネディはきいた。「カードが来た！」
「パパ」。わたしは言った。「どうしてそんなこと気にするの？　ケネディなんか好きでもないのに」
「そうなの？」とケネディ。
「もちろん好きだよ、ケネディ。ビー、よくもそんなことが言えたね。この家の人間はどうしたっていうんだ？　話をしに来ただけなのに」
「ママにどなるために来たんでしょ」とわたし。「オードリー・グリフィンにもどなられたんだから。パパはあそこにいなかったくせに。ひどかったのよ」
「それ取って、取って！」。ケネディはわたしを乗り越えて誕生日カードをつかんだ。
「ママにどなろうとしてなんかいない——」。パパはうろたえていた。「これは夫婦の会話なんだ。ケネディの誕生日ディナーの邪魔をしたのは悪かったよ。ほかにいつ話せるかわからなかったもんでね」
「パパがいつも働いてるからよ」。わたしはぼそっと言った。
「なんだって？」
「なんでもない」
「おまえとママのために働いているんじゃないか。今、手がけている仕事は何百万もの人たちを助ける可能性を秘めているんだ。そもそも最近特に長時間働いているのは、おまえたちを南極に連れていけるようにだし」
「ああ、嫌だ」。ケネディは金切り声で言った。「こんなの大嫌い」。そしてカードをビリビリ破ろうとしたけど、わたしはあの子の手からもぎ取った。そのカードには所々にいろいろな筆跡でメッセージが書かれていた。「お誕生日おめでとう」の言葉も少しはあったけど、ほとんどは次のような言葉ばかり。「イエスはわれわれの救い主である。主イエスはわれわれの罪のために死んだことを覚えておきなさい」。おまけに聖書の一節も。わたしは笑い出した。すると、ケネディは泣き出した。時々あの子はそうやって泣くけど、まあこうなったら、ただ放っておくしかない。
ママはカードを引ったくった。「心配しないで、ケネディ。キリストおたくたちをつかまえに行ってあげるから」
「いや、だめだ」。パパはママに言った。
「やってみてください」。ケネディは急にはつらつとして言った。「あたし、見たい」
「うん、ママ。わたしも見たい！」
「もう帰るよ」。パパは言った。「ぼくのことなんか、誰も気にしないし、話を聞いてくれないし、ここにいてほしいとも思ってくれないんだ。お誕生日おめでとう、ケネディ。さよなら、ビー。バーナデット、さあ恥をかいておいで。実際に人生になんらかの意味を見出した人たちをやっつけてこいよ。きみが家に帰ってきたら話の続きをしよう」
ママと一緒に車で帰ると、パパたちの寝室の明かりはついていた。でもママはプチ・トリアノンへまっすぐ向かい、わたしは家に入った。頭上の床板がキーキー鳴った。パパだ。ベッドから出て、階段のてっぺんまでやって来ている。
「お嬢さんたち」。パパは下に向かって叫んだ。「帰ってきたのかい？」
わたしは息を殺した。きっかり１分が過ぎた。パパは寝室に戻ると、トイレへ行った。水が流れる。わたしはアイスクリームのたるんだ首元をつかんでプチ・トリアノンへ連れていくと、ママと一緒に眠った。

結局、ママはレストランでキリストおたくをつかまえなかった。でも、〈今日は子どもの誕生日です。あなた方はいったいどうしたっていうんです？〉と紙に書いて、窓に置いた。わたしたちが店を出るとき、その紙は回り始めた。

＊

12月16日（木）

Ｆｒｏｍ：グウェン・グッドイヤー
Ｔｏ：オードリー・グリフィン

おはようございます、オードリーさん。ケイト・ウェッブに確認してみましたが、彼女は、ビーさんが入学したばかりのときに、ゲイラーストリートからＥメールを一切送らないようにしてほしいとバーナデットさんとエルジンさんに頼まれたことをしっかり覚えています。私も念のため確認したところ、たしかに当校が現在利用しているリストのどれにもお二方のお名前は載っていません。

話は変わりますが、あなた方が落ち着き、インターネットがつながったと知ってうれしいです。こちらから最近お送りしたＥメール３通にまだ返信をいただいていませんが、それでお伝えしたとおり、リーヴィ先生は、ぜひともご一緒にどっしり腰をすえてカイルさんについて話し合うべきだと感じています。そちらのご都合に合わせてくださって構いません。

よろしくお願いいたします。
グウェン

＊

あの朝のホームルームの時間に、わたしたちは語彙のスピードゲームをしていた。リーヴィ先生がある言葉を口にし、誰かを指すと、指された生徒はその言葉を使ってひとつの文を作らなければならないといったゲームだ。先生が「納める」と言ってカイルを指した。するとカイルは「ぼくのちんぽを納める」と答えた。わたしたちはこんなに笑ったことがないくらい大笑いした。だから、リーヴィ先生はオードリー・グリフィンと会って話したかったってわけ。すごくおかしかったけど、どうしてちょっといけないのかもわかる。

＊

Ｆｒｏｍ：スーリン・リー＝シーガル
Ｔｏ：オードリー・グリフィン

あなたから前にもらった不愉快なメールの書きぶりは無視し、今の生活のストレスのせいだと考えることにしたから。オードリー、あなたはエルジーをすっかり誤解しているのよ。
今朝、わたしはいつもの停留所で〈コネクター〉に乗り、後ろの席に座った。エルジーは少し先の停留所で乗ってきたけど、ろくに寝ていないみたいだった。でも、わたしを見たら顔を輝かせた（自分と同じ〈コネクター〉に乗るようわたしが申し込んだことを忘れていたんだと思う）。

エルジーがフィラデルフィアの名家の出だって知ってた？　自分であからさまにそんなこと言ったわけじゃないけど。少年のころ、毎年夏になるとずっとヨーロッパで過ごしていたんだそうよ。わたしはアメリカを出たことがないと白状して恥ずかしかった。

「じゃあ、その状況を変えないとね」。彼は言った。

早合点しないで、オードリー！　言葉のあやでそう言っただけで、何もヨーロッパかどこかの旅行にわたしを連れていってくれるつもりじゃないから。

エルジーは寄宿学校の出なんだそうよ（その件については、あなたもわたしも完全に間違って聞いていたみたいね。わたしたちのようにシアトルに生まれ、ワシントン大学に通った人間に欠けているのは……洗練という言葉を使いたくない……だけど、こんなもっと広い世界観を理解する何かが欠けている）。

エルジーにきみはどうなのと尋ねられると、わたしはとても退屈な生活を送っていたから慌てちゃった。ほんのちょっぴりおもしろいと思えるところといえば、わたしが7歳のころに父の目が見えなくなって、父の世話をしてあげなくてはいけなくなったことくらいだもの。

「まさか」。エルジーは言った。「だったら手話で意思を伝え合ってたのかい？」

「わたしが残酷になっているときだけです」。わたしは言い返した。エルジーは何やらさっぱりわからないという顔をした。「父は目が不自由だったんですよ。耳じゃなくて」

わたしたちは思わず吹き出した。すると、誰かがからかった。「いったいなんだ？　これはベルタウンの〈コネクター〉だっけ？」。それは内輪ネタよ――ベルタウンの〈コネクター〉は騒々しいことで悪名高いの。クイーン・アンの〈コネクター〉よりずっと。だからそれは「いちゃいちゃするなら、よそでやれ」と「ベルタウンの〈コネクター〉に乗るのはすごく楽しいぞ」の両方を組み合わせたジョークだってわけ。こんな説明であなたがこのユーモアを理解できるかわからないけど。その場にいなければわかってもらえないと思う。

わたしたちは仕事について話し出した。エルジーはクリスマス休暇をそんなにたっぷり取っていいものかと心配していた。

「1ヵ月って何度もおっしゃいますが」。わたしは言った。「27日ですよ。そのうちの12日はどのみちマイクロソフトが休業するクリスマス休暇ですし。6日間は週末に当たります。調べてみたところ、5日間はインターネットにアクセスできるホテルに滞在する予定です。ですから、連絡が取れないのは全部で9日間にすぎません。たちの悪いインフルエンザで休むようなものですよ」

「すごいな。気が楽になったよ」

「ひとつだけ失敗なさったのは、そもそも、休むってチームのみんなに話してしまったことです。ごまかして差し上げられましたのに。そうすれば誰にも気づかれなかったでしょう」

「きみがうちに来る前に話したんだよ」

「それなら許してあげます」

とてもすばらしかったのは、わたしたちが会社に着くころまでにはエルジーは元気を取り戻していたの。それで、わたしも幸せな気分になったのよ。

＊

グッドイヤー校長からウェスティンホテルに直接届けられた手紙

オードリー様、ウォレン様

カイルさんについて気がかりな申し立てがありました。1ヵ月前、ある保護者の方がやって来られて、カイルさんが本校の廊下で生徒たちにドラッグを売っていると訴えたのです。そんなこと信じたくありませんでした。カイルさんのためにも、ご両親のためにも。

ところが昨日、別のお母様が、お子さんのリュックサックに薬が20錠入っているのを見つけられました。この薬はオキシコンチンだと判明しました。問いただしたところ、当生徒はカイルさんからもらったと白状しました。当生徒は、来週は登校を許可されましたが、冬休み中に治療を受けるという条件付きです。早急にお二方とお話ししなければなりません。

よろしくお願いいたします。

グウェン・グッドイヤー

＊

Ｆｒｏｍ：オードリー・グリフィン

Ｔｏ：グウェン・グッドイヤー

カイルをゲイラーストリートの麻薬組織の一味に巻き込みたいとお考えでしたら、もっとましなやり方があるでしょう。ウォレンは、わたしに出された合法なバイコディンの処方薬がオキシコンチン20錠とどういう関係があるのか知りたがっています。その処方薬はわたしがカイルに持っているよう頼んだのです。というのも、貴校のキャンパスでこうむったけがのせいで松葉杖をついていたからです。そのけがに関しては、たとえ出訴期限のおかげで決心を変える時間がたっぷりあったとしても、ゲイラーストリートに責任を問おうなどと考えませんでしたのに。オキシコンチンにもわたしの名前が書かれていたというのでしょうか？

ウォレンについて申せば、薬物乱用者だと知られた生徒に今学期の最後まで登校させるのが合法か調べています。ほかの生徒に脅威を与えているのではありませんか？　好奇心から伺ってみたまでです。

ぜがひでも責任を転嫁するおつもりでしたら、ご自分のことを振り返ったらいかがかとご提案いたします。

＊

Ｆｒｏｍ：オードリー・グリフィン
Ｔｏ：スーリン・リー＝シーガル

すぐに返信せずにごめんね。でも、あんぐり開いた口を閉じるのに１時間もかかっちゃって。わたしがホテルでクリスマスを過ごしているのに、あなたったら、わたしを苦しめる者を褒めたたえるっていうの？　この前カレンダーをチェックしたのは、たしか４月１日じゃなくて12月の中ごろだったのに。

＊

Ｆｒｏｍ：スーリン・リー＝シーガル
Ｔｏ：オードリー・グリフィン

はっきり言わせてちょうだい。エルジン・ブランチがマイクロソフトの〈コネクター〉の通路を歩いているさまは、ダイアナ・ロスがラスベガスで熱狂的な聴衆の中を歩いているのを見たことがあるけど、そんな感じなの。みんな、実際に手を伸ばして彼に触れるのよ。エルジーがそのうちの誰かを知っているのかわからないけど、巨大な会議の進行を何度も務めてきたし、多くのチームに所属していたから、マイクロソフトの従業員数千人とまではいかなくても、数百人くらいからは知られているみたい。去年、従業員10万人規模の会社でもっとも先見の明のある10人に贈られる〈技術的リーダーシップ優秀賞〉を受賞したときには、33ビルから彼の顔が描かれた巨大な垂れ幕まで下がったんだから。それに、全社を挙げての寄付キャンペーンでは、ダンクタンク〔ボールが的に当たると人が水中に落ちるゲーム。チャリティーのため行われる〕で水中に落とされた社員よりも多くの資金を集めたし。しかもＴＥＤトークでは史上最高視聴率第４位を誇っている。だからノイズキャンセリングのヘッドホンをつけているのも当然よ。そうでもしなければ、みんな彼とじかに会っておしゃべりしたくてお互いを乗り越えてきちゃうだろうから。実のところ、彼が〈コネクター〉に乗って通勤するなんて、びっくりしているくらい。

つまりは、こちらの会話を盗み聞きしようと必死なみんなに囲まれている中で、わたしたちがバーナデットの過ちについて話し出したとしたら、それはプロとしてあるまじき行為だったと言いたいの。

＊

Ｆｒｏｍ：オードリー・グリフィン
Ｔｏ：スーリン・リー＝シーガル

ＴＥＤ《テッド》なんかどうでもいいんだけど。テッドが何者か知らないし、あなたがしつこく話題にするそのトーク中にそいつが何を言ったかなんて知ったことじゃないもの。

*

Ｆｒｏｍ：スーリン・リー＝シーガル
Ｔｏ：オードリー・グリフィン

ＴＥＤはテクノロジー、エンターテイメント、デザインの略で、ＴＥＤカンファレンスは世界一聡明な人たちの唯一無二の集まりよ。年に１度カリフォルニアのロングビーチで開かれ、講演者に選ばれるのはものすごく名誉あることなの。エルジーのＴＥＤトークへのリンクを添付してあげる。

*

パパのＴＥＤトークはほんとうにたいしたものだった。学校中の子どもたちがそのことを知っていた。グッドイヤー校長は全校生徒に向けて実演してもらおうとパパを招待したくらいだ。オードリー・グリフィンがそれについて聞いたことがないなんて信じられない。

*

ブロガー「潜在酵素」が投稿した
パパのＴＥＤトークのライブブログ記録

4:30 PM　午後の休憩時間

本日最後となるセッション10「コードと心」まであと30分。Vosges《ヴォージュ》チョコレートのブースにいる女の子たちは、この休憩中にほんとうにいつになく熱心に働き、ベーコン入りトリュフチョコを配っていた。ホットなうわさ：セッション９の終わりに、マーク・ザッカーバーグが誰もまったく興味を示さない教育イニシアティブについてだらだらしゃべり続けるあいだ、ヴォージュの女の子たちはベーコンを炒め始め、そのにおいは聴衆席まで漂ってきた。このため一同は興奮してつぶやいた。「ベーコンのにおいしません？　たしかににおうんですが」。クリスがすっ飛んでいってヴォージュの女の子たちを叱りつけたにちがいない。彼女たちは今もマスカラを頬までぽたぽた垂らしたままにしている。クリスにはいつも〈中傷者〉がいて、この一件はそれを助長させたにちがいない。

4:45 PM　セッション10のために聴衆は列をなして入場中

——俳優ベン・アフレックが、物理学者マレー・ゲルマンに頼んで一緒に写真を撮ってもらっている。ゲルマン博士は今朝、〈QUARK《クォーク》〉と書かれたニューメキシコ州のナンバープレートをつけたレクサスで、駐車係のところまで乗りつけてきた。なかなか気がきいていて、感じのいい男だ。

——休憩中にステージがリビング、いやおそらく大学の寮風に変えられていた。レイジーボーイ社のリクライニングチェア、テレビ、電子レンジ、掃除機。ロボットまである！

——なんとまあ、ステージにロボットが！　かわいいロボットだ。高さは1.2メートルで人間の姿をしている。体型は砂時計。セクシーなロボットとでも言うべきか。ふむ。プログラムによると、次の講演者はマダガスカルから来たダンサーで、創造的プロセスについて語るそうだ。だったら、ロボットは何のためだ？　アフリカのレズビアン・ロボットがリビングでダンスでもするのだろうか？　どうぞそのままで。おもしろくなりそうですから。

――昨年、水上都市についてご乱心トークをした、眼帯にネールジャケット〔インドの立ち襟の上着〕姿の男が、いつもアル・ゴアの座る席についたところだ。ＴＥＤには予約席なんてものはもちろんないが、アル・ゴアは、ＴＥＤがカリフォルニア州モントレーで開催されていたころからずっと３列目の右の通路側に座っていて、そのことは周知の事実だ。アル・ゴアの席にただどっかと座ってはいけない。
――ジェーンが業務アナウンスをしている。ギフトバッグの受取窓口は今晩は閉鎖する。電気自動車のテスラを試乗する最後のチャンス。明日、（あのすごい）昆虫学者のＥ・Ｏ・ウィルソンとのランチ会が開かれ、その席で彼のＴＥＤウィッシュである『エンサイクロピーディア・オブ・ライフ』〔生物に関するオンライン百科事典〕についての最新情報が提供される。
――ちょうど今アル・ゴアが入ってきて、グーグルの共同創業者、セルゲイ・ブリンの両親と話している。ふたりともかわいくてちっちゃくて、きれいな英語を話さない。
――全員の目がアル・ゴアに注がれている。自分の席がふさがっている事実にどう反応するか見たがって。〈ネールジャケット氏〉は動きますと申し出たが、アル・ゴアは丁寧に断る。ネール氏はアル・ゴアに名刺を渡している！　なんて汚いやり口なんだ。ネール氏は聴衆からブーイングを浴びんばかりだが、誰もそこまで興味があるとは認めないだろう。アル・ゴアは笑って名刺を受け取る。アル・ゴアが好きになった。

5PM　クリスがステージに上がる

アフリカ人女性の前に、脳コンピューター・インターフェースについてのサプライズトーク、人の考えを変えてしまうほどびっくりさせる話がこれから披露されるとクリスは告げる。聴衆はベーコンチョコレートのもやもやからはっと我に返る。クリスはエルジン・ブランチを紹介する。彼の勤務先は……（聞いてびっくりしないように）……マイクロソフト・リサーチだ。リサーチはマイクロソフトの中でも唯一まともなグループだが、ほんとに？　マイクロソフト？　聴衆はがっかりだ。エネルギーが消耗している。

5:45　こりゃ驚いた

５時の投稿の不機嫌さを無視してほしい。ちょっと待って……。しばらくお時間を……。

7PM　サマンサ２

（お待たせしてすみません。このトークは、１ヵ月はＴＥＤのホームページに掲載されないでしょう。それまでは当ブログでお楽しみいただけるよう再現してみます。携帯電話で撮影した動画を文字に起こさせてくれて、ブログ仲間のＴＥＤＧＲＲＲＬ《テッドガール》には大いに感謝します）

5PM　ブランチがマイク付きヘッドセットをつける。大きなスクリーンには文字が出る。

エルジン・ブランチ

（５分しか持ち時間がないこうした連中に同情すべきだ。彼らはみんな焦ってイライラしている）

5:01PM　ブランチ：「25年前、わたしの初仕事はデューク大学のリサーチチームのためにコードをテストすることでした。チームのみんなは心とコンピューターを融合させようと努めていました」

5:02PM　リモコンが動かない。ブランチはもう一度リモコンのボタンを押す。さらにもう一度。ブランチは見回す。「動かないな」。誰にともなく言う。

5:03PM　ブランチは映像なしでなおも健闘している。「それで、ジョイスティックを手に持たせた２匹のアカゲザルをビデオ画面の前に座らせました。ジョイスティックでは小さなアニメのボールを操作できます。サルはジョイスティックを使ってボールを籠に入れるたびに、褒美を与えられました」。ブランチは何度もクリックし、見回す。誰も助けに来ない。おかしいぞ！　彼は潔い男だ。ミュージシャンのデヴィッド・バーンは今朝、オーディオが止まると、舞台裏へ急いで引っ込んでしまったのに。

5:05PM　ブランチ：「デューク大学で行われた先駆的研究の映像が出てくるはずだったんですが。それには、脳の運動皮質に200もの電極が埋め込まれたサル２匹が出てきます。そのサルは、切り開かれた脳天からたくさんのワイヤー状の毛が滝のように垂れ下がった、髪の伸びるバービー人形のように見えます。かなり気味が悪いですから、お見せできないほうがいいのでしょう。とにかくそれは脳コンピューター・インターフェース、ＢＣＩの初期の例でした」。彼はまたリモコンのボタンをカチカチ押す。「いかにうまくいったか示すのに最適なスライドをご用意したんですが」

　言わせてもらうと、この男はこんな目に遭ってもっと腹を立てるべきだ！　技術会議だっていうのに、やつらはリモコンすらまともに動かせないのか？

5:08 PM　ブランチ：「サルたちがジョイスティックを使ってボールを動かすことを習得すると、研究者たちはジョイスティックの電源を切りました。サルは数秒間ジョイスティックをいじくり回しましたが、もはや作動していないと気づきました。それでもまだ褒美が欲しかったので、そこに座り画面をじっと見つめ、ボールを籠に動かすことについてただ考えました。この時点で、運動皮質に埋め込まれた電極は作動し、サルの「考え」をコンピューターに転送しました。そのコンピューターは前もって、脳信号を解読し、サルの考えに基づいて作動するようプログラミングしてあったのです。サルはまさに考えるだけでボールを動かせることに気づき――そして褒美を受け取りました。もっとも驚くべきことは、映像をごらんいただくと――」。ブランチは目を細めてスポットライトを見る。「映像は出せますか？　観ていただけたらすばらしいでしょうに。とにかく注目すべきなのは、サルが考えただけでボールを動かすことをいかに早く習得したかという点です。およそ15秒しかかかりませんでした」

5:10 PM　ブランチは目を細めて聴衆席を見る。「１分しか残っていないそうです」

5:10 PM　クリスが壇上へ飛んできて謝る。リモコンのことで腹を立てている。ぼくたちみんなもだ。このブランチって男は感じが良く穏やかだ。でもロボットについてはまだ何も話してないぞ！

5:12 PM　ブランチ：「わたしはその仕事を終え、数年後にマイクロソフトにたどり着きました。ロボット工学部門です」。聴衆は喝采する。ブランチは目を細める。「なんです？」。みんながそのすごいロボットについてどんなに興奮していたか明らかにわかっていない。

5:13 PM　ブランチ：「それから、皆さんが目の前にごらんになっている音声作動式の個人用ロボットに取りかかりました」。聴衆からどよめき。分子生物学者のクレイグ・ヴェンターがヒ素生物を試験管で合成したと発表したばかりだなんてことは、今となってはどうでもいい。『宇宙家族ジェットソン』〔テレビアニメ。「ロビー」という名のお手伝いロボットが出てくる〕式ロボットをいつの日か作ってくれ！

5:13 PM　ブランチは続ける。「たとえばポップコーンを食べたい気分になっているとしましょう。わたしは『サマンサ！』と言います」。ロボットは光る。「『奥さまは魔女』の主人公にちなんでサマンサと名づけました」。笑い声。「サマンサ、ポップコーンを持ってきて。お願いします」。この男、ブランチを皆さんに見せてあげたい。彼はとても魅力的で気取らない――ジーンズにＴシャツ姿で、靴は履いていない。ベッドから起きたばかりみたいだ。

5:14 PM　サマンサは電子レンジへスーッと近づき、ドアを開け、ポップコーンの袋を取り出す。ブランチ：「料理番組みたいに仕込んでおかなければなりませんでした」。ロボットはブランチにゆっくり近づき、ポップコーンの袋を渡す。拍手喝采。ブランチ：「ありがとう、サマンサ」。ロボットは「どういたしまして」と答える。笑い声。ブランチ：「ごらんいただいたのは、かわいらしい基本的な音声作動テクノロジーです」

5:17 PM　最前列から声がする。「それ、少しもらえるかな？」。ＩＴコラムニストのデビッド・ポーグだ。ブランチ：「いいですよ。彼女に頼んでください」。ポーグ：「サマンサ、ポップコーンを持ってきて」。ロボットは動かない。ブランチ：「『お願いします』を添えてください」。ポーグ：「かんべんしてくれよ！」。笑い。ブランチ：「まじめに言ってるんです。サマンサに取り組んでいるころ、うちの娘は８歳で、わたしをいじめっ子だと責めました。ですからわたしはその言葉をプログラムに取り込みました。『お願いします』はまさに魔法の言葉なんです」。ポーグ：「サマンサ、ポップコーンを持ってきて。お願いします」。続いてばか騒ぎが起こる！　ロボットは舞台の端までゆっくり進み、手を差し出すが、ポーグがつかまないうちにポップコーンの袋を落とす。ポップコーンは舞台中にこぼれる。

5:19 PM　ブランチ：「これがマイクロソフトってもんです。ちょっとバグがありました」。聴衆からどっと大きな笑い声。ブランチは気分を害しているようだ。「そんなにおかしくなかったんですけどね」

5:21 PM　ブランチ：「われわれはサマンサに500のコマンドを仕込みました。あと500は仕込めましたが、思いとどまったのはすでに数千もの可動部があったからです。市場での敏捷性に欠けましたし、費用がかかりすぎて機能を高められませんでした。結局、サマンサ・プロジェクトは中止になりました」。聴衆の一同は、あーあと言う。ブランチ：「あなた方は何者ですか？　オタク集団？」。お手軽なＴＥＤの定番ネタだ！

5:23 PM　ある男が新しいリモコンを持ってふらふらと壇上へ上がる。それから舞台を横切っていく途中で止まり、ズボンをぐいと引っ張り上げる。ブランチ：「どうぞごゆっくり」。大きな笑い声。

5:24 PM　ブランチ：「それでサマンサ・プロジェクトは取りやめになりました。でもわたしはデュークのサルたちを思い出しました。そこで思ったのです。ううむ、個人用ロボットを作り出すのを複雑にしている要因はロボットそのものなんだな、だったらロボットをなくしちゃえばいいのではないかと」

5:25 PM　リモコンがようやく作動するようになったので、ブランチはスライドショーを始める。最初の画像は頭からワイヤーが出ているサルだ。聴衆ははっと息をのみ、叫ぶ者もいる。ブランチ：「すみません、すみません！」。ブランチはスライドショーを止める。

5:26 PM　ブランチ：「ムーアの法則によると、集積回路に搭載できるトランジスタの数は２年ごとに倍増しています。ですから、かつてあんなに恐ろしい画像だったものが、20年後には……こうなりました……」。彼はどんどんクリックし、人間の剃《そ》り上げた頭が写っているスライドで止める。その頭皮の下には、コンピューターチップのようなものが見える。

5:26 PM　ブランチ：「それがこうなりました……」。彼はシーホークスのステッカーを貼ったヘルメットを持ち上げる。内側には電極が取り付けられていて、そこからワイヤーが飛び出している。「これをかぶるだけでいいですから、何も脳につなぐ必要などありません」

5:27 PM　ブランチはヘルメットを下ろし、ポケットに手を入れる。「それがこうなりました」。バンドエイドらしきものを掲げている。「ＴＥＤ仲間の皆さん、《サマンサ２》をご紹介します」

5:27 PM　ブランチは、額の生え際にそのバンドエイドみたいなものを貼る。レイジーボーイに座る。ブランチ：「疑い深い方々のために、リアルタイムなものもお見せしましょう」。レバーを引っ張ると、椅子は後ろに倒れる。

5:29 PM　妙な音。掃除機が動き出したんだ！　自力で動き、舞台の端へとやって来てポップコーンを吸い取っている。ブランチは、ポップコーンに集中しながら目を開けたまま寝転んでいる。掃除機は止まる。ブランチはテレビのほうを向く。

5:31 PM　テレビがひとりでにつく。チャンネルは変わる。ロサンゼルス・レイカーズのバスケットボールの試合で止まる。

5:31 PM　大きなスクリーンはOutlook《アウトルック》に変わる。空欄のメールが開く。カーソルは「ＴＯ：」の欄へ進む。なんと勝手に書いている！　〈バーナデット〉。カーソルはメッセージ欄へ飛ぶ。〈ＴＥＤトークはうまくいった。リモコンは動かなかった。あいにくここにはパワーポイントをわかっている者はいない。デビッド・ポーグは動きがちょっとぎこちない。ＰＳ：レイカーズはハーフタイムまでに３点リードしている〉

　会場中の人が立ち上がっている。どよめきと呼ぶのがぴったりなものが聴衆席から起こっている。ブランチは立ち上がり、額から「バンドエイド」をはがし、高く掲げる。

5:32 PM　ブランチ：「３月に《サマンサ２》をウォルター・リード病院へ出荷します。マイクロソフトのウェブサイトを訪れて、体が麻痺した退役軍人が《サマンサ２》を使って高性能キッチンで自ら料理し、テレビを観て、コンピューターで作業し、ペットの世話さえするビデオをごらんになってください。われわれが《サマンサ２》で目指しているのは、負傷した退役軍人が自立した生産的な生活を送るお手伝いをすることです。無限の可能性を秘めています。ありがとうございます」

聴衆はものすごく興奮している。クリスは壇上に上がり、ブランチと抱き合っている。自分たちが目にしたものを誰も信じられない。

*

どう。これが《サマンサ２》よ。

*

Ｆｒｏｍ：オードリー・グリフィン
Ｔｏ：スーリン・リー＝シーガル

もうたくさん。わかった？　うんざり！

*

ジャネール・カーツ医師から

拝啓　ブランチ殿

奥様に関するお問い合わせを拝受しました。ご意向を読み違えたかもしれませんが、バーナデット様が「あまり気が進まない」のではと心配されている「監視下での保養休暇」と貴殿が穏やかに呼ぶものには、実際のところ、奥様が意に反してマドロナ・ヒル病院に収容されることを必要とします。

そうした強硬手段のための手続きについては、ワシントン州法典の強制治療法第71編５章150条で詳しく述べられています。強制治療法によると、ＣＤＭＨＰ（郡指定精神保健専門家）が個人を強制的に入院させるためには、徹底的にその人物を診断し、精神疾患のために、本人、他人、もしくは財産に差し迫った危険があるかどうか判断しなければなりません。

奥様がそうした脅威となっていると思われるなら、ただちに911に電話して救急治療室に搬送してもらうべきです。そこで奥様は診断されるでしょう。それでもしほんとうにそうした脅威となっていると判断されるなら、まずは自発的に適当な治療を受けるよう求められるはずです。奥様がそれを拒否されるなら、市民的自由は差し止められ、州から認可された精神病院へ送られて、最大72時間は強制治療法の適用下に置かれることになります。それ以降どうなるかは裁判所の判断次第です。

オーカス島のマドロナ・ヒルは、名高い入院・居住治療とともに、州で唯一の私立の精神科救急治療室を運営しているという点で際立っています。したがって、私どもは日々、強制入院が及ぼす壊滅的な影響を目の当たりにしています。家族は引き離されます。警察、弁護士、裁判官が関与します。それについては、ありとあらゆる将来の雇用主や金融機関が閲覧する公的記録に記載されます。生命、財産、感情の点であまりに犠牲が大きいので、強制入院は万策尽きた後にのみ考慮すべきです。

貴殿がおっしゃるように、奥様の行動は気がかりです。セラピーを受けていらっしゃらないと知って驚きました。まずはそうした療法を試すことが理にかなった第一歩のようです。バーナデット様に面会し、適当な治療を受けるために適切な質問を尋ねることのできる、お住まいの地域のすばらしい精神科医を喜んでご紹介します。これこそ進むべき道だと思われましたら、どうぞ遠慮なくお電話をください。

敬具

ジャネール・カーツ

＊

パパとスーリンが
スタッフミーティング中にやり取りしたインスタント・メッセージ

スーリン L-S：大丈夫ですか？　心ここにあらずって感じですけど。

エルジン B：自分の正気を疑い始めている。家のことで。

スーリン L-S：万が一ＶＡＶミーティングでバーナデットについての話を告白されたいなら、２つの文を言い終えないうちにきっとＴＯＲＣＨされてしまうでしょう。ＴＯＲＣＨとは「Time out《タイムアウト》, Reality《リアリティ》 Check《チェック》!（小休止、現実直視！）」の略です。

スーリン L-S：発言者が虐待者の話をいつの間にか始めるといつでも――たとえば、わたしが「いつも疲れていて、話したいのは仕事のことくらいだってことは自覚しています」とバリーによく責められていた点について話すなら、誰かが立ち上がって「タイムアウト、リアリティチェック！」と叫んで、発言者をＴＯＲＣＨします。

スーリン L-S：そうすれば、自分の身に実際にあったことを虐待者の話と切り離せるようになります。それが虐待の連鎖を断ち切るための第一歩なんです。

スーリン L-S：ＶＡＶの専門用語には不快に感じるものもあるでしょう。わたしもそうでした。バリーに虐待なんかされていないと自分では思っていましたから。

スーリン L-S：でも、ＶＡＶでは虐待という定義は意図的に広くしてありますし、肯定的に考えられています。われわれはたしかに被害者ですが、被害者意識を克服したいと思っている人間です。両者には微妙ですが、とても重要なちがいがあるんです。

スーリン L-S：エルジー、あなたは世界一成功している会社のレベル80ですし、3回も賞をもらいましたよね。心臓手術を何度も受けながら学業面でがんばっているお嬢さんもいますし。

スーリン L-S：それにあなたのＴＥＤトークは歴代視聴率４位にランク付けされていますが、家を破壊し、店で熟睡する、友人のいない女性と一緒に住んでいますよね。

スーリン L-S：ごめんなさい、エルジー。あなたはこんなふうにＴＯＲＣＨされます。

エルジン B：この件について礼を言う。でも少し集中しなくては。ミーティングが終わったらもっとよく読むよ。

＊

12月17日（金）

Ｆｒｏｍ：バーナデット・フォックス
Ｔｏ：マンジュラ・カプール

久しぶりね！　寂しかった？　南極に行かなくて済む方法を思いつきそうだと言ったのを覚えているわよね？

緊急の手術を受けるとしたらどうかしら？

かかりつけの歯医者のニイアガード先生から、親知らずを４本とも抜くようずっと言われているの。そんなに急ぐ必要はないけど。

でも、わたしがニイアガード先生に電話をかけて、旅行の前日に親知らずを４本全部抜いてほしいと頼んだらどう？（「わたしがニイアガード先生に電話をかけて、旅行の前日に親知らずを４本全部抜いてほしいと頼む」と言っているとき、ほんとうに言いたいのは、「あなたからニイアガード先生に電話をかけて、旅行の前日に親知らずを４本全部抜いてほしいと頼んでもらいたい」ということよ）

それは緊急を要したし、とてもショックだけど、医者から飛行機に乗ることを禁じられていると言い訳できるでしょ。そうすれば夫と娘だけで旅行に行けるし、誰にも責められなくていいもの。

ニイアガード先生の電話番号は下記のとおりよ。23日の10時以降に処置してもらえるよう予約してちょうだい（その朝には学校の発表会があって、ビーはダンスの振り付けを担当しているの。あの子には、来ないでなんてひどいこと言われたけど、ネットでチェックしたら時間がわかった）。わたしの計画はこうよ。学校へ行き、クリスマスの買い物に行くふりをする。

次に誰かに会うときは、わたしはシマリスみたいになっているでしょうね。歯が痛くなったので、ニイアガード先生の歯科医院をひょっこり訪ねたとでも言うことにする。気づいてみると、親知らずを４本抜かれてしまって、もはや南極には行けないって。ここアメリカでは、こういうのを双方に有利《ウィン・ウィン》と呼ぶのよ。

12月20日（月）

＊

ＦＢＩのマーカス・ストラングから

拝啓　ブランチ殿

　私は、国土安全保障省と連携して活動しているＩＣ３（インターネット犯罪苦情センター）の地区責任者です。ＩＣ３内のわが部署は、前金詐欺と身分詐称を追跡しています。
　貴殿が当方の目に留まったのは、10月13日付けでそちらのビザカードに請求された40ドルのためです。デリー・バーチャル・アシスタント・インターナショナルと名乗る会社の利用代金です。こんな会社は存在しません。ロシアを拠点とする犯罪組織のためのペーパーカンパニーなのです。ここ半年ものあいだ、私どもは当組織に不利な証拠を集めてきました。１ヵ月前、令状が下りて、奥様のバーナデット・フォックスと「マンジュラ」という者のあいだで取り交わされたメールを追跡することができました。
　このやり取りの中で、奥様は「マンジュラ」にクレジットカード情報、銀行の電信送金指示書、社会保障番号、運転免許証番号、住所、パスポート番号、それに貴殿やお嬢様やご自身の写真を提供してきました。
　どうやらこの行動についてご存じないようですね。奥様は、「マンジュラ」に宛てたあるメールで、デリー・バーチャル・アシスタント・インターナショナルのサービスを使ってはいけないと夫に言われたこともほのめかしていますから。

この件は細心の注意を要し、切迫しています。昨日、「マンジュラ」は、ご家族が南極にお出かけ中の代行権原を求めました。当方は、このメールを奥様に送られる前に押さえることができました。過去の行動から判断すると、奥様が躊躇《ちゅうちょ》せずそれにサインするものとしか思えません。

この手紙をごらんになっているころには、私はシアトルの空港に着いていることでしょう。正午にはマイクロソフトのビジターセンターにいる予定ですから、そこで貴殿と落ち合って全面的な協力を得られるものと期待しています。

これから３時間以内に、この情報を他人には、特に信頼性を欠く当事者であることを自ら示してきた奥様には知らせないことが肝要です。

入手した令状は「マンジュラ」という言葉を含んでいる過去３ヵ月の奥様のＥメールすべてを対象とします。誇張なしに何百とあります。私はもっとも関連性のある20通を選びましたが、それにはポール・ジェリネックへ送った長文メールも含まれています。私が到着する前によく読んでおいてください。今週いっぱいは予定を空けておかれるようお勧めいたします。

ビジターセンターでお目にかかれるのを楽しみにしています。全面的なご協力をいただき、マイクロソフトは巻き込まないようにしたいと考えています。

敬具

マーカス・ストラング

ＰＳ：貴殿のＴＥＤトークを私ども一同は気に入っています。お時間が許せば、《サマンサ２》の最新版をぜひ拝見したい。

4

侵入者

12月20日（月）

＊

ウェスティンホテルの夜間支配人によって告訴された件の警察調書

ワシントン州
巡回裁判所
キング郡

ワシントン州 対 オードリー・フェイス・グリフィン

本職、シアトル警察署の巡査であるフィル・ブラッドストックは、まず正式に宣誓した上で以下のように述べる。

上記被疑者は、12月20日にワシントン州シアトル市の公共の場所において、騒動が誘発されやすい状況下で、猥褻行為、虐待行為、騒々しい行為、またはその他の治安を乱す行為をしたことによって、ワシントン州法典第９編Ａ第84章第030条（2）項に違反し、また、ワシントン州法典第９編Ａ第36章第041条に規定されている第４級暴行を犯した。どちらも軽罪ではあるが、有罪となった際は、1,000ドル以下の罰金、もしくは30日以下の懲役、またはその両方に処せられる場合がある。

当資料は、シアトルのダウンタウンにあるウェスティンホテルの夜間支配人である、告訴人スティーヴン・コーニグの証言に基づいている。本職は、スティーヴン・コーニグの証言は真実かつ信頼に足るものだと考える。

1. スティーヴン・コーニグは次のように訴えている。12月20日の月曜日午前2時ごろ、シアトルのウェスティンホテルの夜間支配人として任務に当たっていた際に、1601号室の宿泊客であるオードリー・グリフィンから、1602号室から発する騒音について苦情の電話を受けた。

2. コーニグ氏の訴えによると、宿泊客リストをチェックしたところ、1602号室は空室であるとわかった。

3. コーニグ氏の訴えによると、グリフィン夫人に上記の情報を電話で伝えると、夫人は怒り出して直接調べにいってくれと迫った。

4. コーニグ氏の訴えによると、16階でエレベーターから降りたところ、大声、笑い声、ラップ音楽、また「ばか騒ぎ」が聞こえた。

5. コーニグ氏の訴えによると、廊下では煙と特徴のない臭気の痕跡《こんせき》が認められた。氏の意見では、それは「マリファナ」だった。

6. コーニグ氏の訴えによると、その騒音とにおいをたどっていったところ、1605号室から出ているのがわかった。

7. コーニグ氏の訴えによると、1605号室のドアをノックし名乗ったとたん、音楽は消え、すべての騒音はやんだ。一瞬の沈黙に続いてクスクス笑いが聞こえた。

8. コーニグ氏の訴えによると、廊下で、ホテルのバスローブを羽織ったグリフィン夫人が近づいてきて、1605室は就寝中の息子カイルの部屋なので間違ったドアをノックしていると強く言い立てた。

9. コーニグ氏の訴えによると、1605号室が騒音源だとグリフィン夫人に説明したところ、夫人は「ばか」「間抜け」「無能なとんま」といった言葉を使って氏に対して暴言を吐いた。

10. コーニグ氏の訴えによると、暴言を受けた場合のウェスティンの方針をグリフィン夫人に伝えた。すると、グリフィン夫人は「おんぼろ」「安ホテル」「くそ宿」といった表現を使ってウェスティンの設備について暴言を吐いた。

11. コーニグ氏の訴えによると、グリフィン夫人による否定的評価は続いたが、夫人の夫であるウォレン・グリフィンが目を細めながら、ボクサーパンツ姿で廊下に出てきた。

12. コーニグ氏の訴えによると、グリフィン氏が夫人をなだめようとしたところ、グリフィン氏は夫人から抵抗と暴言を受けた。

13. コーニグ氏の訴えによると、夫妻をなだめようとしている最中に、グリフィン氏はげっぷをし、「嫌な悪臭」を放った。

14. コーニグ氏の訴えによると、グリフィン夫人は、アルコールの乱用と、ステーキに対する飽くことのない食欲に関して「夫に食ってかかった」

15. コーニグ氏の訴えによると、グリフィン氏は1601号室に戻り、ドアをバタンと閉めた。

16. コーニグ氏の訴えによると、グリフィン夫人が1601号室の閉まったドアに向かって「アルコールを発明した人」に対する強い不快感を述べることに夢中になっている一方で、氏は1605号室の鍵穴にスペアキーを突っ込んだ。

17. コーニグ氏の訴えによると、「いきなり頭をぐいと後ろに引き戻された」。なぜなら「あのいかれた女」（グリフィン夫人）に髪の毛をつかまれ引っ張られていたからで、精神的・肉体的苦痛を味わった。

18. コーニグ氏の訴えによると、シアトル警察に無線で応援を求めた。無線で連絡中にグリフィン夫人は1605号室に入っていき、叫び声を上げた。

19. コーニグ氏の訴えによると、1605号室に入っていくと、全部で9人いた。グリフィン夫人の息子であるカイル・グリフィンを始めとした種々雑多なシアトルのチンピラ少年少女だ。

20. コーニグ氏の訴えによると、さまざまな麻薬器具一式を見つけた。「水パイプ、麻薬の包み、巻紙、処方薬の瓶、マリファナ・ホルダー、ワンヒッター〔麻薬一服分を先に詰めて使うパイプ〕、ガラスパイプ、気化器、注射器、スプーン、吸入器」などといったものだ。その部屋をざっと見渡した限りでは、「ミニ冷蔵庫の上の乾燥したマリファナの葉とマリファナタバコ」くらいしか規制薬物は認められなかった。

21．コーニグ氏の訴えによると、グリフィン夫人は、息子の友人の選び方に対する失望を約５分間に渡ってヒステリックに表した。

22．コーニグ氏の訴えによると、カイル・グリフィンとその仲間たちのおとなしい反応から「やつらはすっかりラリっている」ことが明らかだった。

23．コーニグ氏の訴えによると、グリフィン夫人は、ジャケットの背中にテディベアを安全ピンで留めている少女にいきなり飛びかかった。

【巡査による補足説明】

現場に到着後ただちに、本職はシアトル警察だと名乗り、グリフィン夫人をテディベアから引き離そうとした。どうやらテディベアが夫人にとって激しい精神的苦痛の原因となっているようだった。本職は夫人に、声を落として一緒に廊下へ出るように、さもないと手錠をかけざるをえないだろう、と告げた。グリフィン夫人は本職に向かって罰当たりな言葉を叫び始めた。「私は模範的な市民よ。法律を破り息子を破滅させているのはあのヤク中どもなんだから」。本職は夫人の左腕をしっかりつかんだ。グリフィン夫人に手錠をかけるあいだも、夫人は本職に罰当たりな言葉を叫んだ。夫人はこう言いながら逃げようとした。「そのいまいましい手を離してちょうだい。触れられる理由なんかないでしょ。何も悪いことなんかしてないんだから」。夫人は、うちの夫は地区検事局長だ、相当な理由もなく私を逮捕しようとしていることをホテルの監視カメラを使って証明してやる、そのビデオは「夕方のニュースで大々的に」取り上げられるだろう、と脅した。本職は、こちらが事情を確かめようと努めるあいだ一時的に身柄を拘束するにすぎないと説明した。警備員２名が応援にやって来ると、わが相棒であるスタントン巡査の助けを得て、宿泊客でない者たちをホテルの外に連れ出してくれた。その時点で告訴人は、髪の毛を引っ張られた出来事について語った。グリフィン夫人はそれを頑として否定した。本職はコーニグ氏に、告訴したいか尋ねた。グリフィン夫人は口を挟んで、以下の趣旨の嫌みを言った。「とんだお祭り騒ぎね。こっちの言い分はそんなところよ。判事は誰を信じると思う。地区検事局長の妻かしら？　それともくそ宿の王？」。コーニグ氏はぜひ告訴したいと述べた。

上述の資料に基づき、本職、フィル・ブラッドストック巡査は被疑者を処罰するよう要請する。

＊

Ｆｒｏｍ：オードリー・グリフィン
Ｔｏ：スーリン・リー＝シーガル

久しぶりね！　あなたの言うとおりだった。ホテル暮らしはついにその輝きを失ってしまったの。お言葉に甘えてリー＝シーガル家に泊めさせてちょうだい。心配しないで！　新しい大仕事で忙しいのはわかってるし、迷惑をかけようなんて夢にも思ってないから。
今日、降車場であなたを探したの。リンカーンから聞いたけど、あなたはとても長時間働いてるから、クリスマスツリーさえ用意してないそうね！　うちのガレージにちょっと寄って、飾りの入った箱を取ってくるつもり。あなたが帰ってくるころまでには、お宅の飾り付けは済ませておくね。止めようとしないで。クリスマスがわたしの好きな休暇だって知ってるでしょ！

なんて皮肉なんでしょう。あなたがバリーと離婚したとき、ウォレンにただで一切を処理してもらったおかげで３万ドル節約できたってこと覚えてる？　感謝のあまりマジですすり泣いて、この埋め合わせは必ずすると約束したのは？　今がチャンスよ！　キューピッドの下に置いてある鍵を使って家に入るから。

ひとつ質問があるの。夕飯は何がいい？　あなたが帰ってくるころにはごちそうを用意しておくつもりよ。

祝福を！

＊

Ｆｒｏｍ：エルジン・ブランチ
Ｔｏ：スーリン・リー＝シーガル

ストラング捜査官とのあの会合で一部始終を聞かせるはめになってしまい、きみには職務内容を超越した大変なことを課したと思う。でも、ぼくはすっかり途方に暮れてしまい、あの状況説明にひとりでは立ち向かえなかったんだ。あのときは面食らったが、いまだに面食らっているから、ストラング捜査官にきみが同席するのを最終的に許してもらえてものすごくありがたく思っているし、味方してくれたきみにはもっと感謝している。

＊

スーリンからの手書きメモ

エルジーへ

　わたしの仕事は《Ｓ２》が順調に進むよう取り計らうことです。あなたの状況を詳しく知っておけば、この仕事をより良く遂行できます。信じていただけて光栄です。失望させないとお約束します。今後はＢについてはメールを使って連絡しないようにしましょう。

　ＳＬ

＊

パパからの手書きの返事

スーリンへ

　カーツ先生との電話を切ったところだ。「他人への危害」が必要条件のひとつだとしたら、それはたしかに満たしている。オードリー・グリフィンの足と土砂崩れだ。Ｂが薬を過剰摂取する件は「自己への危害」に相当するにちがいない。カーツ先生は、バーナデットの入院について話し合うために明日立ち寄ってくれる予定だ。

　ＥＢ

＊

Ｆｒｏｍ：スーリン・リー＝シーガル

Ｔｏ：《サマンサ２》チーム（受信者は非公開）

ＥＢは細心の注意を要する個人的な問題に対処しているところです。会議はすべて予定どおりに進めます。ＥＢには電子メールで連絡するようにしてください。

どうもありがとう！

＊

Ｆｒｏｍ：スーリン・リー＝シーガル
Ｔｏ：オードリー・グリフィン

うちに泊まってもらうには時期が良くないの。職場で非常事態が起きたもので。モーラにすでにシッター代を払って、リンカーンとアレクサンドラを学校までお迎えにいって今週はずっと家にいてくれるよう、頼んだところよ。彼女が予備の寝室を使うし。ほんとうにごめんなさい。ほかのホテルに泊まったらどう？　短期滞在用の賃貸住宅は？　探すのを手伝ってあげる。

＊

Ｆｒｏｍ：オードリー・グリフィン
Ｔｏ：スーリン・リー＝シーガル

モーラに電話して、シッターはもう必要ないと伝えておいたよ。あの子は自分のアパートに戻ったから。

あなたの家はとてもすてきになったのよ。空気入りサンタが通行人にこんにちはと手を振ってるし、窓敷居は「雪」で縁取られてる。ヨセフ、マリア、赤ちゃんイエスはわが家から持ってきた「わたしたちからメリークリスマス」という札と一緒に芝生に突き刺さってるし。お礼を言うべきなのはこっちよ。

＊

パパからチョート校の入学試験事務部長へ

拝啓　ジェサップ殿

ご存じのとおり、来年の秋に娘のビーがチョート校に入学する件に関して、ヒラリー・ラウンズ先生からお手紙をいただきました。その際に娘を飛び級させてはどうかとご提案いただいたとき、まず私は断ろうと思いました。しかし、先生の賢明なお言葉は心に残っていました。今では、すぐにでもチョート校の充実した学問に没頭させたほうが本人のためになるのではと先生と同じ意見を抱いています。ビーは現在３年級より難しい勉強をしていますので、この１月に娘を入学させることをご検討いただくようお願いします。ええ、１ヵ月後に３年級としてです。

私の記憶違いでなければ、エクセターではいつも学年の途中で去る学生もいれば、代わりに入ってくる学生もいました。それでお話を進めていただけるなら、ビーが円滑に転校できるようにできるだけ迅速に事務手続きを始めたいと思っております。よろしくお願いいたします。

敬具

エルジン・ブランチ

＊

パパからパパの弟へ

Ｆｒｏｍ：エルジン・ブランチ
Ｔｏ：ヴァン・ブランチ

ヴァンへ
　元気でお過ごしのことだろう。ずいぶん長いあいだ話していなかったことはわかっているが、家族に緊急事態が起きたので、水曜にシアトルへ来て２、３日滞在してもらえないだろうか。航空券を送るし、ホテルの部屋を取っておくよ。どうか返事をくれ。
　よろしく。
　エルジー

12月21日（火）

＊

ヴァンおじさんとパパとのあいだで飛び交うメール

エルジーへ
　おーい、久しぶり。申し訳ないけど、そっちには行けそうもない。クリスマスはおれにとって忙しい時期だからね。またの機会《レインチェック》にしよう（雨の多いシアトルではこの言葉をよく耳にするだろうね）。
　マハロ〔ハワイ語の「ありがとう」〕
　ヴァン

*

ヴァンへ

ぼくの言い方があいまいだったのだろう。家族に関する緊急事態なんだ。一切の費用と逸失賃金は払うよ。日程は12月22日から12月25日だ。

*

兄さんへ

あいまいだったのはこっちのほうさ。おれにだってハワイでの生活ってものがあるし、責任もある。恐れ多くも5年ぶりにメールをいただき、ホテルでクリスマスを過ごすよう招待してくださるからといって、飛行機に飛び乗れるわけないだろ。

*

ヴァンへ

おまえはなんてひどい留守番係《ハウスシッター》なんだ。バーナデットが病気なんだよ。まだビーには話していないけど。ぼくがバーナデットのために助けを得る日に、ビーと過ごしてほしいんだ。音信不通になっていたのはわかっているが、ビーには家族と一緒にいてもらいたいと思って。ホテル代を出すと言ったのがぶっきらぼうに感じたなら謝るよ。わが家はめちゃくちゃなんだ。ゲストルームときたら、床に穴が開いてしまったまま誰も修理しようとしないから数年間も板でふさいだままだし。すべてバーナデットの病気のせいなんだ。頼むよ。

＊

エルジーへ

ビーのために行くよ。コナ空港発の直行便を予約してほしい。ファーストクラスが１席だけ残っているから、押さえてもらえたらありがたい。フォーシーズンズホテルには、海側のジュニアスイートに空きがある。急いで帰る必要がないよう代わってもらえる人を見つけたから。

＊

ジャネール・カーツ医師が提出した許可要請書

島外面会の経費許可要請

バーナデット・フォックス／エルジン・ブランチに関して

バーナデット・フォックスは12月12日に私の注目するところとなった。フォックスの夫であり、理事ハンナ・ディラードの友人でもあるエルジン・ブランチが、強制入院に関する長たらしくきわめて感情的な問い合わせ状を送ってきた。（別添 ＃１）

ブランチ氏から見た妻の様子により、夫人には、社会不安、薬物探索行動、広場恐怖症、衝動制御障害、未治療の産後鬱病といった症状が見られ、躁病の可能性もあることが示唆された。氏の言葉を真に受けるなら、薬物乱用と双極性障害Ⅱ型の二重診断を下すことになる。

ブランチ氏に返事を書き、法律について説明し、奥様にセラピーを受けさせるよう提案した。（別添 ＃２）

昨日、ブランチ氏から直接会って話したいとの電話を受けた。氏は自殺念慮のことも含め妻に関する新たな展開について言及した。

以下の理由のために、ブランチ氏からの電話の内容は疑わしいとまでは言わないが妙だと考える。

1. タイミング：ブランチ氏への返事において、私は、奥様を強制入院させるには、奥様が本人もしくは他人に今にも危害を及ぼしそうだと証明されなくてはならないと明快に説明した。数日以内に氏はそうした証拠を握っていると主張している。
2. セラピー治療への抵抗：ブランチ氏は夫人をマドロナ・ヒルに入院させることに執着しているようだ。どうしてまずは妻に外来セラピーを受けさせてみようとしないのだろうか？
3. 秘密主義：ブランチ氏は電話で具体的な情報を漏らしたがらない。直接会おうと言い張っている。
4. 緊急性：今日の電話で、ブランチ氏は、理想を言えば自分のオフィスで今すぐ会ってもらいたいと迫ってきた。

以上のことを考え合わせると、ブランチ氏の動機と信頼性を疑う理由は十分にある。しかしフォローアップしなければならないと感じている。マドロナ・ヒルは夫人の行動について二度知らせを受けたし、それには自殺についてもはっきり言及されていたので、今となっては責任問題だ。またブランチ氏の執拗さからすると、面会するまで連絡してくるのをやめないだろうと考えられる。

私は、ワシントン大学で講義するためシアトルに向かう予定だ。今晩、ブランチ氏のオフィスで氏と面会するよう手配した。これは異例な取り決めだと承知しているが、理事の友人のために大いに尽力できて光栄だ。私としては、ブランチ氏が妻にもっと適切な治療をよそで受けさせるお手伝いが引き続きできたらと思う。

私の診察料は１時間につき275ドルで、出張に対しては５割増しであることをブランチ氏に伝えた。当院は保険料の請求書を作成しないし、どのみちオフィスへの出張費はおそらく適用外だろうとブランチ氏は理解している。

＊

Ｆｒｏｍ：オードリー・グリフィン
Ｔｏ：スーリン・リー＝シーガル

ねえ聞いて！　子どもたちが学校から帰ってきたら一緒に飾り付けしようとジンジャーブレッド・ハウスを作っておいたの。いつ帰ってこられる？　いつローストビーフをオーブンに入れたらいいか知りたいんだけど。

＊

Ｆｒｏｍ：スーリン・リー＝シーガル
Ｔｏ：オードリー・グリフィン

さっきも伝えたけど、仕事がめちゃくちゃ忙しくて夕食までには帰れないの。でも、あなたの絶品のローストビーフについて考えるだけでよだれが出そうよ！

＊

Ｆｒｏｍ：オードリー・グリフィン
Ｔｏ：スーリン・リー＝シーガル

わたしは気がきかないなんて思わないで。車に乗って料理を配達するってのはどう？

＊

Ｆｒｏｍ：スーリン・リー＝シーガル
Ｔｏ：オードリー・グリフィン

結構よ。でもありがとう！

＊

あの火曜日、わたしが自分の部屋で宿題をやっていると、電話が２回鳴った。それは誰かが門にいるということで、つまりは夕食の合図でもある。わたしは〈＊７〉とボタンを押して門を開けると、１階へ下りて、玄関に出た。すると、配達のお兄さんがオーガニックレストラン《ティルス》の紙袋を持っているのを見てうれしくてたまらなかった。それをキッチンへ持っていくと、パパが歯ぎしりをして立っていた。
「働いて遅くなるんだと思ってた」とわたし。ここ数日は夜になってもパパは帰ってこなかったので、南極旅行のために徹夜しているのだろうと思っていた。
「おまえがどうしているか知りたかったんだよ」。パパは言った。
「わたし？　元気よ」

ママはプチ・トリアノンからやって来ると、長靴を脱ぎ捨てた。「あら、誰かと思ったら！　まあ、うれしい。注文しすぎちゃって」

「やあ、バーナデット」。パパはママにハグしなかった。

わたしは使い捨て容器の端をめくって、テーブルに並べた。

「今夜はお皿に載せましょう」。ママはそう言うと、食器棚から陶磁器を出してきたので、わたしはそのきれいなお皿に料理を移した。

でもパパは、パーカーのファスナーを閉めたまま突っ立っている。「ちょっと知らせたいことがあってね。ヴァンが明日来るんだ」

ヴァンおじさんはわたしのたったひとりのおじさんで、だからお気に入りのおじさんだ。ママはおじさんにニックネームをつけていた。ヴァン・〈その残りを食べるつもり？《Are You Going to Eat the Rest of That?》〉・ブランチだ。おじさんはハワイ暮らし。ハリウッド映画プロデューサーの所有する広大な敷地の管理人小屋に住んでいる。ハリウッドのプロデューサーはほとんど留守にしているけど、強迫神経症にかかっているにちがいない。その敷地に建っている別荘へ毎日通ってトイレの水を流してもらうだけのために、ヴァンおじさんに給料を払っているからだ。ハリウッドのプロデューサーはアスペン〔コロラド州のスキーリゾート地〕にも別荘を持っていて、ある冬に水道管が凍ってトイレの水があふれ、そのせいで山ほどの骨董品がだめになったので、ハワイでは水道管が凍るわけなんかなくても、また同じ目に遭うのではないかと不安でたまらない。だからママのお気に入りの言い方をするなら、ヴァンおじさんは生活のためにトイレの水を流す。以前わたしたちがハワイへ行ったとき、ヴァンおじさんはその敷地を案内し、トイレの水を流させてくれた。おもしろい体験だった。

「なんだってヴァンおじさんがここに来るの？」。わたしはきいた。

「いい質問ね」。ママは今ではパパと同じように突っ立っている。

「招待したんだよ。ぼくらの留守中に犬の面倒を見てもらえないかと思ってね。なんでそんなこと気になるんだ、バーナデット？　困ることでもあるのかい？」

「どこに泊まるの？」。ママはきいた。

「フォーシーズンズさ。明日、空港に迎えにいくから。ビー、一緒に来てもらいたいんだ」

「無理。青年部のみんなとザ・ロケッツ〔ロックフェラーセンターのラジオシティ・ミュージックホールを拠点とするダンスカンパニー〕のクリスマス・ダンスショーを観にいくことになってるの」

「あいつの飛行機は４時に着くんだ。学校へ迎えにいくよ」

「ケネディも一緒でいい？」。わたしはそう言うと、にっこり笑った。

「だめだ。ケネディと車に乗るのはごめんだからね。わかってるだろ」

「パパってつまんない」。わたしはとびきり意地の悪いキューブリック顔をしてみせてから、食べ始めた。

パパは、ドアを調理台にぶつけながら、ドタドタとリビングへ入っていった。すぐにドスンという音がし、ののしりの言葉も聞こえた。ママとわたしは駆けていって明かりをつけた。パパが箱とスーツケースの山に突っ込んでいる。「このがらくたはいったいなんだ？」。パパは飛び起きながら尋ねた。

「南極旅行の荷物よ」。わたしは答えた。

ＵＰＳ〔米国の大手小口貨物輸送会社〕の箱が恐ろしいペースで届きつつあった。ママは、わたしたちにひとつずつ、計３つの荷造りリストを壁に貼っていた。どの箱も開きかけで、中にはそれぞれ、パーカー、長靴、手袋、スノーパンツがあふれるほど詰まっていて、包みがちょっと開いたものから全部開いたものまでさまざまな状態で、箱から舌のように垂れ下がっている。

「だいぶそろってきたの」。ママはうまいこと箱のあいだを通り抜けた。「あなたのために凍傷予防クリームが届くのを待ってるところよ」。そして大きな黒いダッフルバッグのほうにつま先を向けた。「ビーにはフェイスマスクを探してるところなの。ビーの好きな色の――」

「ぼくのスーツケースはあるし」。パパは言った。「ビーのスーツケースもあるけど、きみのはどこだい、バーナデット？」
「すぐそこにあるでしょ」。ママは言った。
パパはママのスーツケースのほうへ歩いていき、それを手に取った。しぼんだ風船みたいになっている。
「なんだってこれには何も入っていないんだ？」。パパはきいた。
「あなたのほうこそ、ここで何してるのよ？」
「ここで何をしてるかだって？」
「夕食を取ろうとしてたのに。座ることも上着を脱ぐこともしなかったじゃない」
「約束があって会社に戻らなくちゃいけないんだ。食べている暇なんかないよ」
「だったら、せめてきれいな服を用意させて」
「服なら会社にあるから」
「どうしてわざわざ車で帰ってきたの？　ただヴァンについて話すため？」
「時には直接会って何かするのもいいもんだからね」
「だったら夕飯くらい食べてってよ。意味わかんないんだけど」とママ。
「そうだよ」とわたし。
「ぼくは自分の好きなようにするから。きみも好きなようにすればいいさ」。パパは玄関のドアから出ていった。
すっかり戸惑ったママとわたしは、パパが戻ってくるのを待ってその場に立ちつくしていた。ところが、プリウスが砂利道の上を滑るように走り、通りへ出ていくのが聞こえた。
「パパったら、ほんとうにヴァンおじさんのことを話すためだけに帰ってきたみたい」
「変ね」。ママは言った。

12月22日（水）

＊

カーツ医師による報告書

患者：バーナデット・フォックス
背景：12/21付の私の許可要請書に記したとおり、私はマイクロソフト社キャンパス内でエルジン・ブランチに会うことにしていた。ブランチ氏に対する懐疑心を示した先の要請書を作成してから、氏とその動機についての私見は劇的に変化した。この急変を解明するために、当面会についてごく細かいところまでご報告しよう。
面会についてのメモ：ワシントン大学での講義は予想より早く終わった。10時５分のフェリーに乗りたいと思い、約束より30分早く到着した。ブランチ氏の秘書のオフィスに案内されると、机の前に座っていたのはレインコート姿の女性で、アルミホイルで覆った皿をひざに載せていた。私はブランチ氏に面会を求めた。この女性は、自分は秘書の友人で、夕食を持ってきてびっくりさせるつもりでいると説明し、みんなは下の大講堂で会議中だと言った。

私も個人的な用事で来たのだと言った。女性はマドロナ・ヒルのIDバッジが私のブリーフケースに留められているのに気づき、「マドロナ・ヒルですって？　なるほど、それはたしかに個人的な用事でしょうね！」という趣旨のことを言った。

秘書が部屋に入ってきて、料理を載せた皿を持っている友人と私が話しているのを見て叫びそうになった。それから私のことをマイクロソフトの社員だと偽って友人に紹介した。私はすでに身分を明かしてしまったと秘書に身振りで伝えようとしたが、秘書はすばやく私を会議室に押し込み、ブラインドを下ろした。
　秘書はＦＢＩの機密ファイルを渡してくれると、会議室から出ていった。私は、以下のような当患者の精神状態に関わる顕著な事実しかその内容を打ち明けられない。

――学校の母親仲間を車で轢いた。
――同女性の家の外に彼女をののしる看板を立てた。
――処方薬をため込んでいる。
――極度の不安、誇大性、自殺願望に苦しんでいる。

　エルジン・ブランチがやって来た。みんなを階下に遅くまで残らせていたし、ここへ上がってくる直前にはプログラミングのバグに出くわしたせいで苛立っているようだ。私は、手短に済ませましょうと約束し、当地域の優秀な精神科医のリストを氏に渡した。ブランチ氏は納得していないようだった。ＦＢＩのファイルには、自分の妻が入院治療を受ける資格があることを示す適当な証拠が入っていると確信していた。
　ブランチ氏が妻を強制入院させようと決意していることに、私は憂慮を示した。氏は最善の治療を受けさせてあげたいだけだと断言した。
　秘書がドアをノックし、コード修正はもう見直してみたか、ブランチ氏に尋ねた。ブランチ氏は携帯電話を見て肩をすくめた。どうやら私たちが話しているあいだに45通ものメールが届いていたようだ。氏は言った。「バーナデットに殺されなくても、〈全員に返信〉でやられます」。そしてメールをスクロールしながら、チェンジリストをサブミットするとかなんとかコードの件でどなり、それを秘書は猛烈な勢いで書き留めると、飛び出していった。

職務怠慢だとブランチ氏に責められながらも、私は、氏と堂々巡りの話し合いを盛んに続けた結果、ブランチ氏の妻は適応障害にかかっているかもしれないと認め、それはストレス要因によって生じる心理的反応で、ふつうは不安神経症や鬱病といった症状を含んでいると説明した。ブランチ氏の妻の場合、ストレス要因は予定していた南極旅行のようだ。極端な症例では、患者の対処メカニズムが不適切になるあまり、ストレス要因によって精神崩壊を招くこともある。

私が当患者には問題があることを最終的に認めると、ブランチ氏はほっとして倒れそうだった。

秘書がまたやって来た。今度は男性ふたりを引き連れている。彼らの会話には、コード修正を展開させることにからんだ専門用語がさらにたくさん出てきた。

秘書たちが出ていくと、私はブランチ氏に、適応障害のためにお勧めの治療は心理療法であって、精神科への入院ではないと伝えた。「精神科医がまず面会せずに患者に強制治療法を適用させることはまったく倫理に反していますし、前例がありません」と率直に述べた。ブランチ氏は妻を拘束して病院へ連れていくことにこだわっていないと言って私を安心させてから、中間策のようなものがあるだろうかと尋ねてきた。

三たび秘書はノックした。どうやらブランチ氏の指示した修正がうまくいき、会議は終わったようだ。さらに多くの人が会議室に入ってきて、ブランチ氏は翌日のための優先順位リストを読み上げた。

私はその一切の熱心さに感動を覚えた。大勢の人たちがハイレベルな仕事をしながらそこまで意欲的に取り組んでいるのを見たことがない。プレッシャーは見て取れるが、仲間意識と仕事への愛情があるのも明らかだ。もっとも印象的だったのは、ブランチ氏に払われた敬意と、極度のストレス下にあっても、冗談を言い、平等主義を貫いている氏の気質だった。

ある時点で私は、ブランチ氏が靴下しか履いていないのに気づき、理解したのだ。ＴＥＤトークのあの男ではないか！　額にコンピューターチップを貼りつければ、生涯ずっと筋肉を動かす必要さえないという例のトークだ。それは、現実回避へ向かう憂慮すべき傾向だと私が考えるものの極端な例だ。

一同が出ていくと、私、ブランチ氏、秘書だけが残った。私は、奥様は神経症をご自分で治そうとしているみたいなので、薬物介入を専門とする有能な同僚のひとりを紹介しようかと氏に提案した。すると、ブランチ氏は私に謝意を表した。だが、先生以外の誰にもこのＦＢＩファイルの内容を明かすわけにはいかないから、先生自身が介入を実行するよう検討してもらえないかと尋ねてきた。私は承諾した。

それから私は、ブランチ氏が睡眠を取ることの重要性を強調した。秘書は、氏のためにホテルの部屋を予約し、自らそこまで車で送っていくことを申し出た。

＊

翌日の午後、パパが車で学校へ迎えに来てくれ、わたしたちは空港へと向かった。

「チョートに通うの、今でも楽しみかい？」。パパは尋ねてきた。

「うん」

「それを聞いてとってもうれしいよ。死に体の大統領ってどんなことかわかるかな？」

「うん」

「パパもエクセターに合格してすぐにそんな状態になったんだ。中学校でむなしく時間をつぶして身動きが取れなくなってしまった気がしてね。

今、おまえもきっとそう感じてるだろ」
「そうでもないけど」
「死に体の大統領っていうのは、大統領が再選されずに――」
「知ってるって、パパ。それって、チョートとどんな関係があるの？　みんなゲイラーストリートを卒業して、わたしと同じように秋には別の学校へ行くのよ。だから８年生を始める日には、残りの１年は死に体の年になるって言ってるようなものよ。でなくちゃ14歳になったら、15歳になるまでは死に体の年だって」

それを聞いたパパは数分間口をきかなかった。でも、また話し始めた。
「おまえが青年部を楽しんでいると聞いてうれしいよ。そこで過ごす時間から強さを身につけているなら、パパは全力で応援するからね」
「ケネディの家に泊まってもいい？」
「ケネディのお宅ではもうたくさん過ごしているじゃないか」。パパは心配そうに言った。
「いい？」
「もちろん構わないけど」

車はエリオット湾の車両基地のそばを通り過ぎた。そこにはオレンジ色の巨大クレーンが並んでいて、そのさまといったら、酒飲みのダチョウが何千もの運送用コンテナの山を見張っているみたいだ。幼かったころ、あのコンテナはなんなのとママに尋ねたことがある。バービー人形がいっぱい詰まったダチョウの卵よ、という答えが返ってきた。もうバービーでは遊ばないけど、今でもあんなにたくさんのバービーのことを考えるだけでわくわくする。
「あまりそばにいてやれなくてすまないね」。またパパが口を開いた。
「そばにいるじゃない」
「もっといてやりたいんだよ。まずは南極から始めよう。ふたりで楽しもうじゃないか」

「3人でしょ」。わたしはフルートを取り出し、空港までの残りの道中ずっと吹いた。

ヴァンおじさんはものすごく日焼けしていて、顔はごつごつし、唇は白っぽく皮がむけていた。アロハシャツにビーチサンダル姿。首には携帯用空気枕を巻きつけ、〈二日酔い〉と書いてあるバンダナを巻いた大きな麦わら帽子をかぶっている。

「兄さん！」。ヴァンおじさんはパパを力いっぱい抱き締めた。「ビーはどこかな？　おちびちゃんは？」

わたしは手を振った。

「きみはお姉さんだろ。うちの姪っ子のビーはおちびちゃんなんだ」

「わたしがビーよ」

「まさか！」。おじさんは右手を上げた。「大きくなったことを祝ってハイファイブをしよう」

わたしは弱々しくおじさんの手のひらを5回たたいた。

「お土産があるんだ」。おじさんは麦わら帽子を脱ぐと、その下に重ねてかぶっていた麦わら帽子も次々に脱いだ。それぞれに〈二日酔い〉と書かれたバンダナが巻いてある。「ひとつは兄さんに」。おじさんはパパの頭に載せた。「ひとつはおまえに」。わたしの頭に載せた。「もうひとつはバーナデットに」

わたしはそれを引っつかんだ。「わたしからママに渡しておくね」。とても趣味が悪い帽子だったので、ケネディにあげるしかなかった。

ヴァンおじさんがひどく荒れた唇にリップクリームを塗ってそこに立っているとき、この人と一緒に動物園にいるところを誰にも見られたくないなと思った。

＊

カーツ医師による自身の監督者への説明

患者：バーナデット・フォックス

治療介入計画：当患者の背景を、薬物介入の専門家であるミンク医師とクラブトリー医師に伝えた。両医師は、薬物乱用の要素により、治療介入を実施するのが妥当だろうと意見が一致した。私は薬物介入の訓練を正式に受けていないが、当患者の背景に記載されている特殊な状況のために自らそれを指揮することにした。

〈ジョンソン研究所式介入〉対〈動機づけ介入〉：ここ10年間、マドロナ・ヒルは「待ち伏せ型」介入のジョンソン研究所式をやめて、ミラーとロルニックが開発したより包括的な「動機づけ」アプローチを支持してきた。研究の結果、後者のほうがより効果的であることが明らかになってきたからだ。しかし今回は、秘密にするようＦＢＩに指示されたため、ジョンソン研究所式が選択された。

事前の打ち合わせ：今日の午後、ブランチ氏と私は、シアトルにあるミンク医師の医院で会った。ミンク医師は、1980年代と90年代には、多くのジョンソン研究所式介入を行ってきたので、どんなステップを取るか丹念に教えてくれた。

1. 患者に力強く「現実を示す」
2. 家族は自分の言葉で患者への愛を伝える
3. 家族は患者のもたらした損害を詳細に述べる
4. 家族は患者の治療への支援を保証する

5. 家族と医療従事者は、患者が治療を拒否した場合にはどんなマイナスの結果を招くか説明する。
6. 患者は自発的に治療を求める機会を与えられる
7. 患者を治療センターへただちに搬送する

バーナデット・フォックスが自身の病気を認め、自発的にマドロナ・ヒルへ入院してくれるよう望むばかりだ。

＊

その晩、わたしは青年部のみんなと一緒に『ラジオシティ・クリスマス・スペクタキュラー』へ行った。劇団ザ・ロケッツの出てくる前半はなんだかじれったかった。ザ・ロケッツのダンサーがキックするあいだに背景音楽が流れているにすぎなかったのだ。あの人たちはせめて歌うとか何かほかの種類のダンスもするのだろうと思っていた。でも一列に並んである方向に向かってキックしたかと思うと、今度は別の方向に向かってキックした。〈イッツ・ビギニング・トゥ・ルック・ア・ロット・ライク・クリスマス〉や〈ママがサンタにキスをした〉といった歌に合わせて、列になったままくるくる回りながらそろってキックした。全体的につまらなかったから、ケネディもわたしも「どうして？」という感じだった。

休憩時間になった。みんなお金を持っていなかったから、ロビーへ行ってもせいぜい水飲み場の水を飲むしかなく、行く理由などなかった。そこで、わたしを始め青年部のみんなは席にとどまった。観客が列をなして戻ってきたころには、ヘルメットみたいに髪の毛を盛り、厚化粧をし、きらきら光るクリスマス・ピンをつけたおばさんたちはみな興奮してはしゃいでいた。付き添いのルークやメイも席の前に立ち、赤い幕を見つめた。

劇場は暗くなった。星が幕に映し出されると、たったひとつの星に向かって観客は息をのみ、やたらと熱心に拍手した。

「今日は全人類にとってもっとも神聖な日です」。不気味な声がとどろいた。「王の中の王、わが息子イエスの誕生した日です」

幕がさっと開いた。舞台上では、飼い葉桶に本物の赤ちゃんが扮したイエスが寝かせてあり、マリア、ヨセフもいる。「神」がおどろおどろしい口調でキリスト降誕の物語を語っていた。羊飼いが本物のヒツジ、ヤギ、ロバを連れて出てきた。新しい動物が速歩《はやあし》で登場するごとに、新たに「オーッ」とか「アーッ」とか感嘆の声が上がった。

「ふれあい動物園に行ったことがない人でもいるの？」。ケネディは言った。

東方の三博士がそれぞれラクダ、ゾウ、ダチョウに乗って登場した。そのときはわたしまで、「いいね、かっこいい」みたいなことを言った。ダチョウが人間を乗せられるなんて知らなかったもの。

それから大柄の黒人女性が出てきた。すると、ちょっと魔法が解けたみたいになった。だってその人は《メイシーズ》で見かけるようなすごくぴったりした赤いドレスを着ていたから。

「ああ、聖なる夜」。女の人は歌い始めた。

周りのみんなは次々と恍惚としたように息をのんだ。

「星は光り輝いている　愛する救い主が降誕された今宵　長いあいだこの世は　罪と過ちに満ちながら思いこがれていた　救い主が現れ　御霊《みたま》がその貴さに気づくのを」。その調べの何かに心打たれて、わたしは思わず目を閉じた。歌詞と曲を聴いていると、温かいぬくもりでいっぱいになった。「高まる希望は　疲れ切った世を歓びに染め　彼方で始まる　新たな輝く朝が」。一瞬の間が空く。わたしは目を開けた。

「ひざまずけ！」。女の人は驚くほど激しい喜びにあふれて歌っていた。
「ああ、耳すませ　天使の声に！」
「ああ、聖なる夜〜〜」。さらに多くの歌声が加わった。そのとき舞台上、赤ちゃんイエスの奥にコーラス隊の姿が見えた。50人ほどいて、みんな黒人できらきら光る衣装を着ている。わたしはその人たちが現れたのにまったく気づかなかった。自分の中でぬくもりが固くなり始め、飲み込めないほどになった。
「キリストが降誕された夜　ああ、聖なる〜〜夜〜〜！　ああ、夜！　ああ、聖なる夜！」
　それはとても奇妙で強烈な歌声だったので、わたしは一瞬戸惑い、終わるとほっとしかけた。でも音楽は続いた。わたしは次の感情の高まりに備えて気をしっかり持たなければならないとわかっていた。すると舞台のてっぺんのほうで、歌詞がデジタルスクロールボードの上に現れた。コーラスのように不意に現れていたようだ。赤い点でできた歌詞がすーっと流れていく……。

主はまさに説かれた
互いを愛せよと
主の掟《おきて》は愛
主の福音は平和

　低いざわめきに包まれた。観客が立ち上がると、一緒になって歌い出したのだ。

主は鎖を断ち切るだろう
奴隷はわれわれの同胞ゆえに

そして主の御名において
あらゆる抑圧は終わるだろう

前に立っている人たちのせいでもはや歌詞が見えなかった。わたしも立ち上がった。

甘美な歓びの賛美歌を
感謝を込めて声をそろえ歌おう
心の底から
聖なる御名を讃《たた》えよう

観客は一斉に両手を顔の横くらいまで上げ、ジャズハンズ〔両手を開き、手のひらを見せて小刻みにひらひらさせるジェスチャー〕をしているように指をひらひらさせた。〈二日酔い〉バンダナを頭に巻いていたケネディは「何？」と言うと、寄り目にした。わたしはケネディをぐっと押した。

すると、あまり大きい声で歌わずにコーラスに任せていたメインボーカルの黒人女性が、いきなり前に出てきた。

「キリ〜〜ストこそは主！」。女の人の声はとどろき、そのとき次の言葉がぱっと光った。

キリストこそは主！

それはとても楽しくあからさまに信心深い光景だったので、この人たち、ママに言わせると「教会に忠実な」人たちは、現に抑圧されていたけど、今ようやく教会に忠実なほかの人たちに安全に囲まれているから心を開けるんだな、とわたしは悟った。独特のヘアスタイルをしてクリスマスセーターを着たとても感じ良さそうなおばさんたちも、自分の声がどんなにひどくても気にせずコーラスに加わった。頭をのけぞらせ、目を閉じる人さえいた。わたしはそれがどんな感じなのか確かめようと両手を上げた。そして頭を後ろにそらせ、目を閉じてみた。

それからいつまでも讃えよう

赤ちゃんイエスでなくわたしが、マリアとヨセフでなくママとパパがいた。藁《わら》の代わりに病院のベッドがあった。わたしは、真っ青で生まれたときに生き延びるのを助けてくれた外科医、研修医、看護師に囲まれていた。この人たちがいなければ、わたしは今ごろ死んでいたはずだ。みんながどんな人か知りさえしなかったので、横一列に並んだ人たちの中から選ぶ必要に迫られたとしても選べなかったけど、この人たちは、わたしの命を救うことになる知識を得ようと生涯かけて力を尽くしていた。わたしがこうして人々と音楽のすばらしい波の中にいられるのは、この人たちのおかげだったんだ。

ああ、聖なる夜！　ああ、夜！
ああ、聖なる夜！

不意にわき腹を突かれた。ケネディにパンチされていたのだ。
「ほら」。ケネディはそう言うと、〈二日酔い〉バンダナを渡してくれた。涙のせいでわたしの頬が真っ赤になっていたからだ。「イエスみたいな顔でこっちを見ないで」
わたしはケネディを無視し、また頭をのけぞらせた。崖から身を投げ、そしてもっと大きい何かに世話してもらえて正しい場所に導かれると信じることが宗教というものなのだろう。胸がはち切れそうになるほど何もかもすぐに感じることができるかはわからないけど。わたしはパパのことが大好きだ。車の中で意地悪なことを言って反省している。パパはわたしと話そうとしただけなのに、どうしてそれを拒んだのか自分でもわからない。パパが留守がちなことはもちろん気づいていた。何年も前から。わたしは家へ走って帰って、パパに抱きつき、そんなに留守にしないで、チョートに追い出すのはやめてと頼みたかった。だってパパもママも大好きだし、家も、アイスクリームも、ケネディも、リーヴィ先生も大好きだから、離れたくないもの。すべてのものへの愛で満ちあふれていた。と同時に、誰にも理解してもらえないような困難な状況に陥ってしまった気がした。天涯孤独の身のように感じながら、一方でとても愛されている気がしたの。

翌朝、ケネディのお母さんがわたしたちを起こしに部屋へ入ってきた。「ったくもう。遅れるよ」。そう言うと、朝食用のシリアルバーをごそっと投げてくれ、ベッドへ戻っていった。

それは８時15分のこと。〈世界お祝いデー〉は８時45分から始まる予定だ。わたしはすばやく着替えると、立ち止まることなく丘を駆け下り、歩道橋を渡った。ケネディはいつも遅刻しているし、お母さんから注意されもしないから、家に残ってシリアルを食べ、テレビを観たそうだ。

わたしはカンガナ先生と１年生が最終リハーサルをしている備品室へ直行し、「今、来ました」と尺八を振りながら言った。「すみません」。１年生たちは日本の着物を着てとてもかわいらしく見える。サルのようにわたしの体によじ登ってきた。

壁の向こうからグッドイヤー校長に呼ばれると、わたしたちは体育館へ入った。ビデオカメラをこちらに向けている保護者でいっぱいだ。「さて、これから」。カンガナ先生は言った。「1年生によるパフォーマンスを始めます。伴奏してくれるのは8年生のビー・ブランチさんです」

1年生は並んだ。カンガナ先生から合図をもらうと、わたしは出だしの音を演奏した。すると1年生は日本語で歌い始めた。

ゾーウサン　ゾーウサン
オーハナガ　ナガイノネー
ソーヨ　カーサンモ
ナーガイノヨー

1年生は声をそろえて見事に歌った。クロエ以外は。あの子はその朝に乳歯が抜けたばかりで、元は歯があったすき間に舌を突っ込みながら立ちつくしていた。わたしたちはひと息ついた。今度はわたしの考えた振り付けをしながら英語で同じ歌を歌う番だ。1年生は歌い、ゾウみたいに動き始めた。手を握り合わせると、揺れているゾウの鼻のように腕をぶらぶらさせたのだ。

ぞうさん　ぞうさん
おはながながいのね
そうよ　かあさんも
ながいのよ

そのときわたしは何かを感じた。ママがばかでかいサングラスをかけて出入り口に立っているではないか。

ぞうさん　ぞうさん

　だれがすきなの
　あのね　かあさんが　すきなのよ

わたしは声を上げて笑った。わたしのほうが泣くなんておかしいとママは思うだろうとわかっていたから。それから顔を上げたけど、ママはいなくなっていた。あれ以来わたしはママに会っていない。

12月24日（金）

*

ジャネール・カーツ医師から

理事会御中

これをもって、私はマドロナ・ヒルの精神科医長の職を辞任することをご報告いたします。この仕事を愛していますし、同僚は家族同然です。しかしながら、バーナデット・フォックスの入院を担当した精神科医として、当患者の治療介入に関する悲劇的で不可解な出来事に鑑みますと、こう決心せざるをえません。これまでのすばらしい長い年月とお仕えする機会を与えてくださったことに感謝申し上げます。

敬具

ジャネール・カーツ医師

*

ママへの治療介入に関するカーツ医師の報告書

患者：バーナデット・フォックス

私たちは歯科医院で当患者と対面する予定だった。当患者は午前10時に予約を入れていた。ニイアガード医師には前もって当方の計画を知らせ、空いている診察室を確保してもらっていた。エルジン・ブランチの弟ヴァンが当患者の娘ビーを学校へ迎えにいき、追って知らせがあるまで二人は動物園で過ごすことになっていた。

当患者が歯科医院に到着した際に夫の車を見ることになるのは避けたかった。したがって、ブランチ氏と私は氏の家で待ち合わせ、私の車に乗って歯科医院へ行こうと決めた。

フォックス／ブランチ邸：それは旧ストレートゲート女子校で、エリオット湾を見下ろす広大な傾斜した芝地に建っている、壮大だが老朽化したれんが造りの建物だ。家の中はひどく荒れ果て、板でふさがれた部屋もある。暗く湿っぽいし、味が想像できるくらい強烈なかび臭いにおいを放っている。かなりの収入のある一家がこうした劣悪な環境で暮らすことは、自尊心の欠如、自身の経済的・社会的優位性に対して矛盾する感情、現実検討能力の不足を示唆する。

午前9時、私がブランチ宅に到着すると、パトカーを含む車数台が私道に乱雑に駐車してあった。ベルを鳴らすと、ブランチ氏の秘書であるリー＝シーガル氏がドアを開けてくれた。リー＝シーガル氏は、ブランチさんと私も到着したばかりですと説明した。折しも一同は、ＦＢＩ捜査官のマーカス・ストラングから、ネット秘書の「マンジュラ」が先週アメリカン航空のブランチ氏のマイレージをすべて盗んだと知らせを受けている最中だった。

ブランチ氏は、今になってようやくこんな報告を聞かされていることにショックを受けた。ストラング捜査官は、インターネット泥棒なるものは飛行機に飛び乗ることはもちろん、自分たちの基地を離れることはめったにないので、その脅威を深刻に受け止めていなかったと説明した。ところが前の晩、盗まれたマイレージが、モスクワから翌日シアトルに到着する便の片道航空券を購入するために使用されていた。さらに「マンジュラ」は当患者にEメールを数通送りつけ、ブランチ氏とその娘が南極にいるあいだ、当患者が家にひとり残ることを確認していた。

ブランチ氏はショックでくずおれそうになったので、身を支えるための壁を見つけなくてはならなかった。リー＝シーガル氏はブランチ氏の背中をさすり、オーカス島のマドロナ・ヒルに入院すればきっと奥さんは安全ですよ、と言ってブランチ氏を安心させた。私は、そんな保証はない、フォックスさんを強制入院させる前にまずは診断しなくては、と繰り返し言った。

ブランチ氏は自身の怒りと無力感を私にぶつけ始め、専門用語を使って言い逃れしていると責めてきた。リー＝シーガル氏が口をはさみ、ニイアガード医師の予約に遅れてしまいますよ、と注意した。私はストラング捜査官に、「マンジュラ」が逃亡中であることを考えると、治療介入すれば私たちは危険にさらされることになるのではありませんか、と尋ねた。ストラング捜査官は、みんな安全だし、警察の保護体制も万全だと請け負った。すっかり動揺しつつも一同は玄関へ向かった。と、そのとき突然、背後から女性の声が聞こえた。

「エルジー、この人たちは誰？」

バーナデット・フォックスだ。キッチンから入ってきたところだった。

ざっと視覚的に診断したところ、中肉中背で、化粧っ気がなく、青白いが健康的な顔色をした50代前半の魅力的な女性だ。青いレインコートを羽織り、その下には、ジーンズ、でこぼこ感のある白いカシミアセーター、素足にローファーといった服装をしている。長い髪はブラシをかけ、スカーフで後ろに束ねてあるようだ。その風貌には身の回りのことを構わないと示すところはまるでなかった。それどころか、身なりのきちんとしたおしゃれな女性という印象を受けた。
　私はテープレコーダーのスイッチを入れた。以下がその記録だ。

フォックス：ビーがどうかした？　何もなかったわよ。さっき学校で見たばかり――。
ブランチ：いや、ビーは元気だ。
フォックス：だったら、この人たちは誰？
カーツ医師：私は医者のジャネール・カーツと申します。
ブランチ：歯医者にいるはずじゃないのか、バーナデット。
フォックス：どうして知ってるの？
カーツ医師：座りましょうか。
フォックス：どうして？　お宅はどなた？　エルジー――。
ブランチ：ここでしましょうか、先生？
カーツ医師：私としては――。
フォックス：ここで何をするっていうの？　嫌よ。出かけるから。
カーツ医師：バーナデットさん、私たちはあなたのことを心配して、必要な支援を受けていただきたいと思ってここにいるんです。
フォックス：いったいどんな支援です？　どうしておまわりさんが外にいるんですか？　それになんだってブヨが？
カーツ医師：あなたにご自分の置かれた現実を示して差し上げられるように座っていただきたいのですが。

フォックス：エルジー、どうか皆さんに帰ってもらって。なんであろうと、ふたりで話しましょう。本気よ。こんな人たちがここにいるなんておかしいもの。

ブランチ：すべてわかってるんだ、バーナデット。この人たちもだ。

フォックス：ニイアガード先生の件なら……先生が話したんだったら……それになぜかあなたにバレてしまったとしても……10分前に予約をキャンセルしたの。旅行に行くつもりよ。南極に。

ブランチ：バーナデット、お願いだ。うそはつかないでくれ。

フォックス：私の携帯をチェックしてみて。ね？　こっちから電話をかけてるでしょ。ニイアガード先生に。電話してみて。ここに——。

ブランチ：カーツ先生、ぼくたちは——。

カーツ医師：バーナデットさん、あなたがご自分の面倒を見る能力があるか、気がかりなもので。

フォックス：冗談ですか？　ほんとうに理解できないんですけど。マンジュラと何か関係でも？

ブランチ：マンジュラなんていないんだ。

フォックス：なんですって？

ブランチ：ストラング捜査官、すみませんが——。

フォックス：ストラング捜査官ですって？

ストラング捜査官：どうも。ＦＢＩの者です。

ブランチ：ストラング捜査官、せっかくおいでになっているんですから、妻の行動がどんな惨事をもたらしたか、あなたから説明してやっていただけませんか。

ストラング捜査官：いきなり治療介入ってことになっていたとしたら、私の専門外でして。

ブランチ：私はただ——。

ストラング捜査官：もらっている給与等級の範囲を超えていますから。

ブランチ：マンジュラというのはロシアを拠点とする個人情報窃盗団の偽名でね。やつらは、ぼくらの銀行口座情報一切を入手する手段としてマンジュラになりすましていたんだ。おまけに、ビーとぼくが南極に出かけているすきに行動を起こそうとシアトルへ向かっているところなんだよ。そうですよね、ストラング捜査官？

ストラング捜査官：まあ、そんなところです。

フォックス：そんなの信じない。いえそのう、ほんとうは信じるけど、どんな行動？

ブランチ：まったく、知るもんか。ぼくらの銀行口座、証券口座に入っているお金をそっくり下ろし、不動産も処分するってところかな。きみが個人情報やパスワードをすべて教えてしまったからそんなに難しいことじゃないだろ！　マンジュラは法定代理権まで要求してきたそうだ。

フォックス：そんなわけないわよ。この数日間マンジュラから返信をもらってなかったもの。あの人を首にしようとしてたんだから。

ブランチ：それはＦＢＩがＥメールを傍受して、きみになりすまして返事していたからなんだ。わからないのか？

カーツ医師：ええ、いい考えですよ、バーナデットさん、おかけになるのは。皆さんも座りましょう。

フォックス：そこはだめ――。

カーツ医師：うわっ！

フォックス：濡れてるんです。すみません。雨漏りがするもので。まあ、エルジー、私ったら大失敗したのね。マンジュラはすべて手に入れたの？

ブランチ：ありがたいことに、まだ何も。

リー＝シーガル：（ささやき声：聞こえない）

ブランチ：ありがとう。忘れてたよ！　ぼくらのマイレージが換金されてしまったんだ！

フォックス：マイレージですって？　やだ、もううんざり。ごめんなさい。ただショックで。

カーツ医師：さあ、もう皆さん落ち着いてきた……みたいですので。あら、スカートが。

フォックス：カウチも濡れています？　ごめんなさい。屋根の雨抑えがさびてしまって、そこから雨のしずくが垂れてくるので、そんなオレンジ色なんです。レモンジュースと塩で洗えばたいていは落ちますから。お宅はどなたでしたっけ？

カーツ医師：医者のジャネール・カーツです。大丈夫ですよ。バーナデットさん、引き続き現実を示して差し上げたいと思います。ＦＢＩがあなたのメールアカウントにアクセスしましたから、過去に自殺をお考えになったことがあるとわかりまして。さらに自殺を試みようと薬を隠しておかれたんですね。学校で、あるお母さまを車で轢こうともされましたよね。

フォックス：ばかなこと言わないでください。

リー＝シーガル：（大きなため息をつく）

フォックス:ああ、黙って。いったいあんたはここで何してるの？　誰か窓を開けてこのブヨを出してくれません？

ブランチ：この人のことをそんなふうに呼ぶのはやめろ、バーナデット！

フォックス：ごめんなさい。どなたかこの秘書さんをうちのリビングから追い出してくださいませんか。

カーツ医師：リー＝シーガルさん、出ていかれたほうがいいでしょう。

ブランチ：いてもらって構いません。

フォックス：そうなの？　いていいの。どうして？

ブランチ：彼女は友人だから――。

フォックス：どんな友だちよ。私たち夫婦の共通の友だちじゃないから。それはたしかよ。

ブランチ：きみにはもうそんなこと言う資格はないんだ、バーナデット。

フォックス：ちょっと待って。何、それ？

リー＝シーガル：何が？

フォックス：何かジーンズの下から飛び出してるじゃない。

リー＝シーガル：私の？　どこに？

フォックス：下着ね。ジーンズからパンティーが飛び出してるのよ！

リー＝シーガル：あら——どうしてこんなものがここに——。

フォックス：シアトル生まれの秘書さんにはこの家に居場所なんてないから！

カーツ医師：バーナデットさんの言うとおりです。これは家族だけの問題ですよ。

リー＝シーガル：喜んで出ていきます。

ストラング捜査官：私も出ていきましょうか。すぐ外にいますね。

（別れのあいさつと玄関のドアが開いて閉まる音）

フォックス：どうぞ進めてください。カーツ大佐——ごめんなさい、カーツ先生。

カーツ医師：バーナデットさん、あなたがご隣人を攻撃されたせいでその女性の家は倒壊し、子どもたち30人には将来ＰＴＳＤにかかる恐れが生じました。あなたは南極へ行くご意思などなく、それを避けるために親知らずを４本抜こうと計画されました。進んで個人情報を犯罪者に明かし、そのせいで経済的破綻に陥る可能性もありました。もっとも基本的な人との交流さえできずに、日用品を買い、予約を入れ、基本的な家事一切を切り盛りするのにネット秘書を頼っていました。お宅は建設局による収用宣告を受けてしかるべき状態ですが、それは重度の鬱病の徴候ではないかと私は考えます。

フォックス：まだ私に「現実を示し」ていらっしゃるところですか。それともこちらから何か言っても構いません？

男の声：奪いにいけ！

カーツ/ブランチ：（うろたえた叫び声）

（私たちが振り向くと、長いコート姿の男が自分の電話を見つめていた）

ブランチ：どちらさまです？

ドリスコル刑事：ドリスコル刑事です。シアトル警察の。

フォックス：この人はずっとそこにいたわよ。入ってくる途中ですれ違ったから。

ドリスコル刑事：すみません。ちょっと興奮しまして。クレムソン・タイガース〔米公立大学のアメリカンフットボールチーム〕がパスをインターセプトして、タッチダウンしてしまったもので。申し訳ありませんが、私はここにいないことにしておいてください。

カーツ医師：バーナデットさん、エルジンさんはまずあなたへの愛を伝えたいそうです。エルジンさん……。

ブランチ：いったいどうしたんだ、バーナデット？　ぼく以上にきみは流産のことで苦しんでいると思っていたのに。でも実際にずっと気にかけていたのは、くだらない家のことだったのかい？　そりゃ《20マイルハウス》で苦労しただろうけど、ぼくなんかマイクロソフトで毎日10回はそれくらいの苦労を味わっているよ。人はいろんなことを乗り越えていくものなんだ。それが立ち直るってことさ。きみはマッカーサー助成金をもらってから20年たっても、いまだにばかなイギリス人と争ったことを不公平だってしつこく思っているってわけだ。自ら招いた争いだってのに。それがなんて自分勝手で自己憐憫的なのか気づいていないのか？　ほんとに？

カーツ医師：いいでしょう。心の痛手をたくさん負っていると認めることは大切です。でも目の前のことだけをまず考えましょう。エルジンさん、バーナデットさんに愛を伝えたらいかがですか。なんてすばらしい母親かお話しされていましたよね——。

ブランチ：それできみはまたエアストリームに戻り、ぼくにうそをつきまくって、きみの、いやぼくらの生活をインドに外注するってんだな？　それに対してぼくは何も意見できないっていうのか？　ドレーク海峡を渡るときに酔うのが怖いんだよね？　それに対処する方法がひとつある。スコポラミン・パッチってやつさ。そしたら、親知らずを４本抜くように手配してぼくやビーにうそをつくなんてまねはしなくて済むよ。親知らずを抜いたら死ぬほど苦しむこともあるっていうのに。でも、見知らぬ人との世間話を避けるためにだけそうするつもりなんだろ？　ビーがこのことを聞いたらいったいどう思うだろう。それもひとえにきみが「出来損ない」だからだと聞いたら？　妻であることはどうするつもりなんだ？　母親であることは？　なんだって夫に頼らないんだ。どうして20年も会っていない建築家に洗いざらい打ち明ける必要がある？　なんてこった。きみは病んでいるのさ。おかげでぼくまでおかしくなってきたし、きみ自身病んでいるんだ。

カーツ医師：別の愛情表現は抱き締めることですよ。

ブランチ：気がおかしくなってるのさ、バーナデット。宇宙人が降りてきて、きみをレプリカと交換してしまったけど、そのレプリカは、きみをいかれたドラァグクイーン〔女装して華やかなショーを行う男性パフォーマー〕にしたような姿をしているんだ。そうにちがいないと思ったから、ある晩、ぼくは手を伸ばして、眠っているきみのひじに触ってみた。だって、やつらがどんなにうまくレプリカを作ったとしても、先のとがったひじまでは正しく復元できないだろうからね。でも、そこにたしかにあった。先のとがったひじが。ぼくがそうすると目を覚ましたよね。覚えている？

フォックス：ええ、覚えてる。

ブランチ：はっと我に返ると、こう思った。ヤバい、このままではこの女に連れていかれるだろうって。バーナデットは気がおかしくなってしまったけど、ぼくまでこの女のせいで病んでたまるもんかって。ぼくは父親だ。夫だ。250人以上の社員のチームリーダーで、あいつらにもその家族にも頼られているんだ。きみと一緒に崖から飛び込むなんてお断りさ。

フォックス：（泣き声）

ブランチ：で、こんなことを言ったからぼくを憎むかい？　ぼくをばかにしているのはぼくが家族を愛しているからなのか？　仕事を愛しているから？　本が好きだから？　いつからぼくを軽蔑するようになったんだ、バーナデット。正確に何日からかわかるかい？　それとも時給75セントを払っているネット秘書にチェックしてもらわなくちゃいけないのかな。といっても、そいつは実際はロシアのマフィアで、ぼくらのマイレージを全部換金してきみを殺そうとシアトルに向かっているところだけど。くそ、もう黙らないと！

カーツ医師：愛の話はやめて、バーナデットさんの行いがもたらした損害の話に移りましょうか。

ブランチ：ご冗談でしょう？　妻が与えた損害ですって？

フォックス：損害でしたら承知しています。

カーツ医師：それはよかった。次は……次はなんでしたっけ。現実、愛、損害について話し合いましたが……。

ドリスコル刑事：こっちを見ないでくださいよ。

カーツ医師：メモをチェックさせてください。

ドリスコル刑事：今なら尋ねても構いませんかね。このコーヒーはどなたかお飲みになってます？　私のはどこかに置いて……。

カーツ医師：そうそう、支援の保証についてですよ！

ブランチ：もちろんきみを支援するよ。きみはぼくの妻だし、ビーの母親だからね。この支援のために払えるくらいの金は残っていて、ぼくらはみんな運が良かったよ。

フォックス：ごめんなさい、エルジー。どうやって償ったらいいかわからないけど。あなたの言うとおり、私には助けが必要ね。なんでもするから。南極で過ごすことから始めましょう。3人だけで、コンピューターも仕事もない――。

ブランチ：マイクロソフトのせいにしないでくれないか。

フォックス：私たち3人がいいって言ってるだけよ。家族水入らずで、なんにも邪魔されずに。

ブランチ：きみとは南極へ行かないよ。できるだけ早くきみのことには見切りをつけたいんだ。

フォックス：旅行は取りやめになったの？

ブランチ：ビーにそんな仕打ちをするわけにはいかないさ。あの子はこの1年間ずっと南極に関する本をいろいろ読んでレポートまで書いているんだから。

フォックス：よくわからないんだけど、だったら……。

カーツ医師：バーナデットさん、これから数週間、私たちと力を合わせてみてはいかがでしょうか。

フォックス：旅行についてこられるつもりですか。それはとっても妙ですね。

カーツ医師：いえ。ご自分がお元気になることに集中されないといけません、バーナデットさん。

フォックス：どうしてあなたが関わってくるのかまだわからないんですけど。

カーツ医師：私はマドロナ・ヒルの精神科医です。

フォックス：マドロナ・ヒルですって？　あの精神病院ですか？　なんてこと！　私を精神病院へ追い払おうとしているの、エルジー！　まさかよね！

ドリスコル刑事：なんてこった、そうなんですか？

ブランチ：バーナデット。きみには助けが必要なんだ。

フォックス：それでビーを南極へ連れていって、私をマドロナ・ヒルに閉じ込めるつもり？　そんなことできるもんですか！

カーツ医師：自主的に入ってもらいたいんです。

フォックス：ああ、なんてこと。だからヴァンがここにいるのね。私が精神病院に閉じ込められるあいだに、ユキヒョウや回転木馬でビーの気をそらそうってこと？

ブランチ：どんなに自分の具合が悪いか、まだまったくわかっていないんだね。

フォックス：エルジー、私を見て。今はたしかに苦境に立たされてるけど、抜け出せるから。私たちが一緒ならこの状況から抜け出せるはずよ。私たちのために。ビーのために。でも、この侵入者たちと力を合わせるつもりなんてないから。申し訳ないけど、ここに来てから用を足したかったの。それともお医者さんの許可が必要かしら？

カーツ医師：どうぞ――。

フォックス：あらっ、やっぱりあなたね！　この人よ！　エルジー！

ブランチ：なんだい？

フォックス：あの夜、レストランで、男につけられてるって話したでしょ。この人よ！　私のあとをつけていましたよね？

ドリスコル刑事：あなたにはバレてはいけないはずでしたが。そうです。

フォックス：そもそも私の気がおかしいことになってるのが問題なんでしょ。でもこの人にほんとうにつけられていたとわかって、とてもほっとした。だって、気が触れたわけじゃないって少なくとも自分では今わかったから。

（トイレのドアが閉まる。長い沈黙）

カーツ医師：治療介入は私の得意とするところではないってたしかにお話ししましたよね。

ブランチ：バーナデットはやっぱり尾行されていたんだ。ほんとうにニイアガード先生にキャンセルの電話をかけていたとしたら？　せめて確かめるべきではありませんか？

カーツ医師：すでにお話ししましたように、疑いは治療介入にとって当然の、いえむしろ必要な要素です。いいですか。奥さまは自ら進んで助けを得ようとしてはいません。ですから、どん底に落ちなくて済むようにして差し上げたいと思います。

ブランチ：その状況にすでにあるんじゃないんですか？　どん底に？

カーツ医師：どん底は死です。これを実行すれば、バーナデットさんのために底を上げることになります。

ブランチ：でも、ビーのためにはなりませんよね？

カーツ医師：母親が支援を受けようとしているんですよ。

ブランチ：くそっ。

カーツ医師：どうしたんです？

ブランチ：妻のスーツケースですよ。数日前の夜は、私とビーのスーツケースにだけ荷物が詰めてありました。これはバーナデットのもので、今ではいっぱい詰まっています。

ドリスコル刑事：何をおっしゃってるんです？

ブランチ：カーツ先生、つまり妻が旅行に出かけるつもりだったってことですよ！　おそらくネットに依存しすぎて詐欺に巻き込まれたんでしょう。個人情報を盗まれるってことはしょっちゅうありますから。だからといって精神病院に送り込まれたりは――。

カーツ医師：ブランチさん――。

（トイレのドアをノックする音）

ブランチ：バーナデット。ごめんよ。話し合おうじゃないか。

（ドアをノックする音）

ドリスコル刑事：応援を求めなくては。

カーツ医師：ブランチさん――。

ブランチ：離してください。バーナデット！　どうして答えてくれないんだろう。刑事さん――。

ドリスコル刑事：ええ、ここにいます。

ブランチ：妻が薬を飲んでいたり、窓を割って手首を切っていたりしたらどうすればいいんでしょう……バーナデット！

（玄関のドアが開く）

ストラング捜査官：どうかしましたか？

ドリスコル刑事：フォックスさんが何分もトイレに入っていまして、応答がないんです。

ストラング捜査官：下がって。フォックスさん！

（長時間にわたるドアをキックする音）

ドリスコル刑事：ここにはいませんね。水が流れっぱなしですけど。
ブランチ：いなくなったんですか？
カーツ医師：窓はありますか――。
ストラング捜査官：窓は閉まっています。（窓が開く）庭はかなり下に傾斜していますね。下まで距離がありますから、飛び降りていたらけがをされていたはずですが。出っ張りもありませんね。私は玄関にいましたし。（無線の雑音）ケヴィン、何か見たか？
無線からの声：誰も出入りしていません。
ブランチ：妻が消えたはずはありませんよ。刑事さんはトイレのドアの前に立っていたんですよね？
ドリスコル刑事：スーツケースを見るのに一瞬離れましたけど。
ストラング捜査官：なんだと。
ドリスコル刑事：ブランチさんが実におもしろそうにお話しされていたものですから。
カーツ医師：バーナデットさんがほかに通ったとしたら、このドアくらいしか……。これはどこに通じています？
ブランチ：地下です。開けたことはありません。ブラックベリーがはびこっていますから。刑事さん、手を貸していただけますか？

（ドアが床にすれる音）

カーツ医師：うわっ、なんてにおいでしょう。
ドリスコル刑事：グオー。
ストラング捜査官：フォックスさんがそこに下りなかったのは明らかで――。

（モーター音が始まる）

カーツ医師：なんの音です？

ブランチ：草刈り機ですよ。妻が地下へ下りたとしたら――。
カーツ医師：それは無理って――。

（大きなモーター音）

カーツ医師：ブランチさん！

ブランチ氏は地下までたどり着かないうちに、ブラックベリーのイバラに落ちてしまった。出てきたときには、血だらけで服はぼろぼろになっていた。左のまぶたは裂け、眼球もひどく傷ついていた。そこでバージニア・メイソン・メディカルセンターの眼科に救急車で搬送された。

警察犬チームが敷地を捜索したところ、バーナデット・フォックスの影も形もなかった。

5

危機は過ぎ去った

1月14日（金）

*

パパから

ビーへ

ウェッブ先生から電話があって、お嬢さんの作ったキリンのマグカップには釉薬をかけてあるので、いつでも取りに来てもらって構いませんよ、と言われた。ゲイラーストリートに立ち寄ってみると、1年生の先生から、クラスの子たちがおまえのために作ったこのさよならポスターをもらってね。とてもカラフルだからおまえは寮部屋の壁に貼りたいだろうなと思ったんだ（でもマグカップは、郵便で送ったら割れるかもしれないという口実で、パパが使うように取ってある！）。ゲイラーストリートのみんな、就学前クラスの子たちからグウェン・グッドイヤー校長まで、おまえによろしくとのことだ。

シアトルはおまえが去ったときのままだ。3日間晴れていたけど、今はまた雨が降っている。まだママからは何の連絡もない。携帯電話やクレジットカードの会社と密に連絡を取っている。何か動きがあればすぐに知らせてくれるだろう。

いいかい、ビー。こんなことになったのはおまえとは無関係だからね。パパとママとの大人同士の問題なんだ。複雑な問題で、パパもすべての出来事を理解しているのか自信がない。一番大事なのは、パパからもママからもとても愛されているとおまえが知っておくことだ。

来週、会議があるのでワシントンへ行くことになっている。チョートまで車で迎えにいくから、ニューヨークで長い週末を楽しく過ごせるよ。エロイーズ〔同名の絵本に出てくる、プラザ・ホテルの最上階に住んでいる女の子〕みたいにプラザに泊まってもいい。

おまえがいなくてとても寂しい。いつも電話に出られるようにしておくし、スカイプをやりたいな。おまえの気持ちが変わることがあればだけど。

愛をこめて

パパ

*

スーリンからのファックス

オードリーへ

アリゾナで元気に過ごしているといいけど（それともユタだった？　ニューメキシコ？　ウォレンから聞いたのは、あなたが携帯電話もメールも通じない砂漠のモーテルにいるってことだけよ。もー！）。

この１ヵ月間のニュースがどれくらいそちらに届いたかわからないので、最初から話してあげる。

わたしよりずっと前にあなたが予想していたとおり、《サマンサ２》をきっかけにエルジーとわたしの絆は強まったの。わたしに限っては、その絆は彼の才能を称賛する気持ちとして始まり、虐待を伴う結婚について彼から打ち明けられたときにずっと大きなものへと発展した。

８年生はシェイクスピアを読んでいて、リンカーンにはモノローグの暗記が宿題に出されたんだけど（カイルに話してみて。もうゲイラーストリートの生徒じゃなくてよかったと思うから！）、『オセロ』のセリフを割り当てられたの。ムーア人のオセロが、自分とデズデモーナが分かち合うあらぬ愛について弁明するシーンのセリフよ。つまりはわたしとエルジーのことね。

> 彼女は、わたしがくぐり抜けてきた危険ゆえに、わたしを愛してくれ、わたしは、そうして哀れんでくれたゆえに、彼女を愛しました。

シェイクスピアっていつもうまいこと言うと思わない？

バーナデットは自宅での薬物介入中に姿を消してしまったの。みんなにとって最大の気がかりは、ロシアのマフィアが家に侵入してきてバーナデットを誘拐したのではないかということだった。でも、まもなくロシア人たちは、ドゥブロヴニクで飛行機を乗り換えているところを逮捕されたと判明して。だからＦＢＩも警察もバーナデットと同じくらい早く消えてしまったのよ！

結局、エルジーとビーは南極へは行かなかった。エルジーは角膜剥離の治療を受けなければならず、まぶたも縫う羽目になったし。72時間後には失踪届を出したけど、今もまだバーナデットの行方はわからないままよ。

わたしが思うに、バーナデットはストレートゲートの女子生徒の幽霊に飲み込まれたのよ。あの学校が単なる「不良少女のための学校」ではなかったって知ってた？　なんと妊娠した少女を監禁する場所で、違法な中絶が地下で行われていたんだそうよ。よくそんなところでバーナデットは女の子の赤ちゃんを育てることにしたわよね。

脱線してごめんね。

エルジーは前もって不測の事態に備えていて、今月、ビーを寄宿学校へ送り込んだの。バーナデットが消えたら、ビーは行きたがらないだろうと彼は思い込んでいたけど。でも、ビーはどうしても行きたいと言った。

　わたしはうちに越してきたらとエルジーを誘ったけど、彼はまだホテル暮らしのほうがいいと言うから、その気持ちを尊重しているの。ラッキーなことに、うちにはエルジーたちが飼っていたあの間抜けな大型犬がいるけど、あの犬ったらバーナデットを求めてすすり泣き、すべてのものに体液をぽたぽた垂らしながら日夜走り回っているんだから。

　クイーン・アンでもっと大きな家を探したらどうだい、ぼくが買ってあげるから、とエルジーは言ってくれた。それからリンカーンはレイクサイド校に合格したの（あら、もう話した？　わたしたちはレイクサイドに受け入れられたのよ！）。これからの４年間はレイクサイドがわたしたちの生活の中心になるから、そもそもどうしてクイーン・アンにとどまらなくちゃいけないのって思った。なぜマディソン・パークではだめなんだろうって。そのほうがもっとレイクサイドに近いし、マイクロソフトにも近いのに。エルジーは、工事を必要としない家である限り構わないよ、と言った。

　ワシントン湖のほとりにとびきり美しい家を見つけたの。かつてカート・コバーン〔シアトルを拠点に活動していたロックミュージシャン〕とコートニー・ラブ〔サンフランシスコ生まれのロックミュージシャン・女優〕が住んでいたすてきなクラフツマン住宅よ。リンカーンの株が学校で急上昇したのはたしかね！

　マイクロソフトを辞めて神さまに感謝している。別の大きな組織変更がありそうだし。ええ、すぐに！　もちろん《サマンサ２》は保護されているけど、マイクロソフトは今では楽しく過ごせる場所とは言えないもの。一連のうわさのせいで生産性が停滞しているから。

　この手紙を読み返してみたけど、あなたの居場所を考えたら、ひどく不謹慎じゃないかって心配よ。とにかくどこにいるの？　カイルは元気？　あなたがわたしの幸せを喜んでいてくれますように。

愛をこめて
スーリン

1月15日（土）

＊

オードリー・グリフィンからのファックス

スーリンへ

新しく幸せを見つけたそうで、おめでとう。あなたはすばらしい人だから、新生活によってもたらされた喜びに値するもの。その幸せが続きますように。

わたしのほうはユタ州で安らぎを見つけたの。カイルはここの自然更生施設に入ってるのよ。麻薬常習者であるうえに、ＡＤＨＤ（注意欠陥多動性障害）かつ境界性パーソナリティ障害と診断されたから。

厳しいけどすばらしい集中訓練プログラムに出会えたの。ユタを選んだのは、子どもを誘拐するのが法律で基本的に許されてる唯一の州だからで、つまりこの施設は自然プログラムを専門としてるの。初日に、カイルと子どもたちは目隠しした状態で32キロも離れた砂漠の真ん中に車で連れてかれ、寝袋、食べ物、歯ブラシ、テントももらえずに降ろされ、１週間後に戻って来ると言われた。

カメラがあってみんなに観られてるリアリティーテレビ番組なんかじゃないのよ。とんでもない。この子たちは生き残るために協力せざるをえないの。カイルのように麻薬の禁断症状を克服しようと努めてた子がほとんどだから。

もちろんわたしは怖かった。カイルは自分で何もできないんだもの。わたしたちが夜に女子会をやってたときよくかかってきた電話を覚えてるでしょ。「ママ、リモコンの電池が切れちゃった」みたいな。それで、わたしは電池を買いに店へ行くために早く帰ったじゃない。そんなあの子がなんだって砂漠で７日間も生き残れるっていうの。さらにひどいことに、わたしはほかのママを見回してこう思った。うちの息子はあんたたちの子どものうち誰かを殺すわよって。

１週間後、子どもたちは集合させられ更生施設に連れ戻された。カイルは生きて帰ってきた。体重が５キロ近くも減って、ひどい悪臭を放ち、ほんの少しおとなしくなってたけど。

ウォレンはシアトルに戻っていったのにわたしは戻れなかった。それでウェスティンホテルがタージマハルのように思えてくるモーテルにチェックインしたの。自動販売機は金属格子で覆われてるし、シーツはあまりにちくちくするから、160キロも運転して最寄りのウォールマートまで綿のシーツを買いにいった。

アラノン・ミーティングに通い始めたの。薬物乱用の問題を抱える子どものいる親を対象としてるのよ。それで自分の人生が手に負えなくなってしまったと認められるようになってきた。いつも教会に通ってたけど、このプログラムはこれまで経験したことがないくらいすごく霊的よ。この話はこれくらいにしておくね。

正直言って、シアトルに戻るのが怖くて。グウェン・グッドイヤー校長は寛大にも、春休みが終わればカイルをゲイラーストリートに戻してあげよう、同級生と卒業できるようにひと夏かけて単位を取り返せるようにしようと言ってくれた。でも、わたし自身戻りたいのか今のところわからない。あの愚かなクリスマスの詩を書いたのと同じ女じゃないから。と同時に自分が何者かわからなくて。神さまがきっと導いてくれると信じてるけど。

バーナデットについてとてもショックなうわさがあるけど、ひょっこり戻ってくると思う。あの人はいつも奥の手を用意してるでしょ。

愛をこめて

オードリー

1月16日（日）

Ｆｒｏｍ：スーリン

Ｔｏ：オードリー・グリフィン

オードリー！　わたしはものすごく恐ろしい悪夢の真っただ中にいるの!!　ＶＡＶの仲間にメールを送ったほうがいいと思うけど、アドレスがぜんぶ載っているわたしのノートバソコンは故障したから送れないし、あなたのＥメールアドレスしか暗記していなくて。わたしは今、南アメリカのインターネットカフェにいるけど、ここのキーポードはとても汚くてぺとぺとしていて最悪だし、「パ行」は「バ行」に、「バ行」は「パ行」になるわ、読点は一度押すと戻らなくなるわで、すぐにパックスペースを押さないとメール全体が読点だらけになってしまう！　「パ行」と「バ行」を直したいところだけど、分単位で料金を請求されるし、クレジットカードは使えないうえに、20ベソスしか持っていないの。タイマーがセットされていて、このおんぽろコンピューターは２分後に止まるはずだし。抜け出したことはエルジーに知られたくないから、お金がなくならないうちにできるだけたくさん話さなくちゃ。

彼女が見つかったの!!!　パーナデットが見つかったのよ!!!!　昨日、南極クルーズの会社から1,300ドルがエルジーのピザカードに請求されてね。エルジーは旅行会社に電話し、確かめたところ、パーナデットはひとりで南極に行ったそうよ!!!　彼女のピザカードは記録されていて、、、、それで旅行が終わりに近づいているので、、カードには臨時費が請求され、そこでエルジーは知らせを受けたってわけ。その船は南極から戻ってきて、今まさにドレーク海峡に向かっているところで、なんと24時間後にはアルゼンチンのウシュアイアに到着すると旅行会社から言われた。エルジーが電話をくれたので、わたしはチケットを２枚買ってここへ来たの。

オードリー、、、わたしは妊娠したの!!!!　そう、エルジーの子どもを身ごもっているのよ。もう40歳で高齢妊娠になるから、あなたにもほかの人にも話すつもりなんかなかった。エルジーはもちろん知っているし、それが仕事を辞めたほんとうの理由なの。新たなストレスがかからないようにするためってわけ。それはエルジーが家を買おうとしているほんとうの理由でもあるのよ。わたしの望みどおりおとぎぱなしみたいに彼といつまでも幸せに暮らすためでなく（ハハハ）、新しいペイピーのためなの!!!　パーナデットが戻ってきて事情を知ったら、わたしはどうなるんだろう？　マイクロソフトを辞めるべきじゃなかった！　ぱかね！　泡のようにはかないファンタジーの世界に住んでいたのよ。愚かにもエルジーとわたしと子どもたちがいつまでも幸せに暮らすと信じていたなんて。何をして稼げぱいいんだろう。パーナデットに憎まれているし。あの女に言われた失礼なことを聞かせてあげたかった。あの女が怖い。魔女だもの。わたしはすっかりバニックになってる。それにエルジーにはここで必要とされていないし。わたしもウシュアイアに行こうとしているとエルジーが知ったとき、、、、彼ったら死にそうだった。わたしがじぶんのためにもチケットを買おうとしていると気づかなかったみたい。じぶんのペイピーを身ごもっている女をこぱんでどうするつもりだったんだろう？　ハハ、まさか。わたしはウシュアイアにいて、今ここでこの最悪なキーポードでメールを書いているんだから!!!!!!　明日パーナデットが船を降りるときにはなんとしても絶対エルジーの横に立っていなくちゃ。わたしが妊娠してるってあの人が言わないなら、ほんとうにわたしから言ってや

1月18日（火）

＊

ブルース・ジェサップから

拝啓　ブランチ殿

　オフィスにお電話してみましたが、貴殿は海外にいるとの音声案内が流れてしまいます。そこで誠に残念ですが、早急にお知らせしたく、こうしてお手紙を書かせていただきました。ビーさんの指導教師や寮母と協議した結果、私どもは全員一致で、お嬢さんには現在の学年を修了するのを待たずにただちにチョート・ローズマリーを退学するようお勧めいたします。

　ご存じのように、ビーさんがいきなり到着されて私どもはみんな大喜びしました。そしてお嬢さんのために居心地のいい寮のひとつである〈ホームステッド〉に部屋を見つけました。ルームメイトは優等生名簿に載っているニューヨーク出身の学生、サラ・ワイアットです。

　ところが最初の週から、ビーさんは寄宿学校の環境にうまくなじんでいないという報告を受けました。教師たちによると、教室の後ろに座り、ノートも取らなかったそうです。ほかの学生たちと食堂で食べる代わりに寮部屋に食べ物を持ち帰るのを私も見ました。

それからビーさんのルームメイトは部屋を替えてほしいと頼んできました。お嬢さんが〈ああ、聖なる夜〉を歌っているジョシュ・グローバンのYouTubeばかり観て勉強時間を過ごしていると訴えたのです。心を開いてくれる取っかかりになるものと期待して、私は牧師をお嬢さんの部屋へ送り込みました。牧師は、お嬢さんが説教には無関心なことがわかったと言いました。

昨日の朝、ビーさんがキャンパスを横切っているのを見かけたとき、元気な足取りをしているのに気づきました。それを見てほっと胸をなで下ろしていると、サラがすっかり取り乱して私の執務室に飛び込んできて、こう話してくれました。数日前に学生交流センターで郵便を受け取ろうとすると、一緒にいたビーの郵便受けには差出人住所のない厚い茶封筒が入っていて、それにはシアトルの消印が押してあったんです、と。そして、こんな筆跡は見たことがないとビーさんは話していて、その中身は書類の束だったそうです。

ビーさんはぴょんぴょん飛び跳ねながら興奮して書類を読んでいたようで、サラが何の書類か尋ねても、答えてもらえなかったそうです。寮へ戻ると、お嬢さんはYouTubeを観ずに、この書類をもとにして「本」を書くつもりだとサラに言いました。

昨日の午後になって、ビーさんの留守中に、サラはこの「本」をこっそりのぞいたそうです。それでその中身、特に〈極秘〉と記されたＦＢＩの書類にひどく動揺したので、私のもとにまっすぐ駆け込んできたのです。

サラの説明によると、ビーさんは封筒の中身に関連した物語を書いていました。次のようなものが入っていたそうです。奥様の調査を含むＦＢＩの書類、貴殿と秘書とのＥメールのやり取り、ある女性と庭師が取り交わした手書きメモ、同女性の救急治療室の請求書、ゲイラーストリート校の資金調達係から送られた悲惨なブランチ会に関するお知らせ、奥様の建築家としての経歴に関する記事、貴殿と精神科医との手紙のやり取り。

私が気がかりなのはビーさんのことです。ご存じかもしれませんが、ジョン・F・ケネディはチョートに通っていました。彼が本校に在籍しているあいだ、当時の校長は卒業式の祝辞を述べ、その中で不朽の言葉を述べました。「チョートが何をしてくれるかではなく、チョートのために何ができるかを問おう」と。

たとえ難しくても、私がチョートのためにできることがここにあります。学生が、ビーさんのような優秀な学生でさえ、家族と一緒にいるべき人生の時期に寄宿学校に来てしまったときはそう察することができるのです。貴殿も同意され、すみやかにウォリングフォードへお越しいただき、お嬢さんを連れ帰ってくださるよう期待しております。

敬具

ブルース・ジェサップ

1月19日（水）

*

スーリンからのファックス

オードリーへ

警告：この前はエイリアンに脳を乗っ取られていたの！　妊娠するのはずいぶん久しぶりだから、ホルモンのせいでどんなにばかげたことをしてしまうものなのかすっかり忘れていた。夜中にアルゼンチンのネットカフェに走っていって、故郷の友人に狂気じみた恥ずかしいメールを送りつけるみたいなことよ。

もう脳を取り戻したので、もっと分別のあるバーナデット武勇伝の最新版をお届けしようと努めてみるから。でも断っておくけど、前回の（支離滅裂な）メールで語った出来事がスリル満点に思えたとしても、この48時間で起きたことに比べたらなんでもないわよ。

夜中に到着してから、目が覚めると、エルジーとわたしはウシュアイアの寂しくてじめじめした小さな町にいたの。そこは夏だったけど、わたしの見たことがある夏とはまるでちがった。濃い霧が絶えず立ち込めていて、空気はオリンピック半島の雨林より湿っていた。バーナデットの船が着くまで時間をつぶさなくてはいけなかったから、見物するところがあるか、ホテルのフロントの紳士に尋ねた。すると、一番有名な観光名所は刑務所だとの答えが返ってきた。そう、刑務所があそこの人たちにとってはおもしろいことみたい。しばらく前に閉鎖されて今では画廊になっているそうよ。ありがたいけど、遠慮しておいた。そこでエルジーとわたしは、バーナデットの船を出迎えようと埠頭にまっすぐ歩いていった。

その途中でアイスランドポピーやルピナスやジギタリスを見かけたので、故郷を思い出した。写真を撮ったから、ご希望とあらば送ってあげる。

埠頭は魚臭く、とびきり不格好な釣り船や粗野な作業員でいっぱいだった。シアトルでは、クルーズ船は漁船から離れたところに止めるけど、アルゼンチンではそうじゃないの！

エルジーとわたしは「入国管理事務所」で待った。四方の薄っぺらい壁にはマイケル・ジャクソンの額入り写真が飾られ、電源を入れてもいないＸ線機器が１台置いてあった。あとは箱型の古めかしい公衆電話が３台。いろいろな国から来た大勢の船員たちが家に電話しようと並んで待っていて、まるでバベルの塔みたいだったの。

それまでの数週間のあいだにエルジーがどんな心境でいたかについて話すなら、バーナデットがふらっと玄関のドアから現れるだろうと信じる気持ちと、ひどいことが起きたのではと心配な思いとのあいだを揺れ動いていた。バーナデットがみんなにとても心配をかけておきながら南極に慌てて逃げていたと知ったとたん、彼はなんていうか怒り狂っていた。正直なところ、わたしはそんなのちょっと妙だと思い、こう言った。

「ガンになったからといって誰かに怒らないでしょ。彼女は明らかに病気よ」

「ガンとはちがう。バーナデットは自分勝手で弱いんだ。現実に立ち向かう代わりに逃げる。ロサンゼルスから逃げた。エアストリームへ逃げた。どんな自分の責任からも逃げた。今回の現実に直面したとき何をしたっていうんだ。まさに逃げたじゃないか。おかげで今、ぼくは目がくそ不自由になっちまった」

オードリー、彼は目が不自由になってなんかいない。うちの父親は目が不自由だったから、大げさにそんなこと言うのは我慢できない。エルジーは角膜が治るまで左の眼鏡レンズにテープを貼る必要があるだけだし、しかもすぐに治るはずなのに。

H＆H社〈アレグラ号〉はついに入港した。シアトルで見たことのあるクルーズ船より小さいけど、ペンキ塗り立ての極上の船だった。港の作業員たちがタラップをかけると、乗客は列をなして出てきて、入国審査を通過していった。エルジーは、バーナデット・フォックスに会うために来たと告げた。乗客がぞろぞろ通っていったけど、バーナデットはいなかった。

かわいそうに、エルジーは主人が帰って来るのをドアのところで待ってクンクン鳴いている犬みたいだった。「いた」と言うと、「いや、ちがう。ああ、あっちにいた」と言い、すっかり悲しそうに「やっぱりちがう」と言う。乗客はぽつりぽつりとしか出てこなくなってしまったのに、まだわたしたちは待っていた。

まったく乗客が現れなくなって心配な時間が長く続いた末に、船長と航海士数人が真剣に話しながら、ぎゅっとひとかたまりになってこちらに歩いてきた。

「いなかった」。エルジーはつぶやいた。

「なに？」とわたし。

「からかいやがって！」

「なんて？」。わたしがそう言うと、船長一行は入国管理小屋に入ってきた。

「ブランチさん」。船長はひどいドイツ語なまりで言った。「問題があるようです。奥さんが見つかりません」

冗談じゃないのよ、オードリー。バーナデットはまたやらかしたの！どこか途中で船から消えてしまった。

船長がすごくうろたえていたのは明らかで、その件をすでにクルーズ会社の社長に報告していたらしく、徹底的に調査すると約束した。それからまさに信じがたい状況になったの。落とされたばかりのこのばかでかい爆弾に耐えながらわたしたちがそこに立っていると、船長は丁寧にあいさつし、去ろうとした。「次の乗客が到着する予定です。船の用意をしなければいけないもので」

そこに、日に焼けて白茶けたブロンドのベリーショートヘアをしたドイツ人女性の事務長《パーサー》が、おどおどした笑みを浮かべてバーナデットのパスポートを渡してきた。たいしたものではないとわかっていますが、これしかお返しできませんとでも言わんばかりに。

「ちょっと待ってください」。エルジーは叫んだ。「こんなことになったのは誰のせいなんです？　責任者はどなたですか？」

結局、誰にも責任はないということがわかった。バーナデットは船に乗るとき、アルゼンチンを出国したので（パスポートにちゃんと出国のスタンプが押されてあった）、アルゼンチンの問題ではなかった。でも南極大陸は国ではないし、政府を持たないので、バーナデットはアルゼンチンを去ったときに公的にはどこにも入国していなかったことになる。

「船内を探しても構いませんか？」。エルジーは訴えた。「それがだめならせめて妻のいた部屋だけでもどうでしょう？」。でもアルゼンチンの役人は、わたしたちが正式な書類を持っていないので乗船できないと言い張った。それから船長は、口をぽかんと開けて突っ立っているわたしたちを残したまま、風雨にさらされた埠頭へとぼとぼ戻っていった。

エルジーは「ほかの乗客だ」と言うと、通りに駆けていった。でも、最後のバスはすでに出ていた。それからエルジーは船のほうに大慌てで駆け戻ったけど、あまり進まないうちに柱にぶつかり、地面に倒れてしまった（左の眼鏡レンズにテープが貼ってあるせいで、距離感がつかめなかったの）。そのころまでに、アルゼンチンの税関役人は銃を手にしてエルジーを見下ろすように立っていた。わたしが叫んだので、船長も振り向くくらいの騒ぎになった。しかも、泥だらけの埠頭で倒れているエルジーが銃を向けられながら「妻が、妻が」と言ってうめき、わたしがぴょんぴょん飛び跳ねている光景を見たら、ドイツ人でさえ哀れんでくれたみたい。それで船長は戻ってきて、船内を捜索させるから待つようにわたしたちに言った。

わたしとしては、バーナデットが南極で大海を渡ったとしたら、南極のものになってもらって構わなかった。ええ、聞き間違いじゃないのよ。前からあの女を好きじゃなかったけど、あの女のだんなの赤ん坊を妊娠したから、なおさら好きじゃなかった。自分にそんな卑怯で利己的なところがあると認められるのは、それだけわたしがエルジーを愛しているからよ。でも彼が奥さんを見つけたいのなら、わたしも見つけてあげたいと思った。そこで、わたしは完全に秘書モードに入った。

それで短い折り返しの準備中に家に電話したがっている十数人の船員の後ろに並んだの。わたしの番になると、奇跡的にもＦＢＩのストラング捜査官と連絡がついた。ストラング捜査官が友人である引退した海事法弁護士に電話をつないでくれると、エルジーとわたしは受話器を一緒に耳に当てながら弁護士と話し、どんな窮地に陥っているか説明した。すると、弁護士は自分のパソコンからネット検索をしてくれた。

わたしたちが黙っていたので、待っている船員たちは次第にイライラし出した。ついに弁護士は電話に戻ってきて、Ｈ＆Ｈ社〈アレグラ号〉はリベリアで「便宜置籍船」として登録されていると説明してくれたの（わざわざ地図帳で調べなくていいようにしてあげる。リベリアは戦争で荒れた西アフリカにある貧しい国よ）。そんなわけで、それは慰めにも助けにもならなかった。弁護士は、ハームセン＆ヒース社からまったく協力を得られないものと覚悟しておくように言った。かつてこの弁護士はクルーズ船から行方不明になった人たちの家族の代理人をしていた時期があり（そんなものだけで商売として成り立つなんて意外よね）、乗客リストひとつ得るにも数年の歳月と政府の文書提出命令が必要だったそうよ。それから弁護士は、国際水域で犯罪が起こったら、ふつうは被害者側の政府が管轄権を有するものだと説明してくれた。ところが、南極大陸は南極条約というものに基づいて管理されているから、国際水域とみなされない地球上の唯一の場所らしくて。弁護士に言わせると、わたしたちは法律の落とし穴に落ちてしまったみたい。そこで弁護士は、リベリア政府かアメリカ政府に助けを求めるように勧め、まずは「ロングアーム法」が適用されると判事に納得させなければならないと言った。でもスカッシュに遅れるらしく、それがどんな法律かまでは説明してくれなかった。

ストラング捜査官はまだ電話口にいて、あなた方は「まったくついていない」みたいなことを言った。エルジーやとりわけバーナデットに迷惑をかけられたことにうんざりしていたのね。なぜかわたしのことも好きじゃなかったみたい。

時は刻々と過ぎていった。わたしたちとバーナデットをつなぐものは船そのものしかなく、その船は１時間後に出航する予定だったの。バスの一団が新しい客を乗せて戻ってきた。みんなはバスから降り、スナップ写真を撮ろうとうろうろしていた。

ありがたいことに船長は約束を守り、戻ってきてくれた。それで船は密航者がいないかチェックする二酸化炭素検知機能のついた光線銃を使ってくまなく捜索されたけど、乗組員以外は誰も乗船していないとわかったの。エルジーは、自ら探せるようにバーナデットが訪れた場所にわたしたち（わたしたちよ！）を連れていってくれる別の船に心当たりがないか船長に尋ねた。でも、砕氷機能を備えた船はすべて数年先まで予約されていて、バーナデットを見つけるために向かう手立てが皆無なことに加えて、南極の夏は終わろうとしていたし、氷はふさがりつつあった。だから次の便の〈アレグラ号〉でさえ、前の便ほど南極の奥まで入れないだろうとの答えが返ってきた。

ほんとうに何も手の打ちようがなかったの。信じて。

「待って！　ヴァルテン・ジー！〔ドイツ語で「待って」の意〕」。そう声をかけてきたのはさっきのパーサーで、メモ帳を振りながら、短いスカートにくるぶし丈のカウボーイ・ブーツ姿でこっちへ走ってきたの。「これが机の上にありました」。でも何も書かれていなかった。「ペンの跡がついていますよ」

エルジーは眼鏡を外し、メモをじっくり見て言った。「でこぼこしている――。法医学の専門家に送ってみます。ありがとう！　ありがとうございます！」。そのメモ帳は今、そうした類《たぐい》のものを検査するデラウェアの研究所に委ねられている。ただし莫大な費用がかかると付け加えておくけど。

最善の結果を期待するようにと言われている。でもどうやって期待できるっていうの。最善の結果はバーナデットが南極の氷山に置き去りにされたことだってときに。シアトルから消えるのと、避難できる場所なんかない地球一気温の低い地で消えるのとはまったく別の話よ。

今朝、わたしたちはショックから立ち直れないままシアトルへ戻った。エルジーが留守番電話をチェックすると、チョートの校長から電話がたくさん入っていた。ビーに何かあったみたい。エルジーは何があったか話してくれず、今ごろはビーに会うために東へ向かう飛行機の中にいるところよ。わたしにはちょっと唐突に思えるけど。

わたしはと言えば、目の前のことに集中しようとしているの。妊娠と新しい家のための家具のことに。寝室がたくさんあって、各部屋にはフルバス〔浴槽、シャワー、洗面台、便器のついた浴室〕までついているのよ！　無事に妊娠中期に入るまで待ってから、生まれてくる赤ちゃんのことをアレクサンドラとリンカーンに打ち明けるつもり。ビーも、妊娠やウシュアイアへの旅行についてまだ何も知らないけど。エルジーは船長の報告を待ってからビーにじっくり説明したがっている。科学志向のビーには、目の前に事実を突きつけてあげたほうがいいと思っているみたい。

とにかく、これがすごい話になるだろうと言ったとおりでしょ。ああ、あなたがいなくて寂しい、オードリー。すぐに帰ってきて！

スーリン

1月20日（木）

＊

オードリー・グリフィンからのファックス

スーリンへ
ウシュアイアから送ってきたあのメールなら心配しないで。それよりずっと悪い状況にわたしはいたんだから！　信じられる？　ウェスティンに滞在中のある夜、治安を乱したことでほんとうに逮捕されたのよ！　告訴は取り下げられたけど。感情的になって見境をなくしたことにかけては、わたしの勝ちよ。わたしには妊娠ホルモンというもっともな弁解の余地さえなかったんだから。おめでとう！　あなたとエルジーと赤ちゃんのために祈ってる。
バーナデットのことはとても気がかり。南極大陸で凍死したなんてこれっぽっちも信じられない。船長から報告を受けたらすぐに知らせてちょうだい。心配でならないの。
愛をこめて
オードリー

1月25日（火）

＊

スーリンからのファックス

オードリーへ

あなたに送った最後のあの手紙を取っておいて、額に入れてね。あれはわたしがほんとうの幸せを手にしていられた束の間の遺物だから。

エルジーがビーに会うために東へ向かったと話したでしょ。彼ったら、結局、ビーをチョートから退学させたらしいの。ビーを連れてシアトルに戻ってきたばかりよ。

ビーがいつもかわいくておとなしい女の子だったことを覚えてる？　でも、あの子は、すっかり憎しみに駆られていて、ほんとうに変わってしまった。エルジーはあの子と一緒にいるためにゲートアベニューの家へ戻っていったけど、ビーに同じ屋根の下で眠るのを拒まれている。あの子が眠りたい唯一の場所はバーナデットのエアストリームなんだから。聖ベルナデットの！

エルジーは罪の意識にひどくさいなまれているから、ビーが望むことならなんでもすると思う。ゲイラーストリートに戻らないって？　いいよ！　週１度夕食を一緒に取るためにスーリンの家に足を踏み入れたくないって？　わかった！　そんな感じ。

この騒ぎの元が何かまるでわからないでしょ。ビーが書いた実に驚くべき「本」よ。あの子は誰にも見せようとしないけど、エルジーが話してくれるわずかなことから判断すると、その本は、あなたとわたしのメールのやり取り、ＦＢＩの報告書、あなたとブラックベリー業者が交わした手書きメモに基づいて書かれたみたい。ビーがそんなものをどうやって手に入れたかわからない。名指しするわけじゃないけど、アクセスできた人はカイルくらいね（昔のカイルよ）。次のセラピー・セッション中にカイルを問い詰めてみて。わたしとしてはぜひ答えを知りたいの。このファックスも敵の手に落ちるのではないかとびくびくしているんだから。

エルジーは、秋になったらビーにもレイクサイドに通ってもらいたいと思っている。わたしが言えるのは、あのエアストリームを新しい家へ移すわけにはいかないから、ビーは自分の気持ちに整理をつけたほうがいいってことだけ。想像できる？　わたしたちがマディソン・パークの田舎者になるなんて！　「わたしたち」だって！　エルジーが家族として一緒に住みたがっているわけじゃあるまいし。

あなたはきっと、わたしがものすごくわがままになっていると思っているだろうけど、わたしの人生もめちゃくちゃにされてしまったんだもの！　仕事を辞めたし、40歳になったというのに、すったもんだの生活を送っている男との子どもを身ごもっていて、おまけにつわりだってひどいんだから。受けつけられるのはフレンチトーストだけよ。すでに５キロも体重が増えちゃったのに、まだ中期にさえ入っていないし。それに赤ちゃんのことはさておき、バーナデットが死んだと気づいたら、ビーはどうすることやら。

船長の報告書と一緒にクルーズ会社からの手紙と科学鑑定の結果を添付してあげる。それと、約束したウシュアイアのポピーの美しい写真も。ＶＡＶミーティングに遅刻しちゃう。今のわたしにはほんとうに必要なものなの。

愛をこめて

スーリン

＊

〈ハームセン＆ヒース冒険旅行〉の社長、イライジャ・ハームセンから

拝啓　ブランチ殿

まずは、バーナデット様が突然失踪されたことに対して、貴殿とビー様に心よりお見舞い申し上げます。あれほど非凡な女性を失ってどれほど衝撃を受けていらっしゃるかお察しいたします。

ハームセン＆ヒース社は、1903年にわが曽祖父によって創設されて以来、お客様の安全を常に最優先にしてきました。実際、１世紀以上にわたり、当社は非の打ちどころがない記録を誇ってきたのです。

お約束どおり、ユルゲン・アルトドルフ船長がまとめた報告書を同封させていただきます。これは主に奥様の磁気IDカードによって生じた電子署名に基づいたものです。日々の下船、ギフトショップでの購入記録、船内ラウンジの請求書といった奥様の船上生活の様子を忠実かつ詳細に物語っています。さらにアルトドルフ船長がハームセン＆ヒース社の規約に従って徹底的なインタビューを行いました。

最後に奥様の行動が記録されたのは１月５日です。朝のエクスカーションに出かけ、無事に船へ戻り、バーでかなりの料金を払っていらっしゃいます。その時点で、Ｈ＆Ｈ社〈アレグラ号〉はゲルラッシュ海峡を通過しました。それから24時間ものあいだ海洋はいつになく荒れ狂っていたということは注目すべきです。予定の下船を２回キャンセルせざるをえませんでした。十分用心して、悪天候中は甲板へ出ないようお客様に警告する船内アナウンスを数回流しました。

天候やシャクルトン・ラウンジで請求された料金から、最後に目撃された日の奥様の状況をより良くご理解いただけるでしょう。実際には何が起きたか誰も知りえませんが、必然的に引き出される結論があります。

熟慮するのも不愉快でしょうけど、事実をお知りになることは、このつらい悲嘆期には貴殿とお嬢様にとってささやかな慰めとなるかもしれません。

よろしくお願いいたします。そして心からお見舞い申し上げます。

イライジャ・ハームセン

＊

船長の報告書

これはハームセン＆ヒース社〈アレグラ号〉のユルゲン・ゲプハルト・アルトドルフ船長によって提出された報告書である。本報告書は、12月26日に始まったアルゼンチン・ウシュアイアから南極半島への航海中に使用された乗客IDカード#998322-01の電子署名から得られる詳報に基づくものであるとともに、乗客名簿#998322-01、ワシントン州シアトル在住の米国市民バーナデット・フォックスの存在確認に関するものである。

12月26日 16:33　客はＨＨアレグラに乗船。322号室に割り当て。12月26日 18:08　客は写真付きIDカードを受け取る。12月26日 18:30　客は避難訓練に出席の印。12月26日 20:05　ギフトショップで衣服と化粧品に対し433. 09米ドルが請求される。

12月27日 海上にて　06:00　客は船医から乗り物酔いの薬を受け取る。12月27日　客は、追って通知があるまでは、清掃あるいはターンダウン・サービス〔客がすぐベッドに入れるように毛布をめくっておくサービス〕のために部屋に入らないよう客室係に告げる。客室係は、船の廊下及びその周辺で客と何度も接触したのを覚えている。清掃あるいはターンダウン・サービスはどうするかとの質問に対し、客は一切のサービスを拒否。航海中ずっと清掃サービスなしとの記録。

12月30日 10:00　客はホエーラーズ湾のデセプション島で下船。12月30日 12:30　乗船。12月30日 13:47　客はネプチューンズ・ベロウで下船と記録。12月30日 19:41　乗船。

12月31日 08:00　客はウェッデル海の南緯70. 6度、西経52. 4度で下船。12月31日 13:23　客は最後に乗船。

1月1日 10:10　客はデビル島で下船。16:31　客は再乗船。１月１日 23:30　客はシャクルトン・ラウンジでピンクペンギン２杯、ダイニングルームでカベルネワインのボトル１本のためにサイン。

1月2日 08:44　客はダンコ海岸で下船。１月２日 18:33　再乗船。１月２日 23:10　ダイニングルームでカベルネワインのボトル１本、ラウンジでピンクペンギン２杯のためにサイン。

1月3日 08:10　客はデタイユ島で下船。１月３日 16:00　客は乗船。１月３日 19:36　客はラウンジでピンクペンギン５杯のためにサイン。

1月4日 08:05　客はピーターマン島で下船。１月４日 11:39　乗船。１

月4日 13:44　客はダイニングルームでカベルネワインのボトル1本のためにサイン。14:30　客はポート・ロックロイで下船。18:30　再乗船。1月4日 23:30　客はシャクルトン・ラウンジでピンクペンギン4杯、ウイスキーサワー4杯のためにサイン。

1月5日 08:12　客はネコ・ハーバーで下船。1月5日 16:22　客はカードに乗船と記録。1月5日 18:00　客はシャクルトン・ラウンジでワインボトル2本のためにサイン。

1月6日 05:30　船は海況により停泊不可。1月6日 08:33　海が荒れているとのアナウンス。コンチネンタルの食事サービスのみ。1月6日 18:00　シャクルトン・ラウンジが閉鎖されるとのアナウンス。

1月15日 17:00　事前に部屋付け代金の集計。請求書は客の部屋のドアに置かれる。

1月16日 16:30　客は最終の下船説明に欠席との記録。1月16日 19:00　客はバーやギフトショップの請求書及び乗組員へのチップに対して未払い。1月16日 19:00　客は度重なる呼び出しに応答なし。1月16日 19:30　客は船室に入るようにとの度重なる試みに応答なし。1月16日 19:32　パーサーが船室に入る。客は不在。1月16日 22:00　船内の徹底的な捜索の結果、客の居場所は不明。

1月17日 07:00　ほかの客たちが私とパーサーによって尋問を受ける。関連情報は得られない。客たちは解放される。1月17日 10:00　二酸化炭素のサーモ・スキャンによって行方不明の人間は検知されない。

** 写真記録に関しては、クルーズ・カメラマンのアーカイブには客の写真はなし。船のビデオグラファーが撮った客のビデオもなし。
*** 322号室の捜索によって、メモ帳が発見。指示どおりに米国の専門家へ提出。

＊

法医学文書鑑定専門家、トーニャ・ウッズによる報告書

拝啓　ブランチ殿

ＥＳＤＡ（静電検出装置）を用いて、ハームセン＆ヒース社〈アレグラ号〉という文字が印刷されたメモ帳上に残っている２ページ目の筆圧痕を解析しました。３種類の異なる深さのでこぼこした筆圧痕により、全部で３ページ書かれた手紙である可能性が高いと考えられます。それには「愛をこめて、ママ」と署名されています。このことから、それは母親から子どもに書かれた手紙だということが明らかです。もっとも頻繁に繰り返される言葉は「オードリー・グリフィン」で、少なくとも６回は書かれたようです。手紙全体をつなぎ合わせることはできませんが、次のフレーズが含まれているとある程度は確信しています。
「オードリー・グリフィンは悪魔」
「オードリー・グリフィンは天使」
「ロミオ、ロミオ」
「わたしはクリスチャン」
「オードリーは知っている」
さらにお手伝いできることがありましたら、どうぞご連絡ください。

敬具
トーニャ・ウッズ

＊

オードリー・グリフィンから夫へのファックス

ウォレン
すぐに家に帰って、留守番電話や郵便やメールにわたし宛てのものが入ってないかチェックしてもらいたいの。バーナデット・フォックスから何か連絡が来るのではと切に期待してるから。
そう、バーナデット・フォックスよ。
ここしばらく、クリスマス前のあの日々にいったい何が起こったおかげで、わたしが素直になったか知りたがってたわよね。わたしは家族セラピーで週末を過ごすたびに勇気を出して打ち明けようとしてた。でも、神さまは今あなたに話してもらいたいとお決めになった。
クリスマスまでのあの日々は悪夢だった。わたしはバーナデット・フォックスに怒り狂ってた。カイルが軽蔑すべき人間であることにも、スーリンがエルジン・ブランチに味方することにも、あなたがお酒を飲むことや、スーリンの家に一緒に引っ越したがらないことにも腹が立ってた。どんなにたくさんジンジャーブレッド・ハウスを作ったところで、怒りは増すばかりだった。
それからある晩、わたしはスーリンの職場を訪れたの。女の人が入ってきて、エルジン・ブランチに面会を求めた。精神病院のマドロナ・ヒルのIDバッジに気づいたわたしは、控えめに言えば、興味をそそられたの。その人が何者かについてスーリンにうそをつかれると、さらに気になった。

その晩遅く、家に帰ってきたスーリンが寝てるすきに、わたしは彼女のバッグをあさった。するとＦＢＩの機密ファイルを見つけたの。

ファイルの中身は驚くべきものだった。バーナデットが知らないうちになりすまし犯罪の活動本部に自分の資産情報を提供してしまってたので、ＦＢＩはおとり捜査を実行しようとしてた。もっとショックだったのは、ファイルの後ろに貼ってある数枚の付箋よ。それはエルジンとスーリンがやり取りした手書きのメモで、バーナデットが自分にも他人にも害を及ぼしてるために、エルジンがマドロナ・ヒルの人間と会おうとしてることを示してた。どんな根拠からエルジンがそう思ったのかって？　バーナデットがわたしの足を轢いて、わが家をめちゃくちゃにしたことよ。

わが不《ふ》倶《ぐ》戴天《たいてん》の敵が精神病院に追い払われようとしてる?!　めでたいことのはずだった。ところが、わたしは全身を震わせて廊下の長椅子に座ってた。何もかも崩れ去っていったけど、真実だけが残った。バーナデットはわたしの足を轢かなかったという真実が。わたしがすべてでっち上げたの。土砂崩れはどうかですって？　バーナデットはわたしがお願いしたとおりにブラックベリーを除去しただけよ。

まる１時間が過ぎたはず。わたしは身動きしなかった。ただ息をし、床を見つめてた。カメラが向けられてたらよかったのに。女が真実に目覚める姿のようなものが映ってたはずだから。どんな真実かですって？　わたしのうそと大げさな物言いのせいで、ひとりの母親が精神病院に入れられようとしてたってことよ。

わたしはひざまずき言った。「神さま、教えてください。どうすればいいか教えてください」

すると穏やかなものに包まれたの。それからの１ヵ月わたしを守ってくれることになった穏やかなものに。そこで24時間営業の《セーフウェイ》まで歩き、例のファイルに入ってたすべての書類と付箋メモをコピーし、誰も起きてこないうちにファイルをスーリンのバッグに戻した。

その書類のすべては真実だったけど、真実の一部にすぎなかった。わたしは自分の持ってる書類を使ってその物語を完成させようと決心したの。翌朝、自宅に戻って家中を引っかき回し、土砂崩れやわたしの「けが」に関するありとあらゆるメールやメモを見つけると、一日中、ＦＢＩファイルからコピーしたバーナデットのメールと一緒に時系列に整理して過ごした。きちんと物語を完成させれば、バーナデットを解放してあげられるだろうとわかってたから。

でも何から解放するっていうの？　エルジンと精神科医とのあの会合で何が起こったっていうんだろう？　何か計画でもあるんだろうか？

午後４時にスーリンの家へ戻った。リンカーンとアレクサンドラは水泳教室に行って留守だった。もちろんカイルは地下室でビデオゲームをやりながらゾンビのように気力を失ってた。わたしはテレビの前に歩み出て言ったの。「カイル、スーリンのメールを読む必要があるとすれば、どうしたらいい？」。カイルはぶうぶう言いながら２階へ上がり、シーツやタオルがしまってあるクローゼットまで行った。埃っぽいタワー型コンピューター、巨大なキーボード、箱型のモニターが床に転がってる。カイルはゲストルームのベッドでそれをすべてセットアップすると、モデムを電話線の差し込み口に接続した。

すると、Windowsの旧バージョンが読み込まれた。青緑色の画面をした妙に懐かしいやつよ！　カイルはわたしのほうを向いて言った。「おばさんに知ってもらいたくないんだよね？」「そうね、そのほうがいいと思う」。わたしがそう答えると、カイルはマイクロソフトのホームページへ進み、他人のコンピューターをネット経由で乗っ取るプログラムをダウンロードした。そして、そのタワー型コンピュータに入っているスーリンのメールソフトに送られた彼女のパスワードとIDを入手したの。その情報を使って、ピリオドで区切られてるたくさんの番号を入力すると、数分もしないうちに、スーリンがマイクロソフト社内のノートパソコンで見えるものが目の前の画面に現れた。「おばさんはコンピューターから離れてるみたいだね」。カイルは指の関節をポキポキ鳴らしながら言った。さらに少し何やら入力した。「署名には、今夜はもう退社したって書いてあるよ。たぶん時間はあるんじゃないかな」

あの子を抱き締めるべきか引っぱたくべきかわからなかった。代わりにお金を渡すと、外でリンカーンとアレクサンドラを待ち、ピザでも食べに連れてってあげてと言った。カイルが階段を下りかけたところで、わたしはもっとすごいことを思いつき、「カイル」と叫んだ。「スーリンが秘書だってことは知ってるでしょ？　乗っ取るのに必要な情報をすでに手に入れてると思う？　ほら、スーリンのボスのコンピューターとかを」「それってビーのパパのこと？」「そうよ」「おばさんがビーのパパの受信トレイにアクセスできるかどうかによるんだ。調べてあげるよ」

ウォレン、冗談じゃないのよ。なんとわたしは５分以内にエルジン・ブランチのコンピューターの画面を見てたの。カイルはエルジンのカレンダーをチェックした。「ちょうど今、おじさんは弟と夕食を取ってるところだから、少なくとも１時間はネットから離れてるんじゃないかな」

わたしは猛烈な勢いで、エルジンがスーリン、弟、あの精神科医とやり取りしたメールや手紙を読んだ。そして翌朝に治療介入計画が予定されてることに気づいた。そうした文書のコピーも新たにまとめた広範な物語に加えたかったけど、プリンターがなかった。そこでみんなが寝静まってから（もっともスーリンは、その夜は帰れないと電話してきた）、カイルはHotmailのアカウントを２つ開設すると、「スクリーンショット」なるものを撮って、その画像を一方のHotmailのアカウントからもう一方のアカウントへ送信する方法か何かを教えてくれた。わたしにわかってるのは、うまくいったということだけ。それで《セーフウェイ》のコンピューターからその画像をプリントアウトしたの。

治療介入がニイアガード医師の歯科医院で起ころうとしてた。ＦＢＩの調査を妨害したくはないけど、わたしのうそのせいでバーナデットを精神病院行きにさせるわけにはいかない。そこで翌朝９時にわたしは歯科医院へと車で向かった。でも途中で直感が働き、ストレートゲートに立ち寄った。

私道にはスーリンのスバルのほかにパトカーも１台止まってた。わたしが横道に車を止めたちょうどそのとき、見慣れた車が猛スピードで通り過ぎたの。運転してたのはサングラスをかけたバーナデットだった。わたしは、用意したファイルを彼女に届けなくちゃと思った。でもどうやって警察の目を逃れたらいいんだろう？

そうだ！　フェンスに穴があるじゃない！

横道を走り、フェンスをくぐり抜け、むき出しの丘を這うようにして登った（ちなみに信じられないことだけど、ブラックベリーはまた生え始めていた。あの作業は全部無駄だったの！）。

ぐちゃぐちゃした泥の中を必死で進むと、バーナデットの家のカナメモチの低木にたどり着いた。枝をつかみ、芝地の上に登った。家の向こう側にはこちらに背を向けた警官がひとりいた。わたしは芝地を這うように進み、家のほうへ忍び寄った。何か考えがあったわけではないのよ。ただ自分自身と、ズボンの腰のところにしまった茶封筒と、神さまが存在しただけ。

奇襲部隊のように家の裏を通る大きな階段を這って上り、裏の柱廊式ポーチへと出た。みんなリビングに集まってる。何を話してるか聞こえなかったけど、治療介入の最中であることはみんなの身振りから明らかだった。それから誰かがリビングの向こう側を横切った。バーナデットだ。わたしは階段を駆け下りた。すると、3、4メートルほど上の小さな横窓に明かりがついた（側庭は険しい下り坂になってるので、家の裏から見ると、1階は数階の高さに相当する）。わたしは身をかがめながらそっちのほうに駆け寄ったの。

それから何かにつまずいた。びっくりしたけど、それは梯子で、神さま自らそこに置いてくださったかのように側庭に転がってる。その時点からわたしは無敵だと感じた。神さまが守ってくださってるのがわかったの。梯子を持ち上げ、家に立てかけた。そしてためらうことなく梯子を登り、窓をたたいた。

「バーナデット」。わたしはささやいた。「バーナデット」

窓が開き、バーナデットのぎょっとした顔が現れた。「オードリーなの？」

「来て」

「でも――」。バーナデットはわたしと一緒に行くか、精神病院に入れられるか、どちらが自分にとって毒なのか判断しかねていた。

「早く！」。わたしが梯子を降りると、バーナデットは後からついてきたけど、その前に忘れずに窓を閉めた。

「うちへ行きましょう」。わたしがそう言うと、またバーナデットはためらった。

「どうしてこんなことまでしてくれるんです？」

「だって、わたしはクリスチャンだからよ」

無線がガボガボ音をたてた。「ケヴィン、何か見たか？」

バーナデットとわたしは梯子を引きずりながら芝地を横切って逃げ出した。

ぬかるんだ丘を滑り降り、わが家の裏庭へ入った。床を張り替えてた男たちは、わたしたち泥人間がよろよろとドアから入ってくるのを見て面食らってた。わたしは男たちを家に帰した。

　そしてバーナデットに完成した書類一式を渡したの。それにはカイルがネットで見つけてくれた記事も入ってた。バーナデットの建築キャリアについて最近掲載された記事よ。「マッカーサー助成金を取ったって教えてくれたらよかったのに。あなたがそんなにすごい天才だと知ってたら、わたしだってそこまでブヨにならずに済んだかも」

　わたしはバーナデットをテーブルに残し、シャワーを浴びてから、お茶を持っていってあげた。バーナデットは額にしわを寄せて無表情で読んでたけど、一度だけ口を開いてこう言った。「きっとしちゃったでしょうね」

「なんのこと？」。わたしはきいた。

「マンジュラに代理権を与えてしまっただろうなと思って」。彼女は最後のページをめくると、深く息をついた。

「着替えたいなら、リビングにゲイラーストリートのグッズが入った箱がまだあるわよ」。わたしは言った。

「それだけわたしはおかしくなってるってことでしょうね」。バーナデットは泥だらけのセーターを脱いだ。その下にはフィッシング・ベストを着ていて、それをポンとたたいた。網目のポケット越しに財布、携帯電話、鍵、パスポートが見える。

「なんでもできるわ」。彼女はほほ笑みながら言った。

「そうね」

「ビーにこれを必ず渡していただきたいの」。バーナデットは書類を封筒にそっと戻した。「重荷になるだろうけど、でもあの子なら耐えられるはずだから。うそばかりついてあの子をだめにするよりも、真実を知らせてだめにしたほうがましだもの」

「ビーはだめになんかならないって」

「ひとつ質問させてちょうだい。うちの人はあの女とやってます？　秘書よ。あなたの友だちの。なんて名前だったかしら？」

「スーリン？」
「そう。スーリン。あの女とエルジーは——」
「答えにくいけど」
バーナデットを見たのはそれが最後だったの。
わたしはスーリンの家へ戻り、カイルがイーグルズ・ネスト更正施設に入れるよう手配した。
それからビーが寄宿学校にいることがわかったの。グウェン・グッドイヤー校長にそのことを確かめ、差出人は書かずにチョートにいるビーに宛てて書類の入った封筒を送った。
結局、バーナデットは南極大陸へ行ったけど、大陸のどこかで消えたことをたった今知ったのよ。今は調査中で、どうやら連中はバーナデットが酔っ払って海に落ちたとみんなに信じてもらいたがってるみたい。わたしはそんなことちっとも信じない。だけど、彼女がわたしを通じてビーに何か伝えようとしてたかもしれないと心配で。ウォレン、こんなことなかなか理解してもらえないってわかってる。でも家に帰って、バーナデットから何か連絡が来てないかもう一度確認してちょうだい。
愛をこめて
オードリー

＊

ウォレン・グリフィンからのファックス

愛する妻へ
きみのことをものすごく誇りに思っている。今、ぼくは家にいる。バーナデットから連絡はない。ごめん。今週末、会えるのが待ち遠しい。

愛をこめて
ウォレン

1月28日（金）

＊

スーリンからのファックス

オードリーへ

VAVでTORCHされたの。「WYPし、それを声に出して読む」まで戻ってきてはいけないと言われてしまって（WYPは「Write Your Part（あなたの役割を書く）」の略で、「ワイプ」ではなく「ウィープ」と発音するの。「ワイプ」だと汚物に関係するように聞こえちゃうから〔「wipe（ワイプ）」は「拭く」の意〕）。WYPとは虐待における自分の役割を認めつつ人物調査票を書くことよ。いつの間にか自分が被害者である状態に陥ってしまっているとしたら、自らをTORCHしなければいけないの。この3時間はWYPして過ごした。興味があればぜひ読んで。

＊

スーリン・リー＝シーガルによるWYP

わたしがエルジーの秘書として前途多難なスタートを切ってから、わたしたちの職場での関係は深まった。エルジーは無茶な要求をし、わたしはそれを実現させた。エルジーがわたしの妙技に驚嘆しているのがわかった。それはまもなくわたしが生涯で最良の仕事をし、エルジーがわたしを称賛するという上昇しつつあるデュエットになった。わたしたちが恋に落ちていると実感できた。

(タイムアウト、リアリティチェック：わたしだけが恋に落ちていたのだ。エルジーはちがった)

　エルジーがランチに誘ってくれ、奥さんについて打ち明けてきた日、すべてが変わった。同僚、特に異性の同僚に自分の配偶者の悪口を言うものではないと彼がわかっていなかったとしても、わたしにはたしかにわかっていた。だから関わらないようにした。でも、わたしたちには同じ学校に通う子どもがいたので、仕事と私生活との境界線はすでにあいまいになっていた。

(タイムアウト、リアリティチェック：エルジーが奥さんの悪口を言い始めた瞬間、わたしは丁重に会話を終わらせることもできたはずだ)

　それからバーナデットはハッカー団に巻き込まれてしまった。エルジーはあの女に激怒し、わたしに打ち明けてきたので、それをわたしは彼が愛してくれているさらなる証拠だと解釈した。ある晩、エルジーがオフィスで眠ろうとしていると、わたしは彼のためにベルビュー〔シアトルの隣町〕のハイアットホテルに部屋を取ってやり、車で送ってあげた。駐車係の前で車を止めた。

「きみはどうするつもり？」。エルジーはきいた。

「お休みになられる準備をお手伝いするために部屋までついていこうかと思いまして」

「ほんとうにいいの？」。彼は、今晩ついにわたしたちのこれまでのピリピリした性的緊張に基づいて行動するものと認めつつ言った。

(タイムアウト、リアリティチェック：完全に勘違いしていたばかりか、精神的に傷つきやすくなっている男性の弱みにつけこもうとしていた)

わたしたちは上りのエレベーターに乗って彼の部屋へ行った。わたしはベッドに座った。エルジーは靴を脱ぎ捨て、上から下まで服を着たまま掛け布団の下に潜り込んだ。
「電気を消してもらえないかい」。彼は言った。
わたしは枕元のランプを消した。部屋は真っ暗になった。欲望のまま突き進んでいたわたしは、息をするのがやっとという状態でただそこに座っていた。それから慎重に足を振り上げてベッドに乗せた。
「帰るの？」と彼。
「いいえ」とわたし。
数分がたった。エルジーがベッドのどこにいるか、わたしはまだ見当がついた。彼の頭、掛け布団の上に置かれた両腕、あごの真下で握り合わせた両手が目に浮かんだ。さらに時間が過ぎた。わたしが先に行動を起こすのを彼は明らかに待っていた。
（タイムアウト、リアリティチェック：おやまあ！）
わたしは彼の両手があると想像したほうに手を突き出した。するとわたしの指は、湿って軟らかい、それでいて鋭い何かにはまった。
「グゥワー――」とエルジー。
口の中にわたしの指が突っ込まれたものだから、彼は反射的にその指をかんだのだ。
「まあ、ごめんなさい！」
「こっちこそすまない。どこにきみの――」
彼は、暗闇の中でわたしの手はどこかと手探りした。見つけて自分の胸に置くと、もう一方の手を重ねた。進歩してる！　わたしはできるだけそっと息をし、彼からの合図を待った。さらに長い時間がたった。わたしは彼の手の甲に対して親指を押しつけてくねくね動かし、哀れにもなんとかしてその気にさせようとしたけど、彼の手はじっとしたままだった。

「何を考えてるんですか」。わたしはついに言った。
「ほんとうに知りたい？」
　すっかり興奮していたわたしは、「ええ、話したいと思っていらっしゃったらですが」と子猫のようなとっておきの茶目っ気をこめて答えた。
「ＦＢＩファイルの中でも一番つらかったのは、バーナデットがポール・ジェリネックに書いた例の手紙なんだ。あのときに戻って、きみのことを知りたいとバーナデットに言えたらいいんだが。そうしていたら、ぼくは今ごろこんなところで寝てはいないだろうに」
　真っ暗なのはありがたかった。さもなければ部屋がぐるぐる回り始めていただろう。わたしは起きて車で家に帰った。誤ってかどうかはともかく、520ブリッジ〔エバーグリーンポイント浮き橋の通称〕から落ちなかったのはラッキーだった。
　翌日、わたしは出勤した。エルジーは社外で精神科医と一緒に妻の治療介入の予行練習をする予定だった。それに後で彼の弟がハワイからやって来ることになっていた。わたしは、花束がドアのところに現れて空中で揺れ動き、続いてエルジーがすまなそうな顔をして入ってきて、愛の告白をしてくれるかもという陳腐な空想に取りつかれながらも、仕事をしていた。
　いつしか午後４時になっていて、わたしはふと気づいた。エルジーがちっとも出勤してこない！　おまけに明日は治療介入があって、その翌日にエルジーは南極に出かける予定になっている。だから数週間も彼に会えないんだ！　それなのに電話も何もなかった。
　わたしはエルジーが旅に持っていけるようにタブレット型コンピューターを設定してあげていた。そこで家に帰る途中で、エルジーの弟のヴァンが滞在していて、彼自身のためにもその日から部屋を２泊予約してあげていたホテルにそれを持っていった。

（タイムアウト、リアリティチェック：ほかの人に持っていってもらうこともできたのに、彼に会いたくてたまらなかった）

フロントにタブレットを預けようとしていると、「やあ、スーリン！」と呼ぶ声が聞こえた。

エルジーだ。彼がわたしの名前を口にするのを聞いただけで、わたしはうっとりし、期待でいっぱいになった。彼とその弟が一緒に夕食を取ろうと誘ってくれた。断れるわけがない。あの夕食ですべてがひっくり返った。それは、ヴァンが注文し続けたストレートのテキーラを次々と飲んだせいでもあった。子どものころの思い出話をするふたりと一緒にかつてないほど大笑いした。エルジーと目が合うと、少し見つめ合ってから視線を下ろした。夕食を終えると、わたしたちはふらっとロビーへ出た。

モリッシーという名の歌手がホテルに滞在していたので、同性愛者の若い熱狂的なファンたちがその歌手をひと目見ようと集まっていた。モリッシーのポスター、レコード、チョコレートの箱を抱えている。愛が辺りに漂っているではないか！

エルジーとわたしは長椅子に座ったけど、ヴァンは寝ようと上の階へ戻っていった。ヴァンを乗せたエレベーターのドアが閉まると、エルジーは言った。「ヴァンってそんなに悪いやつじゃないだろ」

「とっても楽しい方ですね」

「バーナデットは、あいつが金をせがみ続けるどうしようもないダメ人間だって思ってるんだ」

「それもごもっともですけど」。わたしがそう言うと、エルジーは楽しそうに笑った。それから、わたしはエルジーにタブレットを渡した。「これをお渡しするのを忘れるわけにはいきません。スライドショーをごらんになるまでは起動しないように、ジオにプログラミングしてもらいました」

スライドショーは始まった。マイクロソフトで働いてきた年月のあいだに撮られたエルジーの写真を集めたものだ。階段式講堂で作品を発表しているもの。《サマンサ１号》と一緒に映っているスナップ写真。ポール・アレンの大牧場で役員ピクニックが行われたときにマット・ハッセルベック〔シアトル・シーホークスの選手〕とフットボールを投げ合っているもの。〈技術功労賞〉を受けているもの。それに３歳のビーをひざに座らせている写真もあった。ビーは退院したばかりで、ワンピースの上のほうから絆創膏《ばんそうこう》がのぞいている。脚に添え木を当てたビーを託児所で撮った写真も１枚あった。あの子は幼いころの大半をベッドで寝て過ごしていたので、股関節がちゃんと回転しなかったのだ。エルジーが首に金鎖付きの大きな時計をかけてラッパーの身ぶりをまねているかの有名なイー・ドゥーグの写真もあった。

「毎日それを見てくださるのがわたしには大事なことなんです」。わたしは言った。「別の家族をマイクロソフトに持っていると知っていただくことが。家族と同じではないってわかってます。でも、わたしたちもあなたを愛してるんです」

（タイムアウト、リアリティチェック：これらの写真数枚からバーナデットを切り離した。机に向かっているわたしの写真も入れておいたし、顔が輝いているように見せるためにその写真をフォトショップで修正した）

「泣かないぞ」。エルジーは言った。

「泣いても構いませんよ」

「そりゃ構わないだろうけど、泣くもんか」。わたしたちはほほ笑みながら見つめ合った。彼は笑い声を上げ、わたしも笑った。将来は輝かしく、わたしたちの目の前に広がっていた。

（タイムアウト、リアリティチェック：ふたりとも酔っ払っていただけ）

　それから雪が降り始めた。

　フォーシーズンズホテルの壁は、薄いスレートがフランスのペストリーみたいに積み重なって作られているので、そのへりにエルジーのパーカーは引っかかって穴が開き、中の羽根が飛び出して、周りで渦巻いていた。モリッシーのファンたちは芝居じみたしぐさで腕を振り回し、「あられと雪が降る中、ぼくは……」といったふうにモリッシーの歌を歌い出した。それを聴くと、わたしはお気に入りの映画『ムーランルージュ』を思い出した。

「上に行こうか」。エルジーはわたしの手を取った。エレベーターが閉まったとたん、わたしたちはキスした。ひと息つくと、わたしは言った。

「どんな感じかなって思ってたの」

セックスは決まり悪かった。エルジーは明らかにそれをさっさと済ませたかったようで、終わると熟睡した。翌朝、わたしたちは床を見ながら急いで着替えた。エルジーはヴァンに車を貸していたので、わたしは彼を家まで送ってあげた。その際にバーナデットが自分の治療介入中に入ってくることになったのだ。

バーナデットはまだいなくなったままだし、わたしは妊娠している。あのホテルでの惨めな夜が彼と関係を持った最初で最後だった。エルジーはわたしと赤ん坊の面倒を見ると約束してくれた。でも、一緒に住もうとはしたがらない。しばらくは、エルジーに時間をあげることくらいしかできないだろう。彼は大統領の伝記が好きよね？　わたしは息子を大統領にちなんでリンカーンと名づけていた。彼はマイクロソフトが好きよね？　わたしもマイクロソフトが大好き。だから、わたしたちはとても相性がいいはずだ。

（タイムアウト、リアリティチェック：エルジーの知性と洗練さがわたしには根本的に欠けているので、彼は決して愛してくれないだろう。これから生まれてくるこの子よりもビーを常に愛すると思う。しかも、この新しい家を与えてわたしを追い払おうとしているので、わたしはたしかにそれを受け入れるべきだ）

2月2日（水）

＊

スーリンからのファックス

オードリーへ

VAVに行って自分のWYPをみんなの前で読むとTORCHされた。またよ！　フランケンシュタインのせいで、怒り狂った群衆が哀れな苦しんでいる怪物に襲いかかったことがあるけど、あれ以来の出来事だと思う。

WYPはものすごく率直に書けたと思った。でも自己憐憫にあふれているとみんなから言われたの。

自分を弁護する過程で、わたしは妊娠しているからエルジーのせいで再び被害に遭いつつあると説明した。それは間違いだった。VAVでは再び被害に遭うといったことはありえない。もし再び被害に遭ったとしたら、自らがそれを許しているからであって、したがって自分自身という新しい虐待者がいるので、厳密には再び被害を受けていないことになる。でもわたしの赤ちゃんがエルジーによって被害を受けつつあるから、被害者は新しくても加害者は同じではないかとわたしは指摘した。でも赤ちゃんをひどい目に遭わせているのはこのわたしだとみんなは実際に言った。それを信じそうになったけど、そのとき、赤ちゃんはエルジーのものだから、わたしがひどい目に遭わせているのは実は赤ちゃんではなくエルジーだと指摘した人もいた。

「これって、なんてでたらめな支援グループなの？」。わたしはぶち切れた。「この場の被害者は誰か教えてあげましょう。わたしよ。それで虐待者はあなたたち、教会の地下に住むサディストよ！」。そして外へ飛び出し、アイスクリームを買って、車の中で泣いた。

あれは一番の見物だった。

家に帰ると、今夜はエルジーが夕食に来ることになっている夜だと気づいたの。彼はすでにやって来ていて、リンカーンとアレクサンドラの宿題を見てくれていた。わたしが前もってラザニアを作っていたから、子どもたちはそれをオーブンに入れて、テーブルに食器やフォークを並べておいてくれた。

こんなふうに家族そろって夕食を取ることについては、エルジーは初めのうち抵抗していたけど、今ではほんとうに楽しんでいるみたい。ねえ聞いて。バーナデットは料理しないでデリバリーを注文していただけだったそうよ。食べ終えてお皿を洗うのも面倒くさかったみたい。それで食卓には机にあるような引き出しがあったものだから、バーナデットはただ引き出しを開けて、汚れた皿や台所用品を積み重ねたら閉めるというすごいアイディアを思いついたの。翌日になると、お手伝いさんが引き出しから汚れた皿を取り出して洗っていたんだとか。そんな暮らし方、聞いたことある？

わたしがレタスをサラダボウルに放り込んでいると、エルジーはささやいた。「船長の報告書と弁護士の手紙を転送しただろ。読む時間あった？」

「どうして尋ねるの？」。わたしはテーブルにサラダとドレッシングの瓶をドンと置いた。「わたしがどう考えようが気にしないでしょ」

すると、玄関のドアがぱっと開いた。ハリケーン・ビーがハームセン氏の手紙と船長の報告書を振りながら飛び込んできたの。「ママが死んでくれたらいいと思ってるのね」

「ビー――。どこでそれを手に入れたんだい？」。エルジーは言った。

「郵便で家に送られてきたのよ」。ビーは床を踏み鳴らし、エルジーの椅子の後ろを押した。「ほかのものもすべて手に入れたから！　でもみんな、ママが死んでいるのを証明することしか考えてないじゃない」
「パパが書いたわけじゃないよ」。エルジーは言った。「訴えられたくない男が法律用語を並べ立てたんだ」
「ママが帰ってきて、大嫌いな人たちとパパが一緒に夕食を取ってるとかあれこれわかったらどうなるっていうの」
「そうなったら、あの女のほうこそ説明するべきなんじゃない」。わたしは言った。わかってる。失言ね。
「ブヨったら」。ビーはぐるっと向き直ってわたしに叫んだ。「あんたはママが死んだらいいって思ってるんでしょ。パパと結婚してお金をもらえるように」
「すまないね」。エルジーはわたしに言った。「この子は悲しんでるだけなんだ」
「パパがなんて無神経な人間かってことを悲しんでるの」。ビーはエルジーに言った。「それにオノ・ヨーコに魂を奪われたことを」
「リンカーン、アレクサンドラ」。わたしは言った。「地下室へ行ってテレビでも観てきなさい」
「この子は本気で言ってるわけじゃないよ」。そう言ってエルジーはわたしを安心させようとした。
「ああ、どうぞがっついて食べ続けてくださいな」。ビーはわたしに小声で言った。
　わたしはわっと泣き出した。もちろんわたしが妊娠していることをビーは知らない。それでも、つわりがどんなにひどいか言ったでしょ、オードリー。なぜかフレンチトーストでは足りなくなっているの。この前の晩は目が覚めると、《モーリームーン》の塩キャラメルアイスをのっけたくてたまらなくなった。それで１箱買って、塩キャラメルアイスとフレンチトーストのアイスクリームサンドを作るようになった。それを商標登録して商売を始めるとわたしが言い出しても信じてちょうだいね。昨日は、ピープ〔マシュマロを砂糖でコーティングした菓子〕みたいに砂糖でできた赤ん坊が生まれてしまうから気をつけたほうがいいとビジャール先生に言われたし。泣くのも無理ないでしょ。わたしは２階へ行ってベッドに体を投げ出した。

１時間後、エルジーが現れた。「スーリン。大丈夫？」

「いいえ！」。わたしはわめいた。

「ごめん。ビーのことはすまない。バーナデットのことも。赤ん坊のことも」

「赤ちゃんのこともすまないっていうの！」。わたしはまた身を震わすようにすすり泣き始めた。

「そんなつもりで言ったんじゃないよ。ただあまりにすべて突然だったから」

「バーナデットが流産してばかりいたからあなたには突然に思えるだけじゃない。わたしみたいな健康な女性が男性と関係を持ったら、妊娠するものよ」

長い沈黙が流れた。とうとうエルジーは口を開いた。「ビーに南極へ一緒に行こうって言ったんだ」

「わたしがそんなところに行けるわけないって知ってるでしょ」

「ぼくとビーだけでだよ。そしたら気持ちの整理がつけられるってビーは思っていてね。あの子から言い出したことなんだ」

「だったら、もちろん行けばいいでしょ」

「ビーが一緒に時間を過ごさせてくれる方法はそれしかないんだ。あの子と過ごせなくて寂しいからね」

「でしたら、ぜひ行ってくださいな」

「きみはすばらしい女性だね、スーリン」
「あら、どうも」
「きみが何を聞きたいかわかっているよ。でもぼくがこれまでどんなに苦しんできたか、そして今も苦しみ続けているかってことを考えてみてくれ。確信していないことをほんとうに言ってもらいたいのかい？」
「ええ！」。上品にふるまうなんてもうやめたの。
「今シーズンの最終ツアーが２日後に出発するんだ」。彼はついに言った。「船室に空きがあるし。使わないと無効になってしまうポイントがあってね。すごくお金がかかるけど、ビーのためだからしょうがないんだ。あの子はいい子だからね、スーリン。ほんとうに」
　つまりはそういうこと。エルジーとビーは明日南極に出かけるの。わたしとしては何もかもまったく悲劇的よ。でも、わたしに何がわかるっていうの。ただのシアトル生まれの秘書なのに。
　あなたに愛をこめて
　スーリン

6

白い大陸

わたしたちは午前６時にチリの首都サンティアゴに到着した。以前わたしはファーストクラスに乗ったことはなかったから、各シートが卵型になっていて、ボタンを押すとベッドになるなんて知らなかった。シートが完全に水平になったとたん、客室乗務員《キャビンアテンダント》のお姉さんがきれいな白い羽根布団をかけてくれた。わたしはほほ笑んだにちがいない。パパが自分の席から見下ろしてこう言ったから。「これに慣れちゃいけないよ」。わたしはまたほほ笑んだけど、それからふとパパが大嫌いなことを思い出したので、アイ・ピローをどさっと目に落とした。ファーストクラスでは、アマニやラベンダーの香りをたっぷりつけたこの手のものが提供される。電子レンジにかけてあるから、それを目に載せればぬくぬくと温かく、リラックスして呼吸できる。わたしは10時間も眠った。

空港では入国手続きのために長蛇の列ができていた。でも、管理官は手を振ってパパとわたしを呼び寄せ、チェーンを外してくれたので、小さな子ども連れの家族のために確保された空いている窓口に直行できた。初めのうち、わたしは15歳だからむっとした。でもすぐに思った。構うもんか、列に割り込んでやろうと。

管理官は略式軍服姿で、わたしたちのパスポートをいつまでも調べ続けた。特にわたしを、それからわたしのパスポートを見たかと思うと、顔を上げたり下げたりしている。ばかげた名前のせいね。

ついに管理官は話した。「きみの帽子、気に入ったよ」。それは、プリンストン・タイガースがママに寄付してもらいたくて送ってきた野球帽だった。「プリンストンか」。その男は言った。「アメリカの大学だな、ハーバードみたいな」

「もっとましですけど」とわたし。

「トラが好きなもんでね」。管理官はわたしとパパのパスポート両方を手のひらで押さえた。「その帽子、気に入ったよ」
「わたしもです」。カウンターに頬づえをついていたわたしは、反抗するようにあごを突き出した。「だから、かぶってるんです」
「ビー」とパパ。「帽子をあの人にあげなさい」
「ええっ？」
「ぜひちょうだいしたいね」。管理官はパパに同意して言った。
「ビー、いいからあげるんだ」。パパはわたしの帽子をつかんだけど、ポニーテールに引っかかって取れなかった。
「わたしの帽子よ！」。わたしは両手で頭を押さえた。「ママがくれたんだから」
「ママはごみ箱に捨てていたじゃないか。別のを買ってあげよう」
「自分で買ったらいいじゃないですか」。わたしは管理官に言った。「ネットで注文できますから」
「ぼくらが注文するとしよう」。パパは言い添えた。
「嫌よ！　あの人は仕事も銃も持ってる大人なんだから。自分で注文できるでしょ」
　管理官はスタンプを押したパスポートをわたしたちに返しながら、やってみる価値はあったとでもいうように肩をすくめた。わたしたちはスーツケースを受け取ると、空港の中心部へと進んだ。すぐに、男性ツアーガイドさんがスーツケースに結んである青と白のリボンを見てツアーの参加者だと確認した。そしてみんなが入国審査を通過するのを待つように指示した。しばらくかかりそうだ。
「この世にただのものなんてないんだ」。パパは言った。もっともな意見だけど、わたしは、パパの言うことが聞こえないふりをした。
　青と白のリボンをつけたほかの集団がやって来た。わたしたちの旅行仲間だ。そのほとんどが顔はしわくちゃなのにしわにならない旅行着を身につけた老人だ。おまけにカメラの装備ときたら！　レンズやカメラを見せ合いながら黄土色のクジャクのようにお互いの周りをくるくる回っている。自慢する合間にドライフルーツの入った不透明のジップロックを引っ張り出し、口の中に小さなかけらを押し込んだ。時々わたしはおじいさんたちに好奇の目で見られているのに気づいた。たぶん一番若かったからだろう。しかも、おじいさんたちは親しげにほほ笑んできた。あまりに長く見つめてきた人もいたので耐えられず、わたしはこう言うしかなかった。「写真を撮ったらいいですよ。そっちのほうが長持ちしますから」

「ビー！」。パパはあえぎながら言った。

おかしかったのは、一風変わった窓のない部屋のそばに、先のとがった屋根の下でひざまずいている棒人形を描いた標示があったことだ。これは教会のための万国共通の標示なのだ。清掃員、軽食堂の店員、タクシーの運転手が中に入っては祈っていた。

バスに乗る時間になった。パパが席を見つけるのを待ってから、わたしは離れた席に座った。市の中心部へ続く幹線道路は川沿いを走っていて、堤防にはごみが散らかっていた。ソーダの空き缶、水のペットボトル、大量のビニール袋、残飯が捨てられている。子どもたちはごみのあいだでボールを蹴り、ごみのあいだで疥癬《かいせん》にかかった犬と走り、ごみのあいだにしゃがんで服を洗ってさえいた。それはとてもイライラする光景で、せめて誰かひとりでもごみを拾ってくれないかなと感じた。

バスはトンネルへ入った。バスの前方に立っているガイドさんは、マイクを使ってアナウンスを始めた。トンネルがいつ建てられ、誰がそれを建てる契約を取りつけ、完成するのにどのくらいかかり、どの大統領が承認し、何台の車が毎日通るかなどについて熱を込めて説明する。わたしは、それがどんなにすばらしいトンネルであるか教えてもらえるのを待ち続けた。自動で洗浄できるとか、リサイクル瓶で作られているとかいったような。いや、それはただのトンネルだった。それでもそんなガイドに接したら、幸せそうでよかったねと思わずにはいられないだろう。たとえ最悪の状況になろうと、あのガイドさんには常にトンネルがあるのだから。

　ホテルに到着した。渦巻くコンクリートの円柱といった感じの建物だ。特別会議室では、オーストリア人女性がみんなのチェックインをしてくれた。

「部屋には必ずベッドを２台用意してください」。わたしは言った。この旅行中ずっとパパと同じ部屋を使うことになると気づいてぞっとしていたのだ。

「ええ、ベッドは２台ありますよ」。その女の人は言った。「市内観光と空港への移動のためのワウチャーをどうぞ」

「なんですって？」。わたしはきいた。

「ワウチャーです」

「何？」

「ワウチャー」

「ワウチャーって何？」

「引換券《バウチャー》だよ」。パパは言った。「そんな意地悪娘になるな」。実のところその女の人の言っていることがほんとうにわからなかった。でも、わたしはふだんでも意地悪娘になりつつあったから、パパに言わせておいた。わたしたちは鍵を受け取り、部屋へ向かった。

「市内観光なんて楽しそうだな！」。パパは言った。テープを貼った眼鏡レンズやあんな必死な態度を見たら思わず同情しそうになるところだけど、パパがママを精神病院に入れようとしたのがそもそもの始まりだったのをわたしは思い出した。

「そうね。行きたいの？」
「ああ」。パパは希望に満ちた感動した様子で言った。
「楽しんできて」。わたしはそう言うと、リュックをつかみ、プールへ向かった。

チョート校は大きくて堂々としていた。雪の積もった広大な芝地には、ブーツで踏み固められた道が縦横に走り、そこにツタで覆われた建物と貴重な現代建築物が点々と並んでいる。その場所自体には気に入らない点などなかった。ただそこにいた人たちが妙だったにすぎない。ルームメイトのサラ・ワイアットには初めから好かれていなかった。クリスマス休暇で自宅に帰るときまでは２人部屋にひとりで暮らしていたのに、寮に戻ってくると、いきなりルームメイトがいたからだと思う。チョートでは父親が何者かがよく話題に上った。サラのパパはニューヨークでビルをいくつか所有していた。どの子も、ホントの話、iPhoneを持っていて、たいていの子はiPad《アイパッド》も持っていたし、目にするコンピューターといったらすべてMacだった。うちのパパはマイクロソフトで働いているとわたしが言うと、あからさまにからかわれた。わたしはマイクロソフトのパソコンを持っていたし、Zune《ズーン》〔マイクロソフトが開発した携帯音楽プレーヤー〕で音楽を聴いていた。みんなはわたしが大きな臭いうんちを手に取ってそれにイヤホンを差し込んででもいるかのように、「何それ？」ととびきりかちんとくる調子で尋ねてきた。わたしはサラに、うちのママは有名な建築家でマッカーサー天才賞を取ったこともあるのよ、と話すと、「ウソよ」と言われた。そこでわたしは「たしかに取ったって。ネットで調べてみて」と言ったのに、サラ・ワイアットは調べようともしなかった。そのくらいわたしを見くびっていたってこと。
サラは豊かなストレートヘアをしていて、高価な服を着ていた。服について説明したがり、わたしがそんなお店聞いたことがないと言うたびに、うめき声を発した。サラの親友のマーラは下の階の部屋で暮らしていた。マーラはひっきりなしにしゃべり、おもしろい子みたいだけど、腫《は》れて赤くなったにきびがあり、タバコを吸うので仮進級期間中だった。マーラにはロスでテレビディレクターをしているお父さんがいたので、有名人の親を持つ故郷の友人たちにまつわるおしゃべりをたくさん聞かされた。みんなはマーラの足元に集まって、あの子がブルース・スプリングスティーンはいかにかっこいいかについてペチャクチャしゃべるのを聞いた。もちろんブルース・スプリングスティーンはかっこいいから、マーラにそんなこと言われるまでもない。ゲイラーストリートは鮭のにおいがしたけど、少なくとも人間はまともだったってことね。

それからある日、郵便受けに行くと、茶封筒が届いていた。差出人の住所はなく、ママのでもパパのでもない妙なブロック文字で書かれていて、誰が送ったのかを示す手紙も同封されていないし、とにかくママに関する書類ばかりだった。それからは万事ましになった。この本を書き始めたから。

ところが、ある日の放課後、部屋へ戻ると、何かが起こったとわかった。わたしたちの寮〈ホームステッド〉はキャンパスの真ん中にあるおんぼろの小さな建物で、記念銘板によると、この辺りでジョージ・ワシントンはかつて夜を過ごしたことがあったみたい。ああ、サラにはベビーパウダーみたいな妙なにおいがしたことを言い忘れていた。もっともベビーパウダーがムカムカするようなにおいがしたらの話。本物の香水だったとは考えられないけど、ベビーパウダーを見かけたことはなかった。今でもそれがなんだったのかわからない。とにかく玄関のドアを開けると、上のほうで慌てて走る足音が聞こえた。上の階へ行ったけど、部屋は空っぽだった。でもトイレにサラがいるような物音がした。机に腰を下ろし、ノートパソコンを開くと、そのにおいがした。机の上の空中にあの嫌なベビーパウダーのにおいが漂っていたのだ。これがとりわけ妙だったのは、サラは部屋を半分に分けようと言い張っていたし、見えもしない境界線を越えるなといつもわたしに厳しく命じていたからだ。ちょうどそのとき、サラはわたしの後ろにさっと回り込み、部屋を出て1階へ下りていった。玄関のドアがバタンと閉まった。わたしが窓から外を見ると、サラは角にいてエルム通りを渡ろうとしている。

「サラ」。わたしは叫んだ。

サラは止まって見上げた。

「どこへ行くの。大丈夫？」。わたしはサラのお父さんのビルに何かあったのかもしれないと心配だった。

サラはわたしの声が聞こえないふりをした。それでクリスチャン通りをまっすぐ歩いていったけど、わたしは、変だなと思った。あの子はこれからスカッシュをやるはずなのに。向きを変えて〈ヒルハウス〉にも図書館にも入っていかなかった。図書館の先には学部長室などがある〈アーチボルド・ビル〉くらいしかない。わたしはダンスのレッスンに行き、戻ってくるとサラと話そうとした。なのに、サラはこちらを見ようともせず、その晩は下のマーラの部屋に泊まった。

数日後、国語の授業中に、今すぐジェサップ先生の部屋へ行きなさいとライアン先生から言われた。サラも同じ授業を取っていたので、わたしは思わずサラのほうを向いた。あの子はさっと下を向いた。そのときわかった。あの妙なにおいのする、ヨガ・パンツ姿で大きなダイヤモンドのイヤリングをつけたニューヨーカーに裏切られたのだと。

ジェサップ先生の部屋にはパパがいて、わたしがチョートを退学するのが一番だと言った。ジェサップ先生とパパがお互いにその場を取り繕っているのを見るのはおかしかった。ふたりは口を開くたびに「ビーのことがとても心配だから」とか「ビーはすごく非凡な少女だから」とか「ビーのために」といった文句から話を始めるのだ。わたしがチョートを退学したら、翌年レイクサイドに入れるように単位を移してもらえることに話が決まった（どうやらわたしはすでに入学を許可されていたみたい。びっくり）。

廊下へ出ると、わたしとパパとチョート判事〔チョート校の創設者〕のブロンズの胸像だけになった。パパは本を見せるように言ってきたけど、そんなわけにいかない。ただし郵便で届いた封筒は見せてあげた。「どこから送られてきたんだ？」「ママからよ」。でも封筒の筆跡はママのものではなく、パパもそのことに気づいた。「なぜママはこれを送ってきたんだ」「わたしに知ってもらいたいからでしょ」「何を知ってもらいたいって？」「真実よ。パパが話してくれなかったような」。パパはフーッと一息ついてから言った。「唯一の真実は、おまえがまだ理解できないものを読んでしまったってことだけさ」

そのときわたしはやっぱりこう思った。パパなんか大嫌いだって。

*

翌朝とても早い時間に、わたしたちはサンティアゴからチャーター機に乗り、アルゼンチンのウシュアイアに到着した。それから、バスに乗って小さな漆喰の町を通り抜けた。家々には、スペイン風の屋根と、さびたブランコの置かれた泥の庭があった。埠頭に着くと、中を区切るようにガラスの壁がずっと張られたテントらしきものへ案内された。これは入国管理事務所なので、もちろん行列ができている。まもなくガラスの向こう側は、旅行着で着飾り、青と白のリボンのついたリュックを背負った老人でいっぱいになった。わたしたちの〈未来の旅の精霊〉〔ディケンズの小説『クリスマス・キャロル』の中で、主人公のスクルージに未来の姿を見せる「未来のクリスマスの精霊」をもじっている〕ともいうべき船から降りてきたばかりのグループだ。おじいさんたちは親指を上に立てるしぐさをしてみせ、喜ぶはずだよ、どんなにすばらしいかわかってないだろ、とてもラッキーだね、などとささやいた。それから、こちら側のみんながまさしくバズバズ言い始めた。バズ・オルドリン〔米国の宇宙飛行士〕、バズ・オルドリン、バズ・オルドリン。向こう側に、ＮＡＳＡのワッペンだらけの革製ボマージャケットを羽織った、闘志みなぎる小柄の男の人がいたのだ。バズの腕は戦いたくてうずうずしているかのように、ひじのところで曲がっている。こちらのグループの人たちが隣に立ち、写真を撮るあいだ、バズは心から笑みを浮かべ、勇ましくガラスの向こう側に立っていた。パパがわたしとバズの写真を１枚撮ってくれたので、ケネディに知らせなくちゃ。獄中のバズ・オルドリンを訪問しているって。

　チョートを去ってシアトルへ戻ったのは金曜だったから、その足で青年部へ行った。みんなは〈ハングリー・バーディーズ〉というくだらないゲームをしているところだった。２チームに分かれ、ママ鳥は、棒状の赤いリコリスをストローとして使ってボウルからポップコーンを持ち上げ、それからひな鳥に急いで持っていき、エサとして与えなくてはならない。ケネディがそんな子どもじみたゲームをしているなんてショックだ。わたしはそう思いながらも眺めていると、みんなに気づかれ、静かになった。ケネディは近寄ってきさえしなかった。ルークとメイがクリスチャン式にぎゅっと抱きついてきた。
「きみのママがあんなことになって、ぼくらはとても気の毒に思ってるよ」。ルークは言った。
「ママは別にどうもなってませんけど」。わたしは言った。
　さらにぎくしゃくした沈黙が続くと、みんながわたしの友だちだからという理由でケネディを見た。でも、どうやらケネディもわたしを怖がっているみたいだ。
「ゲームを終わらせましょ」。ケネディは床に向かって言った。「うちのチームが10対７でリードしてるところよ」

わたしたちはパスポートにスタンプを押してもらい、テントから出た。女の人から、白い線に沿って進んで船長のところへ行くように、出迎えてくれるから、と言われた。「船長」という言葉を聞いただけで、わたしはあちこちに裂け目のある埠頭を猛スピードで走った。そこまで速く走れたのは、足が速いからじゃなくて興奮していたおかげ。階段の下には、紺のスーツに白い帽子姿の男の人が立っていた。
「アルトドルフ船長ですか？　わたし、ビー・ブランチです」。その男の人は戸惑ったようにほほ笑んだ。わたしは少し息を吸ってから言った。
「バーナデット・フォックスの娘です」
それから名前の入ったバッジを見た。〈ホルヘス・バレーラ船長〉その下には〈アルゼンチン〉と書いてある。
「待って――。アルトドルフ船長はどこですか？」
「ああ」。この偽物船長は言った。「アルトドルフ船長ですね。彼は前の船長でして。今はドイツにいますよ」
「ビー！」。パパだ。ハーハー息を切らしている。「そんなふうに走っていっちゃだめじゃないか」
「ごめんなさい」。わたしは声がうわずり、泣き声になっていた。「今まで〈アレグラ号〉の写真をたくさん見てきたから、これでようやく気持ちの整理がつくだろうなと思って」
それはウソだ。船を見るだけでなんだって気持ちの整理がつくわけあるだろう。でもチョートの一件の後にすぐ、気持ちの整理をつけるという名目ならパパはなんでもさせてくれると学んだ。ママのエアストリームで寝ることができたし、学校へ戻らずに南極へ行くこともできた。個人的には、気持ちの整理などという考えはまったく不快だと思っていた。だって、ママを忘れようとしていることになるから。実を言うと、わたしはママを見つけるために南極へ行くつもりだったのだ。

船室に着くと、かばんが待っていた。パパとわたしは2つずつかばんを持ってきた。ひとつは普通の服の入ったスーツケースで、もうひとつは探検グッズを入れたダッフルバッグだ。パパはすぐに荷ほどきを始めた。

「よし」。パパは言った。「引き出しの上から2つはパパが、下の2つはおまえが使うことにしよう。クローゼットのこっち側はパパのだ。すばらしい！　バスルームには2つ引き出しがあるぞ。パパは上のほうを使おう」

「つまらないことをするのに、いちいちコメントしなくていいのよ。オリンピックのカーリングじゃないんだから。スーツケースの中身を出してるだけなのに」

パパは自分を指さした。「おまえの目には、おまえを無視しているパパが映っているんだ。それでこうするように専門家に言われているから、そのとおりにしているまでさ」。パパは自分のベッドに座り、ダッフルバッグを足のあいだに引っ張ってくると、澄んだシューッという音を立ててファスナーを開けた。わたしがまず目にしたのは、鼻腔を洗浄するために使うネティ・ポットだ。パパが毎日それを使うあいだ同じ小さな部屋にいるなんてありえない。パパは引き出しにそれを突っ込むと、荷ほどきを続けた。「ああ、なんてこった」

「何？」

「旅行用の加湿器だよ」。パパは箱を開けた。中には、小さなシリアルの箱ほどの大きさをした機械が入っている。それからパパは顔をゆがめ、壁に向かった。

「どうしたの？」

「ぼくのためにひとつ買っておいてくれってママに頼んだんだ。南極の空気はとても乾いているからね」

わたしは目を大きく見開きながらこう思った。ああしまった、こんなふうにずっとパパに泣かれるなら、この旅行をするのはあまりいい考えではなかったのかもって。

「さて、皆さん」。ありがたいことに、天井のスピーカーからパチパチと割れたニュ--ジーランド人の声が聞こえてきた。「ご乗船ありがとうございます。落ち着かれましたら、歓迎のカクテルとオードブルをご用意しておりますので、シャクルトン・ラウンジへどうぞお越しください」

「行ってくる」。わたしは、泣きじゃくっているパパをひとり残し、船室から飛び出した。

乳歯が抜けるたびに歯の妖精が映画のＤＶＤを置いていってくれたものだ。最初の３本はビートルズの『ハード・デイズ・ナイト』、オードリー・ヘプバーンの『パリの恋人』、フレッド・アステアの『ザッツ・エンターテイメント』だ。それから左の前歯が抜けたときは、歯の妖精は『ザナドゥ』を置いていってくれ、それはこれまでで一番お気に入りの映画になった。なんといっても、真新しいローラーディスコでの最後のナンバーが最高だった。あのディスコには至るところにきらきらしたクロムめっきが施され、磨き上げた木材も使われていたし、カーブしたビロードの椅子や、毛足の長い織物のクロスが貼られた壁もあった。

シャクルトン・ラウンジはまさにそんな感じで、おまけに天井からは薄型テレビがたくさん吊されていたし、外を眺められる窓もあった。ほかの乗客はまだ荷ほどきをしていたから、わたしはその場所を独り占めできた。ウエイターがポテトチップスをテーブルに置くと、ひとりでひと籠全部たいらげた。数分後、ショートパンツにビーチサンダル姿で名札をつけた、こんがり日焼けした人たちがバーカウンターにふらっとやって来た。乗組員や博物学者だ。

わたしはその人たちのほうに歩いていき、「ちょっとお聞きしてもいいですか」とその中のひとり、チャーリーに言った。

「いいよ」。チャーリーはオリーブを口に放り込んだ。「どうぞ」

「クリスマスのすぐ後に出発したツアーに乗船されていました？」

「いや。おれは１月の中ごろから乗り始めたんだ」。チャーリーはもう２、３個オリーブを口に入れた。「なんで？」

「ある乗客について何か知っているかと思いまして。バーナデット・フォックスという名前の女の人です」

「知らないな」。チャーリーは手のひらに種をたくさん吐き出した。

フロッグという名札をつけた、同じく日焼けしたガイドが尋ねてきた。「きみ、なんて質問したの？」。そのガイドはオーストラリア人だった。

「なんでもないよ」。わたしが最初に話しかけた博物学者のチャーリーはそう言うと、ちょっと首を振った。

「新年のツアーに乗船されていました？」。わたしはフロッグにきいた。「それにはバーナデットという名の女の人が——」

「自殺したご婦人のことかい？」。フロッグは言った。

「自殺なんかしていません」

「ほんとうは何が起きたか誰も知らないんだ」。チャーリーは目を丸くしてフロッグを見ながら言った。

「エドゥアルドはその船に乗ってたよ」。フロッグはピーナッツのボウルに手を伸ばした。「エドゥアルド！　おまえ、ご婦人が飛び込んだ船に乗ってたよな。新年のツアーだよ。その話をしてたんだ」

エドゥアルドは大きくて丸いスペイン人のような顔立ちをしていたけど、イギリス英語で話した。「それならまだ調査中だと思うよ」

黒い巻き毛を頭の上で束ねた女の人が会話に加わった。名札にはカレンと書いてある。「たしかにあなたはその船に乗ってたわよね、エドゥアルド——ウワーッ！」。カレンはそう叫ぶと、口に含んでいたベージュのどろりとしたものをボウルに吐き出した。「そっちのボウルに入ってるのは何？」

「いけね、それ、ピーナッツか？」。チャーリーは言った。「そこにオリーブの種を吐き出しちゃったよ」

「ばか」。カレンは言った。「歯が折れたみたい」

それから会話はテンポ良く進んだ。「その女はここに来る前に精神病院から逃げ出したって聞いたぜ」「歯が欠けたじゃない」「そんなやつどうして乗船させたか、おれには疑問だね」「それ、きみの歯かい？」「２万ドルもらえたら誰だって乗せるさ」「ばか！」「まいったな、すまない」「その女は自殺してくれてよかったよ。乗客やおまえを殺したらどうなってたことか、なあ、エドゥアルド——」

「自殺なんかしていませんって！」。わたしは叫んだ。「わたしのお母さんなんですから、そんなことするわけありません」

「きみのお母さんだったんだ」。フロッグはつぶやいた。「知らなかったよ」

「誰も何も知らないんですね！」。わたしはカレンの椅子を蹴ったけど、それは床に固定されていたから動かなかった。裏の階段を駆け下りたものの、部屋の番号も、どの甲板にいたのかも忘れてしまったので、ひたすら歩き続け、天井の低い、ディーゼル油臭い恐ろしく狭い通路を通り抜けた。ついにドアが開いたかと思うと、パパが出てきた。

「ああ、いた、いた！　オリエンテーションがあるんだが、上に行けるかい？」

わたしはパパを押しのけるようにして部屋に入ると、ドアをバタンと閉めた。パパが戻ってきてくれるのを待っていたけど、来なかった。

プリスクールから就学前クラスの初めにかけて、わたしの肌は心臓のせいで青かったりそうでなかったりを繰り返した。たいていは周りからまず気づかれない程度だったものの、かなり青いときもあり、それはそろそろまた手術を受けるころだというサインだ。そんなあるとき、フォンタン手術の前にママがシアトルセンターへ連れていってくれたことがある。わたしは大きな音楽噴水で遊んでいた。下着１枚になって、スロープを駆け足で上ったり下りたりして、飛び出してくる水の裏をかこうとしていたのだ。それを見た年上の男の子が指さしながら友だちに言った。「見ろよ。バイオレット・ボーレガードだぜ！」。バイオレットは映画『夢のチョコレート工場』の登場人物で、青くなって大きなボールみたいに膨らむ生意気な女の子だ。手術を受けられるようにステロイドを大量に投与されたから、わたしはふっくらしていたのだ。それで端に座っているママのところへ駆けていき、ママの胸に顔をうずめた。「どうしたの、ビー」「あの子たちにあだ名で呼ばれたの」。わたしはキーキー声で言った。「どんなあだ名？」。ママの目はわたしの目の前にあった。「バイオレット・ボーレガードよ」。わたしはやっとのことでそう言うと、またわっと泣き出した。意地悪な男の子たちは近くに集まってこっちを見ていた。あの子のママがうちのママに告げ口しませんようにと願っているみたいに。ママは男の子たちに叫んだ。「とっても変わっていてすてきなあだ名じゃない。わたしが先に思いつけばよかった」。あれが人生でもっとも幸せな瞬間だったとはっきり言える。だってあのとき、ママがいつもわたしの仕返しをしてくれるってわかったから。そう考えるとすばらしくいい気分だった。それでかつてないほど速くコンクリートのスロープをまた駆け下りた。あんまり速すぎたから転ぶはずだったのに、転ばなかった。なぜって、ママがこの世に存在してくれたから。

わたしはちっちゃな部屋の狭いベッドに座っていた。船のエンジンはゴトゴト音を立て始め、ニュージーランド人の声が放送で流れてきた。「さて、皆さん」。放送はしばらく中断した。悪いことを知らせようとしていて考えをまとめなければならないとでもいうように。すぐにまた声が聞こえてきた。「ウシュアイアに別れを告げてください。南極大陸の冒険が今始まったところですから。シェフのイッセイが旅の安全を祈る伝統料理、ローストビーフとヨークシャープディングをご用意しましたので、オリエンテーションの後にダイニングルームでお出しします」

ダイニングルームへ行くのはごめんだと思った。パパと一緒に座ることになるから。そこで仕事に取りかかることにした。リュックを引っ張り出してきて、船長の報告書を手に取った。

わたしはママの足跡をたどろうと考えていた。何か、わたし以外の誰も気づかないような手がかりがひょっこり出てくるとわかっていたから。具体的にはなんなのかって？　それはわからなかったけど。

ママはまず、乗船して数時間後にギフトショップへ行ってクレジットカードで433ドル支払った。領収書には明細が示されていないけど。そこでわたしはギフトショップへ向かおうとした。とそのとき、これはパパのネティ・ポットを捨てる絶好の機会でもあることに気づき、それをつかんだ。そして船の前方へ向かうと、壁に埋め込まれたごみ入れを通り過ぎざまに、ネティ・ポットをぽいと投げ捨て、ペーパータオルで隠した。

ギフトショップへ行こうと角を曲がると、そのとき、なんと船酔いに襲われた。どうにかしのぐにはゆっくり向きを変えて上ってきた階段を１段ずつそっと下りるしかなかった。体を少しでも急に動かせば戻してしまうから。冗談じゃなく、下りるのに15分くらいかかった。下りきると、慎重に通路へ出た。深呼吸をし、いや、しようとしたけど、体中の筋肉が動かなくなっていた。

「お嬢ちゃん、気分悪いの？」。そう声をかけられると耳が切り裂かれるようだった。ただ声を聞いただけで、危うく戻しそうになるくらい気分が悪かったのだ。

わたしはぎこちなく振り返った。客室係だ。カートは手すりにゴムロープで結びつけられている。

「さあ、お嬢ちゃん、船酔いにはこれを飲むといいよ」。客室係は白い小さな包みをくれた。

わたしは視線を落とすのがやっとの状態で突っ立っていた。

「ああ、やっぱり気分悪いんだね」。客室係が水のペットボトルをくれたのに、わたしにはそれを見ることしかできなかった。

「船室はどこなの？」。客室係はわたしの首にぶら下がっているIDカードを手に取った。「連れていってあげるよ、お嬢ちゃん」

わたしの部屋は数室先にあった。客室係は自分のスペアキーでそのドアを開け、ストッパーをして開けたままにした。すさまじい決意を要したけど、わたしはゆっくりなんとか歩いた。部屋へ入るころには、客室係はブラインドを下ろし、ベッドの上掛けの角を折り返していた。それから、わたしの手に錠剤を２錠置き、ふたの開いた水のペットボトルをくれた。わたしはただそれを見つめたけど、３つ数えると思い切り集中して飲み込み、ベッドに座った。客室係はひざまずき、ブーツを脱がしてくれた。

「セーターも脱いでごらん。ズボンもね。そのほうが楽よ」

わたしがフード付きセーターのファスナーを開けると、客室係は袖を引っ張ってセーターを脱がせてくれた。わたしは身をくねらせてジーンズも脱いだ。風が素肌に当たって震えてしまう。

「さあ横になって。眠るといいよ」

わたしは力を奮い起こし、ひんやりする布団の下に滑り込むと、丸くなって木の羽目板を見つめた。パパの机の上にはぐらぐらするクロムめっきの卵が飾ってあったけど、それを見ているだけでお腹いっぱいになった。一緒にいるのは、エンジンのとどろき、ハンガーのチリンチリン鳴る音、引き出しが開いたり閉まったりする音だけ。わたしと時間しか存在しない。バレエのバックステージツアーに参加して、何百という重りをつけたロープ、ビデオモニターの列、千もの照明のキュースイッチが並ぶ照明制御盤を見たときのようだ。そのすべてがちょっとした背景チェンジ１回のために使われる。ベッドに横たわりながら、時間のバックステージ、時間がいかにゆっくり進むかを眺めていた。時間が構成されているすべてのものがいかに価値がないかを見ていたのだ。壁は、一番下に紺色の織物クロス、それから金属の帯、ピカピカの木材と続き、そこから天井まではベージュのプラスチックが貼られていた。それで、なんておぞましい色使いなんだろう、こんなもの見ていると死んでしまうかも、目を閉じなくては、と思った。けれど、そんな努力をしたところで無理な気がした。そこでバレエの舞台主任にでもなったかのように、脳に１本のロープを引っ張り、それからもう１本、さらにもう５本引っ張ると、ようやくまぶたは閉じた。口は開いたままになっていたけど、しゃがれたうめき声以外はどんな言葉も出てこなかった。そのうめき声に言葉を当てるとしたら、こんなふうだろう。「これだけはかんべんして」

それから14時間たって目が覚めると、パパからメモが残されていた。海鳥の講義を聞きにラウンジにいるという。わたしはベッドから飛び起きると、脚とお腹がまたもぐちゃぐちゃになりながらも、ブラインドのコードを引っ張った。洗濯機の中にでもいるみたい。すると、ベッドに放り戻された。船はドレーク海峡を渡っているところだったのだ。その感覚を味わっていたかったけど、やるべきことがあった。

船の通路にはエチケット袋がずらりと並んでいた。それは扇のように畳まれ、手すりの結合部、殺菌用ハンドディスペンサーの後ろ、ドアポケットに押し込まれている。船はすごく傾いていたから、足の一方は壁の上を、もう一方は床の上を歩いていた。受付エリアはかなり広く、つまり横切りたくてもつかむ手すりもなかったけど、代わりにスパイダーマンのクモの巣みたいなロープが張り巡らされていた。そこにはわたししかいなかった。病んだ動物のように、ほかのみんなは苦悩が寄り集まった場所に引っ込んでいたのだ。わたしはギフトショップのドアを引っ張ったけど、鍵がかかっていた。机の後ろにいる女性店員が見上げた。手首の内側に何やらすり込んでいる。

「開いてます？」。わたしは声に出さずに言った。

店員は近づいてきて、ドアの足元にある金属片を外すと、こう言った。

「折り紙をやりに来たんですか？」

「えっ？」

「日本人のお客さまたちが11時から折り紙の実演をすることになっていまして。参加されたいなら、紙はありますよ」

わたしは日本人観光客グループがいるのに気づいていた。その人たちは英語をひとことも話さなかったけど、お抱えの通訳がいて、ぬいぐるみのペンギンをぶら下げたリボン付きステッキを振り回し、注目を集めていた。

船はがくんと揺れ、ハームセン&ヒースのトレーナーが入っている籠にわたしは倒れ込んだ。起き上がろうとしたのに、なかなか起き上がれなかった。「いつもこんなにひどいんですか？」

「今回はかなり荒れているほうですね」。店員は机の後ろに回った。「10メートル近くもある大波を受けていますから」

「クリスマスのツアー中もここで働いていらっしゃいました？」。わたしは尋ねた。

「ええ」。店員はラベルのついていない小さな瓶を開け、指をそれに浸し、もう一方の手首の内側にもすり込み始めた。

「何をされてるんです？　瓶の中身は何ですか？」
「乗り物酔いに効くクリームですよ。乗組員はこれなくしては働けませんから」
「ＡＢＨＲですか？」
「ええ、そのとおりです」
「遅発性ジスキネジアは大丈夫なんですか？」
「まあ、よくご存じですね。お医者さまからは、少量の投与だからその恐れはないって言われていますけど」
「クリスマスのツアーに女の人が参加したんですが。12月26日の夕方にギフトショップからたくさん買い物をした人です。具体的に何を買ったか知りたいんですけど、その人の名前と部屋番号をお伝えすれば、レシートを調べてもらえます？」
「ああ——」。店員は理解に苦しむ妙な顔をしてみせた。
「わたしのお母さんなんです。お母さんは400ドル分の商品を買ったんですが」
「お父さんと一緒に来られてるんですか？」
「そうです」
「船室に戻ってくださらない。レシートを探してみますから。10分くらいかかるかもしれません」
　わたしは店員に自分の部屋番号を伝え、ロープをたぐって進み、部屋へ戻った。部屋にテレビがあってすごく楽しみにしていたけど、『ハッピー・フィート』〔南極を舞台にしたペンギンが主人公の映画〕と海鳥の講義を流している２つの局しかないとそのときわかってがっかりした。ドアがさっと開いた。わたしは飛び上がった。パパだ。ギフトショップの店員を従えている。
「ママのレシートのコピーを見せてくれるようおまえに頼まれたって、ポリーから聞いてね」

「何かあれば、お父さんにお伝えするよう指示されていますから」。ポリーはばつが悪そうに言った。「折り紙を持ってきましたよ」

　わたしはキューブリックふうにポリーをにらむと、ベッドに体を投げ出した。

　パパはポリーに「後は任せてくれ」といった顔をした。ドアが閉まると、パパは向かいに座り、「博物学者たちはゆうべあんなことを言ってほんとうに後悔したんだそうだ」とわたしの背中に向かって言った。「それでパパを見つけに来てくれてね。船長が乗組員全員と話したみたいだ」。長い間《ま》があった。「話してくれ、ビー。おまえが何を考えて何を感じているか聞かせてほしい」

「ママを見つけたいの」。わたしは枕に向かって言った。

「それはわかってるよ、ビー。パパもだ」

　わたしは振り向いた。「だったら、どうしてくだらない海鳥の講義なんて聞いてたの？　ママが死んだみたいにふるまって。ママを見つけようとするべきよ」

「今かい？　この船の上で？」とパパは言った。サイドテーブルは、パパの目薬、片方のレンズにテープが貼られた老眼鏡、片方のレンズにテープが貼られたサングラス、眼鏡をいつも装着していられるあのおぞましい眼鏡用ホルダー、心拍数モニター、舌の下に入れて飲むビタミン剤の入った小さなチューブの山で埋め尽くされている。わたしは思わず体を起こした。

「南極でよ」。そう言うと、船長の報告書をリュックから引っ張り出した。

　パパはため息をついた。「それで何をしようっていうんだ？」

「ママを見つけるのに役立つでしょ」

「そんな理由でぼくらはここにいるわけじゃないだろ。おまえが気持ちの整理をつけたいからじゃないか」

「パパをだますためにそう言っただけよ」。そんなことを言った相手が平気なわけはないと今ならはっきりわかる。でも、わたしはあまりに興奮していた。「そうしようって思いついたのはパパのせいよ。ハームセンからの手紙が法律用語を並べただけだなんて言ったから。船長さんの報告書を偏見なしに読めば、ママがここを気に入ってたってわかるもの。一日中飲んで外出してとても楽しいときを過ごしたから、ここにとどまることにしたって。それでママはわたしに心配かけないようにそのことを知らせる手紙を送ったのよ」

「別の解釈をしてやろうか。パパには、人と交わらず夕食にワインをひと瓶飲んで、それからウイスキーに移った女が見えるよ。楽しいときを過ごしてなんかいない。飲み過ぎて死んだんだ。ママがおまえに手紙を書いたのはたしかだけど、もっぱらオードリー・グリフィンについての被害妄想めいた大ぼらでいっぱいだったんだから」

「『可能性が高い』って書いてあるだけじゃない」

「けど、わからないさ。送ってこなかったんだから」

「ママは、家に戻ったら郵送してくれるよう乗客に手紙を預けたのに、途中でなくなっちゃったのよ」

「だったら、どうしてその客は尋問中にそう報告しなかったんだ？」

「ママに口止めされてたからでしょ」

「こんな諺《ことわざ》があってね。『ひづめの音を聞いたら、シマウマではなくウマを思い浮かべなさい』って。どういう意味かわかるか？」

「うん」。わたしは枕に倒れ込んで大きく息を吐いた。

「何かを解明しようとしているときは、あまりに変わったことから推理を始めてはいけないって意味だ」

「わかってるって」。わたしはよだれの染みに頭をつけていたから動かした。

「６週間もたっているのに、ママから誰も連絡をもらっていないんだ」

「ママはどこかでわたしを待ってるの。それが事実よ」。そのとき、顔の右側がエネルギーの脈打つオーラに襲われた。そのオーラはテーブルの上に置かれたパパのがらくたから発している。がらくたはたくさんあって、とてもきちんと並べられていたけど、女の子よりも始末が悪く、見ているとムカムカしてきた。そこでわたしは飛び起きてそれから逃れようとした。
「おまえがこんな考えをどこから仕入れたのかわからないよ。ほんとうにわからない」
「ママは自殺なんかしてないって、パパ」
「だとしても、ある晩、ママが飲み過ぎて海に落ちたってことはありうるだろ」
「ママはそんなまねしないったら」
「事故のことを話してるんだ、ビー。当然だけど、自ら進んで事故を起こすやつはいないよ」
　ひとすじの煙が椅子の後ろから上がった。出所はママがパパのために買った加湿器で、今は、逆さまの水のペットボトルがそこから突き出た状態でコンセントに差し込んである。まさにパパの望みどおりに。
「ママが自殺したほうがパパに好都合なのはどうしてか、わかってる」。口にするまでこんな言葉が自分の胸に詰まっていたとは知らなかった。「浮気してたからよ。ママがずっと気が触れてたとかなんとか弁解できるから、自殺したことにしておいたほうが責任逃れできるものね」
「ビー、それはちがうって」
「パパはウマならいいなと思ってるんでしょ。パパが職場で一生を過ごすあいだ、わたしとママは最高に楽しい時間を送ってたのに。お互いのために生きてたの。ママが酔っ払って船のバルコニーの近くまで歩くなんてまねするわけないでしょ。そんなことしたら、二度とわたしに会えなくなっちゃうかもしれないんだから。ママがそんなことするだろうとパパが思ってるってことは、パパがママのことをどんなにわかってないかの証拠よ。パパがウマを望んでるだけだってば」

「だったら、ママはどこに隠れているんだ？」。パパはかっかしながらきいた。「氷山の上かい？　いかだで浮かんでいるのか？　何を食べているんだ？　どうやって暖かくしてるっていうんだ？」

「だから、ギフトショップからレシートをもらいたかったのよ」。わたしはとてもゆっくり言った。それなら理解してもらえるだろうから。「ママが暖かい服を買ったって証明するために。そこで売られてるのよ。見たもの。パーカー、ブーツ、帽子。グラノーラ・バーもあるし――」

「グラノーラ・バーだって！」。それはパパの思うつぼだった。「グラノーラ・バーだと？　そんなものを根拠にしてこんなことを考えているっていうのか？」。パパの首の肌は透き通っていて、大きな血管が震えている。「パーカーにグラノーラ・バーだって？　もう外に出てみたか？」

「ううん――」。わたしは口ごもりながら言った。

パパは立ち上がった。「一緒に来るんだ」

「なんで？」

「外の気温を体感してもらいたいからさ」

「嫌よ！」。わたしはせいいっぱい力強く言った。「どんな寒さかわかってるから」

「こんな寒さじゃないんだ」。パパは船長の報告書をわたしから奪った。

「それ、わたしのよ」。わたしは叫んだ。「私有財産よ！」

「もしおまえが事実にそんなに興味があるなら、一緒に来なさい」。パパはフードをつかんできて、ドアの外にわたしを引っ張り出した。わたしはうなるように言った。「離して！」。すると、パパもうなるように言った。「いいから来るんだ！」。わたしたちはひじで押しのけ合いながら急な狭い階段を１階分上り、さらに２階分上った。それまであまりに猛烈な勢いで引っ張り合い、ののしり合っていたから、自分たちが注目の的になっているとふたりともすぐには気づかなかった。ラウンジに来ていたのだ。日本人たちが折り紙でいっぱいのテーブルに座り、ただこちらを見つめている。

「折り紙をしに来られたんですか？」。日本語の通訳は複雑な心境でそう言っているようだった。何しろ一方では、日本人以外は誰もワークショップに参加していなかったから来てくれてうれしいけど、もう一方では、誰がわたしたちに折り紙を教えたがるだろうと思っていたみたいだから。

「いえ、結構です」。パパはそう言ってわたしから手を離した。

　わたしはラウンジを駆け抜け、うっかり椅子に軽くぶつかった。忘れていたけど、椅子は床にボルトで留められていたので、わきへ倒れる代わりに、わたしのあばら骨に思い切り当たり、その勢いでわたしはテーブルのほうへはじき飛ばされ、おまけに船は縦に揺れた。

　パパがわたしを見下ろしていた。「どこだと思って――」

「パパと一緒に外へ出たりなんかするもんですか！」。わたしたちは取っ組み合い、引っかき合い、たたき合いながら、折り紙と真新しいパタゴニアのアウトドアウェアの塊みたいになって、出口のほうへと転がっていった。わたしはドアのわきの柱に足を押しつけたから、パパにそれ以上押されずに済んだ。

「そもそも、ママがどんな大きな犯罪をしたっていうの？」。わたしは叫んだ。「インドの秘書に使い走りをさせたこと？　だったら《サマンサ２》は何よ。あれってただ、人が何もしないで自分の代わりにロボットに嫌なことをさせるためのものでしょ。パパは、人間が自立しなくて済むようなものを創り出すことに生涯の10年と数十億ドルを費やしてきたのよね。ママは時給75セントでそれをする方法を見つけただけなのに、パパったら、精神病院にママを入れようとしたんじゃない！」
「そんなふうに考えているのか？」
「パパはマイクロソフトの〈コネクター〉の通路を歩く本物のロックスターだったものね」
「パパはそんなこと書いてない！」
「パパのガールフレンドが書いたんでしょ！　わたしたちはみんな真実を知ってるの。ママが家出したのは、パパが秘書を好きになったせいだって」
「外へ出よう」。トレーニングは明らかにある程度は効果があったようで、パパは、バルサ材でできたものを抱えるみたいに軽々とわたしを片腕で持ち上げ、もう片方の腕でドアをぐいと引っ張って開けた。
　ドアが閉まる直前に、わたしはかわいそうな日本人たちをちらっと見た。誰も動いていなかったし、いくつかの手は折っている最中に空中で凍りついていた。まるで蠟《ろう》人形館に展示してある折り紙の実演のジオラマみたいに。
　この船旅のあいだにまだわたしは外へ出たことが一度もなかった。すぐに目は刺すように痛み、鼻は顔の端にくっついているひりひりするほど冷たい石みたいになった。風がとても激しく吹いているので、目の中まで凍っていく。頬の高いところはひびが入るかと思うくらいだ。
「まだ南極にたどり着いてさえいないんだぞ！」。パパは風の吹く中わめいた。「どんなに冷たいか感じてるか？　どうだ？」
　口を開けると、中の唾が氷穴のように凍った。その凍った唾を飲み込んでみると、そんなことするのは全力を振り絞る必要があったけど、死の味がした。
「ママがこの状況で５週間もどうやって生きていられたっていうんだ？見回してみなさい！　空気を感じなさい！　まだ南極に着いてもいないんだぞ！」

わたしは袖口の中に両手を引っ込め、かじかんだ指でこぶしを作った。

パパは報告書を振ってみせた。「ここに書かれた真実は、ママが1月5日の午後6時に無事に乗船し、お酒を飲み始めたってことくらいさ。海があまりに荒れていたので停泊できなかった。そんなところだ。事実を知りたいだって？　これを感じなさい。この風を、この寒さを。これが事実だ」

パパの言うとおりだと思った。わたしより賢いんだから正しいに決まってる。わたしにはママを見つけられっこない。

「それ、返して」。わたしはそう言うと、報告書を思いっきりたたいた。

「こんなことさせないよ、ビー！　存在しない何かを探し続けるなんて、おまえのためにならないからね！」。パパが報告書を振ったから、わたしはつかもうとしたけど、関節があまりにこわばっていて、両手が袖に引っかかった。すると時すでに遅し。紙は1枚残らず空へと高く吸い込まれていった。

「やめて！　それしかわたしには残ってないの！」。ひとこと発するたびに凍った息が肺の中を切り裂いた。

「残っているよ。パパがいるじゃないか、ビー」

「パパなんか大嫌い！」

わたしは部屋へ駆け込み、白い錠剤をもう2錠飲んだ。船酔いしたからでなく、それを飲めば眠れるとわかっていたから。だからわたしはすぐに眠った。いったん目が覚めたときにはもう疲れていなかった。窓の外を見ると、海は波立ち、黒く、空も黒かった。1羽の海鳥がぽつんと空を舞っている。何かが水中で小刻みに浮き沈みした。大きな氷の塊で、前方にある恐ろしい陸地の最初の前触れだ。さらにわたしは2錠飲んでもう一度眠りに落ちた。

やがて音楽が船室を満たし、かすかに聞こえただけだったけど、数分たつうちにだんだんと大きくなった。「鏡に映る男から始めよう……」。それはマイケル・ジャクソンの歌声で、スピーカーから流れてくるモーニングコールだ。ブラインドと壁のすき間からは光が差し込んでいる。

「さて、おはようございます」。船内アナウンスが聞こえてきた。不気味な間があった後に、こう続いた。「外の景色をごらんになる喜びをまだ味わっていらっしゃらない皆さん、南極大陸へようこそ」。そのひとことでわたしは飛び起きた。「皆さんの多くはすでに甲板に出られて晴れた穏やかな朝を楽しんでいらっしゃいます。6時23分に初めて陸を目にしました。スノーヒル島を見つけたのです。今はデセプション湾に向かって進んでいるところです」。わたしはブラインドのコードをぐいと引っ張った。

そこには岩だらけの黒い島があった。ふもとには黒い水が流れ、頂には雪をかぶり、上のほうには大きな灰色の空が広がっている。南極大陸だ。わたしは胃がぎゅっと締めつけられる感じがした。だって南極大陸が話せるとしたら、たったひとことこう言うだろうから。おまえはここの人間じゃないと。

「ゾディアックは9時30分に皆さんを乗せ始めます」。ニュージーランド人は続けた。「博物学者やカメラマンが散策のご案内をいたします。またご希望の方はカヤックも常に利用できます。気温は摂氏マイナス13度、華氏8度です。おはようございます。繰り返します。南極大陸へようこそ」

パパが飛び込んできた。「起きなさい！　泳がないか」

「泳ぐって？」

「あれは火山島なんだ。だから温泉があってね。岸の近くの海水が一部、温かくなっているんだよ。どうだ。南極海でひと泳ぎしたいかい？」

「別に」。わたしは自分自身を振り返っていた。以前のビーがそこに立ってこちらに話しかけているみたいだ。「何言ってるの？　すごく泳ぎたいくせに。ケネディが聞いたらものすごく興奮するわよ」って。でも新しいビーが声を抑えてこう答えた。「行ってきたら、パパ」
「決心を変えてくれそうな気がするけど」。パパはすっかり歌うような口調で言った。でも、楽しそうなふりをしているだけだとわたしたちふたりともわかっていた。
日々が過ぎた。太陽がまったく沈まないから今が何時かわからなかったけど、パパを見て判断した。パパは家にいるときと同じように午前6時に目覚まし時計をセットしていた。朝起きると、ジムへ行き、マイケル・ジャクソンの歌声が船内放送で流れてきたころに、シャワーするために戻ってくる。そしてバスルームにきれいな下着を持っていき、それを着て出てきて、部屋で残りの服を着るというシステムを考え出した。パパは一度こう言った。「おかしいな。どこにもネティ・ポットが見当たらないんだが」。それから朝食へ向かい、わたし用の食べ物のプレートと、6ページのニューヨークタイムズ・ダイジェストのコピーを持って戻ってくる。コピーの上には大きな手書きの字でこう書かれてある。〈コピーはフロントデスクのみ閲覧可――部屋への持ち込み禁止〉それは前日の余ったメニューの裏に印刷されていた。わたしは、前の晩にどんな魚が提供されたか見るのが好きだった。どれも聞いたことがなかったから。たとえばライギョダマシ、ヘイク、ニシオオスズキ、レッドポーギーといったものだ。ケネディが信じないといけないからそれを取っておいた。それから重ね着王のパパは入念に探検用の服に着替え、日焼け止めとリップクリームを塗り、目薬を差すと、出発する。
するとまもなく、ゾディアックと呼ばれるモーター付きの黒いゴムボートが乗客を岸へと運んでいく。最後のゾディアックが出発すると、わたしは活動を始める。そのころになると、辺りにはわたしと掃除機だけになった。最上階へ行くと図書室があって、そこでわたしは、数人の乗客が〈カタンの開拓者たち〉という壮大なドイツのボードゲームで遊んでいるのを見守る。ジグソーパズルもたくさんあって、わたしはパズルが大好きなので興奮したけど、箱の中に〈このパズルは７ピース欠けている〉（欠けているピース数は箱によってさまざま）と書かれたメモを見つけ、そんなパズルなんかするもんかと思った。わたしと同じように一度も下船しないおばさんもそこにいたけど、どうしてなのかわからない。おばさんはわたしと話さずに、『数独、ゆっくりやりなさい』の本に取り組んでいた。そして各ページの一番上には記念としてパズルを解いた場所を書き留めていたのだけど、全部〈南極大陸〉と書いてあった。もっとも、わたしはたいてい図書室でただ座っていた。全面ガラス張りだったのですべて見渡せた。南極大陸については３本の横縞があると知ってさえいればいい。一番下には海の縞があり、それは黒から暗いグレーだ。その上には陸の縞があり、それはふつう黒か白。一番上には空のための縞があり、それはグレーか青色といったところ。南極には国旗のようなものはないけど、もしあるとしたら、ちがった色合いのグレーでできた３本の横縞にするべきだ。ほんとうに芸術家ぶりたいならすべてグレーにして、海、陸、空を表すグレーの３本の横縞だと言うこともできるけど、そうしたらあまりにたくさんの説明を要するだろう。

それからようやくゾディアックの一団が船に戻ってくる。パパがどれに乗っているかわからなかった。どの乗客も、同じ赤いフード付きパーカーと、それに合うスノーパンツを支給されていたから。おそらく赤がグレーに対して一番目立つからなのだろう。ただしガイドは黒を着ても構わないことになっている。最初のゾディアックが戻ってくるころまでに、わたしは、落ち込んでいるとパパに思わせるよう船室へ戻ることにしていた。客室係はいつもわたしの枕の上にウサギ型にねじったタオルを置いてくれたけど、それは日を追うごとにさらに凝った飾り付けになった。最初、タオル・ウサギはわたしのサングラスをかけていて、それからわたしのヘアバンドをつけ、次はパパのブリーズドライ〔鼻腔拡張テープ〕を貼っていた。

パパはまだ服に冷たさが残ったまま、情報とお土産話をいっぱい仕入れて飛び込んでくる。カメラに収めた写真を見せてくれ、実物どおり撮れていないと言う。それからランチのためにダイニングルームへ行き、わたしに何かを持って戻ってきて、後で午後のエクスカーションへまた出かけていく。わたしの好きな時間は夜のリキャップ〔今日の活動を振り返る会〕で、その様子を部屋のテレビで観るのだ。毎日、スキューバダイバーは海に潜って海底を録画した。この冷淡で黒い水の中には、これまで見たこともないような奇妙な海の生き物がものすごくたくさんいた。ガラスのように透明なナマコ。長さ30センチもある優雅なスパイク状のもので覆われたゴカイ。蛍光色のヒトデ。斑点と縞のあるカイアシ。どれもビートルズのアニメ映画『イエローサブマリン』に出てきそうなものばかり。わたしが学名で呼ばない理由は（別に呼びたくもないけど）まだ名前がないからだ。この生き物の大半を人間は初めて目にしている。

わたしはパパを愛そうとしたし、パパの元気なふりをするところも、服装も嫌いにならないように努めた。ママが建築家だったときパパのどこが気に入ったのか想像しようとした。パパのするどんなささいなことにも心から喜びを感じる人の立場になって考えてみた。それは悲しかったけど。だって、パパ自身やパパにまつわるすべてのことを思うと、いつもうんざりしてしまうから。パパが巨大な女の子みたいだなんてことを思いつかなければよかったと思った。いったんそんなことに気づいたら、気づかなかったときに戻るのは難しいもの。

わたしがこうしてわたしでいられることが時にはとてもすばらしく思えたから、どんなに自分がラッキーか信じられないくらいだった。わたしたちの船は、大海の真ん中に浮かんでいる氷山を通り過ぎていった。氷山は巨大で、奇妙な層が形成されていた。一度見たら忘れられないほど印象的で、堂々としていたので、胸が張り裂けそうになったけど、実は氷の大きな塊にすぎず、取るに足りない。うっすら雪化粧した漆黒の海岸があるかと思えば、時にはオレンジ色に頬を染めた大きな皇帝ペンギンが１羽ぽつんと氷山に立っていることもあった。そのペンギンがどうやってそこにたどり着いたか、どうやってそこから降りるつもりか、そもそも降りたいのかもわからない。別の氷山には、日なたぼっこをしてほほ笑んでいるヒョウアザラシがいた。虫も殺さないような顔をしていたけど、実はこの地上でもっとも獰猛《どうもう》な捕食動物で、飛びかかってかみそりのような歯で人間を捕らえ、凍りそうなほど冷たい水の中に引きずり込み、皮膚がするりとはがれるまで振り回すなんてことを平気でやってのける。また時折、船の端から海氷をのぞくこともできた。海氷は決してうまく合わない白いジグソーパズルのピースのようで、そのあいだを通り抜ける際にはカクテルグラスが触れ合うカチンという音がした。それからあちこちにクジラがいた。一度は50頭のシャチの群れを見たこともある。ママと赤ちゃんが群れて遊び戯れ、幸せそうに潮を吹いていた。ペンギンは真っ黒な海をノミのようにぴょんぴょん飛び跳ねては、氷山の安全なところへ移った。わたしが一番気に入っている光景を選ばなくてはいけないとしたら、ペンギンが水中からひょっこり顔を出し、陸に乗る様子だ。この世の大半の人はこんな光景をひとつたりとも見ることができないから、わたしははっきり覚えておいて、その壮大さにぴったりの言葉を見つけなくちゃというプレッシャーを感じた。それから取り留めのないことについて考えることもあった。たとえば、ママがわたしのお弁当に手書きのメモを入れておいてくれたこととか。時どきママは、ケネディのためにもメモを入れておく。ケネディのお母さんはメモを書いたことなどないから。そのメモは数週間続く物語のこともあった。図書室でもそんなことを考えていたわたしは、ふと席を立ち、双眼鏡を使って外を観察する。でも、ママはいなかった。まもなく家や友だちについて考えなくなった。南極で船に乗っていて夜がないと、自分が誰だかわからなくなるから。結局何を言いたいかというと、わたしは幽霊島の幽霊船に乗った幽霊になったのだ。

ある晩、リキャップでのこと。パパがチーズ・パフの載ったお皿を持ってきてくれてからラウンジに戻っていくと、わたしはテレビでリキャップの様子を見た。ある科学者が進行中の研究の一環としてペンギンのひなを数える実演をしていた。それから翌日の予定を発表する時間になった。その予定とは、英国の前哨《ぜんしょう》基地、ポート・ロックロイに行くというものだ。そこは、第二次世界大戦から残され、今では南極歴史資料館となっているし、住んでいる人たちもいて、ギフトショップと郵便局をやっているという。しかも、そこで南極ペンギンの切手を買って家に手紙を送るのがお勧めだって！

わたしの心臓は高鳴り始めた。慌てて歩き回り、ヤバい、ヤバい、ヤバいと繰り返しながら、パパがドアから飛び込んでくるのを待った。

「さて、皆さま」。スピーカーから声が聞こえた。「今回もすばらしいリキャップでした。シェフのイッセイから夕食の用意が整ったと知らせを受けたところです。ボナペティ」

わたしはラウンジへ急いで向かった。パパがあぜんとしてそこに座っているだろうと思ったからだけど、リキャップの集まりはもうお開きになっていて、人の群れが階段をよろよろ下りてきた。わたしは後方へ走り、遠回りしてダイニングルームへと向かった。パパがいた。男の人と同じテーブルに座っている。

「ビー！　一緒に夕飯を食べないか」

「待って。リキャップに出なかったの？　聞かな――」

「ああ、こちらはニックさんだよ。ペンギンのコロニーを研究されているそうだ。ひなを数えるためにお手伝いを常に必要としているって話されていたところでね」

「どうも……」。わたしはその瞬間パパがとても怖かったので、一歩下がってウエイターにぶつかった。「ごめんなさい……こんばんは……さようなら」。そして向きを変え、できるだけ速くそこから歩き去った。

それから海図室へ駆け込んだ。そこには南極半島の地図が広げられた巨大なテーブルがある。毎日わたしは、乗組員が船の通り道に点線で印をつける様子を見ていた。そして後で乗客が立ち寄り、丹念に自分の地図にそれを写すのだ。わたしは大きな薄い引き出しを開けると、ママのたどったコースの海図を見つけた。それを一番上に置き、指で点々をなぞった。ママの乗った船はたしかにポート・ロックロイで止まっている。

翌朝、パパがジムにいるあいだ、わたしは甲板へ出た。荒磯にどっかと立っていたのは黒い木造の建物だ。白い窓枠とさくらんぼ色のシャッターのついた建物が、モノポリーのホテルを２つくっつけたみたいにＬ字型に立っている。ペンギンが風景のあちこちにいた。背景には雪原が広がり、その上には先のとがった大きな山が立ちはだかり、７つの小さなうずくまった山々を見下ろしていた。まるで白雪姫と７人の小人みたいに。

パパは第１陣のカヤックツアーに申し込み、それから第２陣でポート・ロックロイへ行くことになっていた。パパがいなくなるのを待ってから、わたしは赤いパーカーとスノーパンツから値札を引きはがし、身につけた。宇宙飛行士のように重い足取りで歩く乗客の流れに加わって、階段を下り、マッドルーム〔ゴム長靴や防寒具を収納できるロッカー付き更衣室〕にたどり着いた。そこにはロッカーがずらっと並んでいて、両側には浮きドックがロープでつながれた大きな開口部がある。わたしはスロープを下り、ブルブル音を立てているゾディアックへ向かった。

「ポート・ロックロイへ行かれるんですか？」。乗組員は確認した。「スキャンしました？」

そう言うと、コンピューターのついたスタンドを指さした。わたしはIDカードをスキャンした。わたしの写真が〈陸上でお楽しみください。バラクリシュナさん！〉という字と一緒に画面にひょっこり現れた。マンジュラに対して腹立たしい気持ちがわき上がってきた。ビーと呼んでもらえるよう手配してくれるはずだったのに。でもそのとき、マンジュラはネット詐欺師だったのだと思い出した。

赤いウェア姿の十数人が、モーターに向かっているチャーリーと一緒にゾディアックにぎゅうぎゅう詰めになった。ほとんどが女の人で、みんな一生分のペンギンをすでに見ていたから、そろそろ買い物しなくてはと思っていた。何を買えるかについて次々と質問が飛んだ。

「わかりません」。チャーリーはちょっぴり腹立たしげに言った。「Tシャツですよ」

わたしは初めて鏡のように穏やかな水上に出た。肌を刺すような風が四方八方から吹きつけてくる。全身がすぐに縮み上がり、動くたびに肌は新しいスノースーツの冷たい継ぎに当たった。そこでわたしは静けさの中で身動きが取れなくなり、かろうじて岸が見えるくらいほんのちょっぴり首を回した。

ポート・ロックロイへ近づくにつれて、建物は妙なことにますます小さくなっていった。そのとき初めてわたしは怖くなった。チャーリーがエンジンをふかすと、ゾディアックは岩場に乗り上げた。わたしは大きく膨らんだほうの端からベリーロールをするように腹を下に向けて降り、ライフジャケットを脱ぎ捨てた。石の巣を守りながら歌っているジェンツーペンギンを避けつつ、大きな岩をどうにか越えていき、ついにあの建物の入り口に通じる木製のスロープにたどり着いた。イギリスの国旗が冷たくどんよりした風にはためいている。わたしは一番乗りで、ドアを乱暴に開けた。ちょっと間抜けそうだが、やる気はみなぎっている大学生くらいの女の子ふたりが迎えてくれた。

「ようこそ、ポート・ロックロイへ！」。女の子たちはイギリス英語で言った。

外とちょうど同じくらい建物の中も寒いというひどいありさまだ。わたしは、壁が青緑色に塗られた部屋にいた。まさにギフトショップという感じ。カラフルな垂れ幕が天井からぶら下がり、テーブルは、本、ぬいぐるみの動物、絵はがきであふれ、ガラスの棚には、トレーナー、野球帽、それにペンギンを刺繡《ししゅう》できるものならなんでも飾られている。ママのいる気配はなかったものの、それも当然で、ここは単なるギフトショップなんだもの。

この部屋の向こう側にはポート・ロックロイの残りに通じる通路があったけど、イギリス人の女の子たちがその通路を遮るように立っていた。わたしはそれをやり過ごし、ほかの乗客がぽつぽつ入ってきてはお宝を見て「おお」とか「まあ」とか言うあいだ、掲示板に興味があるふりをした。数独おばさんでさえ、この船外活動のために図書室からしぶしぶ出てきていた。

「ようこそ、ポート・ロックロイへ」。女の子たちは代わる代わる言った。

「ようこそ、ポート・ロックロイへ」

わたしはすでに１時間も女の子たちと一緒にそこに立っているような気がし、ついに尋ねた。「ここに住んでいる人たちはどこにいるんです？どこで暮らしてるんですか？」

「もう目にされているところでですよ」。女の子のひとりは言った。「皆さんがいらっしゃってからお話を始めましょう」。それからまた言った。

「ようこそ、ポート・ロックロイへ」

「でもどこで寝るんですか？」。わたしはきいた。

「ようこそ、ポート・ロックロイへ。これでおそろいですか。あら、まだいらっしゃるのね」

「ほかの人たちがいる食堂のようなものはあります？」

でも、女の子たちはわたしの頭の向こうを見て言った。「ようこそ、ポート・ロックロイへ。いいでしょう。皆さん、おそろいのようですね」。そして一方の女の子が熱弁を振るい始めたけど、「第二次世界大戦中、ポート・ロックロイは英国陸軍の秘密の前哨基地でした」と言うと、そこで黙った。ちょうどそのとき日本人観光客が入ってきていつものひと騒ぎがあったからだ。わたしはもはや耐えられず、女の子たちのあいだをすり抜けていった。

小さな部屋が２つあった。左の部屋は古めかしい司令部で、机のほかにダイヤルやスイッチのいっぱいついたさびた機械が並んでいた。でも人はいない。突き当たりには〈開けるな〉と書かれたドアがある。わたしは、ぼろぼろになった本が壁のようにずらりと並んだ横を通り過ぎ、ドアを引っ張った。まばゆい光に襲われた。外の雪原に通じていたのだ。ドアを閉め、もう一方の部屋へ引き返した。

「1996年に英国南極歴史遺産トラストは、ポート・ロックロイを生きた博物館にするべく資金を提供しました」。一方の女の子がまた話していた。

もうひとつの部屋はキッチンで、さびたコンロと、妙な配給食糧や英国製の缶詰でいっぱいの棚がいくつか置いてあった。そこにも〈開けるな〉と書かれたドアがあったので、わたしは駆け寄り、ドアを引っ張って開けた。またもや目から涙が出るような雪原のまばゆさに襲われた。

さっとドアを閉めた。目がまた慣れると、建物の中央に戻って、状況を理解しようとした。わかった。ドアは３つしかないのね。わたしたちが入ってきた正面のドアと、外に通じているドアがもう２つ……。
「大戦中にポート・ロックロイはタバリン作戦の本拠地となりました――」。女の子たちは続けた。
「わからないんですけど」。わたしは割り込んだ。「ここには何人の人が住んでるんです？」
「ふたりだけですよ」
「実際はどこで暮らしてるんですか？　どこに眠ってるんです？」
「ここですよ」
「ここってどういうことでしょう？」
「ギフトショップで寝袋を広げるんです」
「どこで用を足すんですか？」
「外に行って――」
「どこで洗濯するんでしょう？」
「ええと、わたしたち――」
「どこでシャワーをするんです？」
「これがこの子たちの暮らしってものなのよ」。観光客のおばさんがわたしに食ってかかってきた。そばかすがあり、青い目をして、金髪には白髪がたくさん交じっている。「無礼はよしなさい。この子たちは冒険を求めて３ヵ月もこんな辺境で過ごし、空き缶で用を足すんだから」
「ほんとうにあなたたちふたりしかいないんですね」。わたしは弱々しく言った。
「あとは、遊びにいらっしゃるお客さまみたいなクルーズ船の乗客もいますけど」
「だったら、そのう、あなたたちと一緒に暮らそうと船を降りた人はいませんか……」。自分の口から出ている言葉の響きと、ママがここで待ってくれているだろうなんて考えすべてがあまりに赤ん坊じみて思えたので、わたしは急に思いっきり赤ちゃんみたいに泣き出した。恥ずかしさと一緒になって頭の中で渦巻いていたのは、愚かにも期待を抱いてしまったことに対する自分への怒りだ。鼻水がとめどなく出てきて、口の中に入り、あごを伝い、新しい赤いパーカーへと落ちていく。それをもらえるのはうれしくてたまらなかったのに。

「あら、まあ」。そばかすおばさんは言った。「この子ってば、どうしたっていうの？」

涙が止まらなかった。非常食、ドリス・デイ〔アメリカの女優・歌手〕の写真、ウイスキーの木箱、クエーカーおじさんが若い姿をしているクエーカーオーツのさびた缶、モールス信号の機械、物干し綱からぶら下がっているお尻用フラップ付きの長いズボン下、〈南極ビーチクラブ〉と書いてある赤ちゃん用よだれ掛け。こんなものが置いてあるびっくりハウスでわたしは行き場を失っていた。チャーリーはあごを引きながら、パーカーに留めてある無線に話しかけた。大勢のおばさんが心配そうに「どうしたの《ホワッツ ロング》」と声をかけてきた。だから、今では日本語でそれをなんて言うかわたしは知っている。「アナタハ　ダイジョウブデス？」

集まっているナイロン製品の集団をくぐり抜け、正面のドアからなんとか外に出た。よろけながらスロープを下りて一番下まで行くと、次々に大きな岩をよじ登ってもう限界だというところまで進み、小さな入り江で止まった。振り返ってみると誰もいない。腰を下ろし、息を整えた。一頭のゾウアザラシが自分のぜい肉にくるまり、横向きにだらりと寝転んでいる。ゾウアザラシがどうやって動くかわたしには想像できなかった。目は大きな黒のボタン形で、黒い涙がにじみ出ていて、鼻からは黒い汁が出ている。わたしは自分の白い息がもうもうと立ち込めているのに気づいた。寒さに襲われ、もう一度動けるかわからなかった。南極はほんとうに恐ろしいところだ。

「ビー？」。パパだ。「ありがとうございます」。パパは案内してくれたにちがいない日本人のおばさんに小声でそう言うと、腰を下ろし、ハンカチをくれた。
「ママがここにいるって思ったの、パパ」
「なぜそう思ったかわかるよ」
わたしは少し泣いたけど、すぐに泣きやんだ。なのに泣き声は続いた。今度はパパの番だ。
「ママがいなくてパパも寂しいんだ、ビー」。パパの胸は激しくぴくぴく動いている。パパは泣くのがへたくそだ。「おまえは自分だけがママを恋しがる権利を持っていると思っているだろうね。でも、ママはパパの親友だった」
「わたしの親友よ」
「パパのほうがもっと長くママを知っているんだ」。パパは冗談を言っているわけではなかった。
今ではパパが泣いていたので、わたしとしては、ふたりそろって南極の岩に座って泣いているわけにはいかない気がした。「大丈夫よ、パパ」
「おまえの言うとおりだ」。パパは鼻をかみながら言った。「何もかもパパがカーツ先生に送ったあの手紙から始まったんだ。ママのために助けを得ようとしていただけなんだが。信じてくれ」
「信じる」
「おまえはとてもいい子だ、ビー。ずっといい子だった。パパとママの最高の成果だよ」
「そんなことないって」
「ほんとうだ」。パパは腕を回してわたしを引き寄せた。わたしの肩はパパの肩の下にしっくり納まり、パパのわきからすぐにぬくもりが伝わってきた。わたしはもっとぴったりパパに寄り添った。「ほら、これを試してごらん」。パパはパーカーに手を伸ばし、ポケットの中の熱で温まったビスケットを２枚取り出した。わたしはうなった。すごくおいしく感じたの。
「この旅はおまえにはさぞかしきつかったと思うよ。望んでいたようなものではなかっただろうからね」。パパはいやに感傷的で大きなため息をついた。「あんな書類を読むことになって申し訳ないと思っている、ビー。おまえが受け取るはずじゃなかった。15歳の子が読むべきものじゃないんだ」
「読んでよかったって思ってる」。ママにほかにも赤ちゃんがいたなんてわたしは知らなかったから。そのことを知った今、ママが産んでわたしと同じくらい愛したはずの子たちがみんな存在しているような気がした。なのに生き残ったのはこのわたしだけで、心臓のせいで体が弱かったのだ。
「ポール・ジェリネックの言うとおりだった。すばらしい男で、真の友人だ。いつかおまえと一緒にロスへ行って、あいつとしばらく過ごせたらいいんだが。あいつはママのことを一番よく理解していたからね。ママには何か創造する必要があるって気づいていたんだ」
「でなくちゃ、社会にとって脅威になるってね」
「パパがママの力になれなかったのはそこなんだ。ママは創造するのをやめた芸術家だった。ほんとうのママを取り戻すためにあらゆる手を尽くすべきだったのに」
「どうしてそうしなかったの」
「どうしたらいいかわからなかったもんでね。芸術家に創造してもらおうとするのは……とてつもなく大変なことなんだ。コードを書くパパには、それが理解できなかった。今でもわからないよ。ほら、ママがもらったマッカーサー助成金は、ストレートゲートを買うのに使ってしまったことを『アートフォーラム』の記事を読むまでは忘れていたくらいだからね。ママの期待と夢は、まさにぼくらの周りでもろくも崩れ去っていったってわけさ」

「どうしてみんながわたしたちの家をそんなに毛嫌いするかわかんない」

「脳とは割り引きのメカニズムだって聞いたことあるかい」

「ううん」

「たとえばプレゼントをもらって開けてみたら、すばらしいダイヤモンドのネックレスだったとしよう。最初は、ものすごく幸せでぴょんぴょん飛び跳ねるくらい興奮する。翌日、ネックレスはまだ幸せにしてくれるけど、前日ほどじゃない。1年後、そのネックレスを見てこう思う。ああ、あの古いやつねって。否定的な感情についても同じことが言える。フロントガラスにひびが入れば、ものすごくショックで、こんなふうに思う。うそだろ、フロントガラスが使い物にならなくなってる。これじゃ満足に外を見ることもできないじゃないか。とんだ災難だ、って。でも修理するお金がなければそのまま運転する。1ヵ月後、フロントガラスはどうしたのかきかれるとこう答える。どういう意味だい、ってね。脳がそれを割り引いていたからさ」

「初めてケネディの家に入ったとき、あの子のママはいつも魚を揚げてるから、あのひどいケネディ家のにおいがしたの。『あのキモイにおいは何？』ってきいたら、ケネディってば『どんなにおい？』って答えたのよ」

「たしかにそんな感じだ。どうして脳はそんなことするかわかるかい？」

「ううん」

「生き残るためさ。人間は目新しい経験に備える必要があるんだ。それは危険を知らせる合図になることもよくあるからね。かぐわしい花がたくさん咲くジャングルに住んでいるなら、そんないい香りに圧倒されてばかりいないようにしないといけない。さもなければ捕食者のにおいをかぎ取ることができないから。だから脳は割り引きのメカニズムだと考えられているんだよ。それはまさに生き残りの問題なんだ」

「かっこいい」

「ストレートゲートにも同じことが言える。ぼくらは、天井の穴、床の濡れた斑点、封鎖された部屋を割り引いてきたんだ。こんなこと言いたくないけど、あんな暮らし、人間がするもんじゃないのに」

「あんな暮らしをわたしたちはしてたのよ」

「だからあんな暮らしをしていたのが問題なんだ」。長い時間が過ぎたけど、いい感じだった。わたしとアザラシとリップクリームをさっと取り出しているパパしかそこにはいなかった。

「わたしたちってビートルズみたいね、パパ」

「だろうね」

「真剣に言ってるの。ママはジョンでパパはポール、わたしはジョージでアイスクリームがリンゴよ」

「アイスクリームだって！」。パパは笑いながら言った。

「アイスクリームは過去を恨んでいるし、将来を恐れているもの」

「なんだい、それ？」。パパは唇をこすり合わせながらきいた。

「ママが読んでたリンゴ・スターの本に書いてあったの。最近、リンゴ・スターは過去を恨み将来を恐れている、って。ママがあんなに大笑いするの、パパは見たことないと思う。口を開けてじっと座ってるアイスクリームを見るたびに、わたしたちは、『かわいそうなアイスクリーム。過去を恨み将来を恐れている』って言うのよ」

　パパはにっこり笑った。

「スーリンは」。わたしはそう言いかけたけど、その名前を口にするだけで話し続けられそうもない気がした。「あの人はいい人よ。でもシチューの中のうんちみたいなものなの」

「シチューの中のうんちだって？」

「たとえば何かのシチューを作るとするでしょ」。わたしは説明した。「とってもおいしそうなら食べたいわよね？」
「そうだね」
「それから誰かが少しうんちを入れて混ぜたとしたら、たとえそれがほんのちょっぴりでも、しっかり混ぜたとしても、食べたくないでしょ？」
「ああ」
「だからそれがスーリンなのよ。シチューの中のうんち」
「うーん、それはあんまりだと思うけど」。パパがそう言うと、わたしたちはもう笑うしかなかった。
　この旅行中初めてわたしはパパをまともに見ていた。パパは、耳を覆うようにフリースのヘッドバンドをつけ、鼻には凍傷予防クリームを塗り、顔の残りは日焼け止めと乳液でテカテカしている。サイドにフラップのついた山登り用のサングラスをかけ、その片方のレンズにはテープが貼ってあったけど、もう片方のレンズが同じくらい濃いから目立たなかった。パパを憎む理由などほんとうは何もなかったんだ。
「実はね、ママの身に起きたことについてとっぴな考えを持っているのはおまえだけじゃないんだ。ママは船を降りたけど、パパがスーリンと一緒にいるのを見てどうにかして避けたんじゃないかと思ってね。それでパパが何をしたと思う？」
「何？」
「シアトルの賞金稼ぎを雇って、ウシュアイアまでママを探しにいかせたんだ」
「ホント？　本物の賞金稼ぎ？」
「やつらは家から遠く離れた人たちを見つけるのを得意にしているんだ。職場の人間がそのひとりを勧めてくれてね。そいつはバーナデットを探すのにウシュアイアで２週間過ごし、出入りする船やホテルを調べたんだ。けど、何も見つからなかったよ。それからぼくらは船長の報告書を受け取ったってわけだ」
「そうだったの」
「ビー」。パパは言葉を選ぶように言った。「話しておかなくちゃいけないことがあってね。パパがメールを受け取れなくても、うろたえていないって気づいていたかい？」
「ううん、あんまり」。わたしは申し訳なく思った。パパのことをまったく考えていなかったとそのときになって初めて気づいたのだから。たしかにそのとおりだ。パパはいつもならメールに夢中になっているところなのに。
「大規模なリストラがあってね。こうしてこの岩の上に座っている今ごろ、発表されているだろう」。パパは時計を見た。「今日は10日だよね？」
「わかんない。たぶんね」
「10日付けで《サマンサ２》の企画は中止になるんだ」
「えっ、中止？」。その言葉がどうやって《サマンサ２》に当てはまるかさえ理解できなかった。
「終わったんだ。会社はパパたちの事業を打ち切って、ゲーム部門に手を出そうとしていてね」
「Xbox《エックスボックス》みたいな？」
「そんなところさ。ウォルター・リード陸軍病院が予算削減のために手を引いたんだ。マイクロソフトでは、出荷しない人間はなんの価値もないからね。《サマンサ２》チームがゲーム部門に吸収されるなら、少なくとも数百万体は出荷できるんだ」
「協力してくれてた下半身麻痺の人たちはどうなるの」
「ワシントン大学と交渉しているところでね。そこで事業を続けられたらと期待しているんだ。マイクロソフトが特許を持っているから複雑だけど」

「パパが特許を持ってるんだと思ってた」
「記念品のキューブはパパのものだけど、特許を持っているのはマイクロソフトなんだ」
「ってことは、マイクロソフトを辞めるつもり？」
「もう辞めたんだ。先週IDカードを返したよ」
IDカードのないパパなんて見たことがない。頭から注ぎ込まれたこの上ない悲しみでわたしはあふれそうになり、自分がハチミツの詰まったクマのボトルになった気がした。悲しくて胸が張り裂けそうで、「とても妙な感じね」としか言えなかったのだ。
「今、もっと妙なことを話してもいいかな」
「たぶんね」
「スーリンが妊娠しているんだ」
「なんて？」
「まだ幼いからこんなこと理解できないだろうけど、一晩だけのことなんだ。飲み過ぎたもんでね。始まった瞬間に終わったんだ。おまえから見たら、たぶんほんとうに……なんて言葉を使うんだっけ……キモイだっけ？」
「キモイなんて言ったことないよ」
「さっき言ってたじゃないか。ケネディの家が臭いのをそう言ってただろ」
「あの人、ほんとうに妊娠してるの？」
「ああ」。パパったらかわいそうに。吐きそうになっている。
「だったら、つまりパパの人生はめちゃくちゃになったってことね」。悪いけど、自分の心の中にある何かのせいでわたしは思わずほほ笑んだ。
「そんなふうに考えてもみなかったとは言えないけど、そう考えないようにしているんだ。これからは自分の人生を人とはちがったものとして築いていくつもりさ。自分たちの人生を。おまえとパパの」
「ってことは、わたしとリンカーンとアレクサンドラには同じ弟か妹ができるってわけ？」
「ああ」
「チョーわけわかんないんだけど」
「わけわかんないか！　おまえがその言葉を使うのはずっと嫌だったけど、たしかにかなりわけわかんないよな」
「パパ。あの晩、あの人をオノ・ヨーコって呼んだのは、あの人がビートルズを解散させたからよ。アジア人だからじゃないの。後悔したんだ」
「わかってるよ」
　目に涙をいっぱいためたアザラシがそこにいてくれてよかった。わたしたちふたりともただそのアザラシを見ていればよかったから。でもすぐにパパは目薬を差し始めた。
「パパ。傷つけるつもりはほんとうにないんだけど……」
「けど、なんだ？」
「身につけるものをいっぱい持ちすぎよ。全部把握できないでしょ」
「そりゃよかった。おまえに把握してもらう必要なんてないからね」
　わたしたちは黙っていたけど、しばらくしてわたしは言った。「南極の気に入ってるところはただ外を見てられることよ」
「なぜかわかるか？　おまえの目が長いこと水平線にそっと焦点を合わせたままでいると、脳がエンドルフィンを放出するんだ。ランナーズ・ハイと同じさ。最近、ぼくらはみんな目の前の12インチの画面を見つめて過ごすだろ。だからこれはいい気分転換になるんだ」
「いいこと思いついた。携帯電話を見つめてるときに、脳をだまして水平線を見てると錯覚させるアプリを作ったらどうかな。メールを打つことでランナーズ・ハイを味わえるような」
「なんて言った？」。パパはくるっとわたしのほうを向いた。頭がフル回転しているようだ。

「わたしのアイディアを盗んだら承知しないから！」。わたしはパパを小突いた。
「警告したからね」
　わたしはぶうぶう言うと、あとは黙っていた。それからチャーリーがやって来て、もう戻らないといけませんと言った。
　朝食中に、わたしは、ペンギンを数えるニックに助手にならないかとまた誘われ、結構楽しそうだなと思い、引き受けた。そこでわたしたちは専用のゾディアックで誰よりも先に出発することができた。ニックはわたしを船外モーターの隣に立たせて舵を取らせてくれた。ニックを表現するのにぴったりな言い方は個性がないということだろう。意地悪に聞こえるけど、まあほんとうだ。ニックが一番個性的だったのは、サーチライトみたいにくまなく水平線を見渡すようわたしに指示したときだ。右から左、左から右へと。ニックはこんなことを言った。ここで初めてゾディアックを運転していた後に、家へ戻ってすぐ車を運転していると、事故に遭ったんだ。右から左へばかり見ていたので真正面にいる車に追突する羽目になったからな、って。でもそれは個性ではない。ただの交通事故だ。
　ニックはアデリーペンギンのコロニーでわたしを降ろし、何かの境界線が記された衛星地図を挟んだクリップボードをくれた。これは１ヵ月前の調査の追跡調査で、前回は別の科学者が卵を数えていた。ひなにかえるのに成功した卵の数を確認するのがわたしの仕事だ。ニックはコロニーをひと目見て判断すると、こう言いながら肩をすくめた。
「繁殖は完全に失敗みたいだな」
　ニックがあまりに何気なくこう言うのを聞いてわたしはショックだった。「どういうことですか。完全に失敗って」
「アデリーたちは生まれつき、毎年きっかり同じ場所で卵を産む傾向があるんだが。今年は冬が遅くまで続いたから、やつらが巣を作るときに営巣地はまだ雪で覆われていたもんでね。だからひなはあまりいないみたいだ」

「どうしてわかるんですか？」。何しろわたしにはわかりっこなかったから。

「さあね。やつらの行動を観察してわかったことを報告してくれ」

ニックはカウンターをわたしに預け、２時間後に戻ってくると言い残して別のコロニーへ向かった。アデリーはもっともかわいいペンギンと言えるだろう。つぶらな黒い瞳の周りが補強するかのように白い完全な円になっているほかは、頭は真っ黒だ。わたしは地図の左上隅から始め、アデリーの足のあいだからグレーの毛玉が突き出ているのを見るたびにカチッと押した。カチッ、カチッ、カチッ。そうやって地図に書かれたエリアの上のほうを念入りに数え、右端まで終わると、今度は下へ降り、右から左へと念入りに数え出した。同じ巣を繰り返し数えないように注意しなくてはいけないけど、きちんと格子に納まっているわけではないので、そんなのとうていできっこない。数え終わると、もう一度数え、同じ数を得た。

ペンギンについて驚いたのは以下の点だ。まずは、胸が真っ白ではなく、ピンクや緑の斑点があること。それは一部消化されたオキアミや戻した藻で、ひなにエサとして与えるときに飛び散ったのだ。もうひとつはなんと悪臭を放っていること！　しかも、やかましい。時々とても心地よくクークー鳴くけど、たいていはキーキーと甲高く鳴く。わたしが見たペンギンたちは、時間の大半をよたよた歩き回っては仲間と石を奪い合い、血が流れるまでつつき合うくらい激しく闘って過ごしていた。

岩場の上のほうまで登って辺りを見渡した。ありとあらゆる形状をした氷がどこまでも広がっている。氷河、定着氷、氷山、静かな水中の氷の塊。空気はとても冷たく澄んでいるので、遠くの氷でさえすぐ目の前にあるかのように鮮やかでくっきりしている。何もかもが広大で、辺りは穏やかで、静まり返り、とてつもない沈黙が流れている。そう、そこに永遠に座っていられた。

「どんな行動を観察できたかね」。ニックは戻ってくると尋ねてきた。

「大半の時間を闘って過ごすペンギンには、ひなはいませんでした」

「いいぞ」

「ペンギンはひなの世話をすることになってるみたいです。でも、ひながいなければ、全力を注いですることがありません。だからただ喧嘩を売ったんです」

「いいね」。ニックはわたしの仕事ぶりをチェックした。「いい感じだな。サインしてくれ」。わたしは調査した科学者だという証拠を残すために地図の下のほうにサインした。

ニックと一緒に船に戻ると、パパはマッドルームにいて、重ね着していた服を脱いでいるところだった。わたしはIDカードをスキャンした。それはゴーンと鳴り、画面にはこんなメッセージが出た。〈バラクリシュナさん、スタッフにご相談ください〉うーん。もう一度スキャンしたけど、またゴーンと鳴った。

「出るときにスキャンしなかったせいだよ」。ニックは言った。「記録上ではまだ船にいることになってるんだ」

「さて、皆さん」。頭上からアナウンスが聞こえてきたかと思うと、かなり間があってから続いた。「朝のエクスカーションをお楽しみいただき、ダイニングルームでこれからお出しするアルゼンチンのバーベキューを召し上がりたくなっているころかと期待しております」。わたしは階段を半分上ったところで、パパがいないのに気づいた。パパは困惑した顔つきでスキャナーの前に立っている。

「パパ！」。みんながビュッフェの列めがけて突き進んでいるのがわたしにはわかっていたし、最後尾につくのは嫌だった。

「わかった、わかった」。パパはそう言うと、きびきび歩き出した。おかげでわたしたちは、みんながまだあまり並ばないうちにダイニングルームに着けた。

午後のエクスカーションはなかった。船はまだ長い距離を進まなければならず、止まる時間などなかったからだ。パパとわたしは図書室へ行き、何か一緒にできるゲームはないかと探した。

ニックはわたしたちがそこにいるのを見つけ、何か書類をくれた。「きみに取ってもらったデータのコピーをあげよう。興味があるかもしれないから、過去のデータもつけておいたよ」。なるほど「親切」がニックの個性なのだろう。

「すごいですね。一緒にゲームをしませんか」

「いや。荷造りしなくちゃいけないもんでね」

「残念ね」。わたしはパパに言った。「ほんとうは〈リスク〉〔世界征服を目指すボードゲーム〕をしたいところなのに。あのゲームにはプレーヤーが３人は必要だから」

「一緒にやりましょうよ」。イギリス英語で女の子に声をかけられた。なんとポート・ロックロイにいた女の子ふたりのうちのひとりだ！　もうひとりの子も一緒で、ふたりのＴシャツには手書きの名札が貼ってあり、それにはそれぞれの名前と〈ポート・ロックロイについてどうぞお尋ねください〉という言葉が書かれていた。ふたりはシャワーしたてで、笑みがつやつやした顔いっぱいに広がっている。

「ここで何をしてるんです？」。わたしはきいた。

「２日間はポート・ロックロイを訪れる予定の船がないのよ」。ヴィヴィアンは答えた。

「それで船長さんが、〈アレグラ号〉に泊まっていいよって言ってくれたの」。アイリスは言った。ふたりとも話したくてたまらなかったから、レーシングカーのドライバーがお互いの行く手をなんとか遮ってやろうとしているみたいだった。話し相手がほかにいなかったせいにちがいない。

「どうやって戻るつもりなんですか」。わたしはきいた。

「ニックに関わる予定の変更があってね――」。ヴィヴィアンが話し出した。

「それで午後のエクスカーションがないってわけ――」。アイリスが続けた。

「〈アレグラ号〉がニックをパーマーに連れていくことになってるの」。ヴィヴィアンは言った。

「それでこの船はポート・ロックロイを訪れる次の船と出くわすことになっていて、ヴィヴィアンとわたしはそれに移って――」

「クルーズ会社はそんなこと内緒にしたいけど――」

「あの人たちは広大な南極海で孤独だという印象を乗客に与えたいから、こんな乗組員の移動は真夜中にしか行われ――」

「それにわたしたちがシャワーしたと知ってあなたもうれしいでしょ！」。ヴィヴィアンがそう言うと、ふたりともクスクス笑い出し、おしゃべりレースは終わった。

「この前は失礼なことを言ってしまったとしたら、ほんとうにごめんなさい」

　わたしはそう言うと、パパのほうを向いたけど、パパは操舵室《ブリッジ》へ向かっていた。パパを呼び止めなかったのは、わたしが〈リスク〉でどんな戦略を取るかパパは知っているからだ。その戦略とは、最初にオーストラリアを占領すること。たとえオーストラリアが狭くても、そこへの出入り口は１箇所しかないから、いざ世界を征服する時になってオーストラリアを占領していなければ、いったんオーストラリアへ侵入したら、次の順番まで自分の軍隊はそこから身動きできなくなる。すると、次のプレーヤーに自分が進路に残してきた１ユニットの軍隊を食い荒らされてしまう。だからパパが戻ってこないうちにさっさと３人で色を選び、軍隊を配った。４回目の自分の番で、わたしはオーストラリアを奪った。

この子たちと〈リスク〉をやるのはとても楽しかった。それまでこんなに幸せなふたりを見たことがなかったから。熱いシャワーを浴びてちゃんとしたトイレで用を足せたおかげだろう。ヴィヴィアンとアイリスはおもしろい話をしてくれた。ある日、クルーズ船に挟まれるようにポート・ロックロイで座っていると、大きくて豪華なヨットが止まったそうだ。それはポール・アレンのヨット〈オクトパス号〉で、ポールとトム・ハンクスが降りてきて見学させてほしいと頼んできた。ポールたちは〈オクトパス号〉でシャワーを浴びられたのか、わたしはふたりにきいたけど、そんなこと尋ねる勇気なんてなかったとの答えが返ってきた。

ポート・ロックロイでわたしを無礼だと言ったそばかすおばさんが本を手にして座りながら、わたしとヴィヴィアンとアイリスがずっと前から知り合いだったかのように笑っているのを眺めていた。

「ハローーーーー」。わたしは、にっこり笑っている大きなネコのようにおばさんに言った。

おばさんが反応できないうちに「さて、こんばんは」というアナウンスが流れてきた。右舷側にクジラの群れがいると告げていたけど、わたしはその光景をすでに見たことがあった。さらに「さて、こんばんは」という声が聞こえては消え、そのたびに写真講座、夕食、ペンギンの行進について知らせていたけど、わたしたちはゲームをやめたくなかったので、交替でダイニングルームから図書室へ食べ物の皿を走って運んだ。アナウンスが流れるたびに、パパはひょっこり現れては窓越しに親指を上に向けてＯＫのサインをしてみせ、わたしも同じサインを返した。太陽はまだ照りつけていたので、時の流れを判断するには、乗客が図書室からぽつぽつ出ていくことによるしかなかった。まもなくパパも現れなくなって、〈リスク〉をやっているわたしたち３人だけになった。数時間がたったにちがいない。わたしたちと清掃係だけが図書室にいた。また別の「さて、こんばんは」が聞こえた気がしたけど、掃除機のせいでよくわからなかった。すると、パジャマの上にパーカーを引っかけた寝ぼけまなこの乗客たちがカメラを手にして甲板に出てきた。

「どうしたんだろう」。わたしは言った。夜中の２時なのに。

「ああ、きっとパーマーに着いたのよ」。ヴィヴィアンは手を小刻みに動かしながら言った。次はヴィヴィアンの番で、ヨーロッパを奪おうとしているようだ。

さらに多くの人が甲板に現れたけど、わたしは彼らの頭に阻まれて何も見えなかった。それでしまいには椅子の上に立った。「うわあ、何あれ！」

小さな町が見えた。たくさんの運送用コンテナとトタン板でできた建物数軒を町と呼ぶならだけど。「あそこはいったいなんなの？」

「パーマーよ」。アイリスは言った。

パーマーはパーマー基地の略だったのだ。ニックが荷造りしていると言ったとき、それにアイリスがこの船はパーマーでニックを降ろすと言ったとき、わたしは、どこかの島でペンギンを数えるんだろうなくらいに思っていた。

「来月いっぱいあそこにニックは滞在するのよ」。ヴィヴィアンは言った。

わたしは、アメリカ人が住める南極大陸の３つの場所についてはよく知っていた。まずはマクマード基地で、1,000人くらいが暮らしているすごく汚い場所らしい。もちろん南極点もそのひとつで、はるか遠くにある奥地だからたどり着くのが困難で、20人しか住んでいない。そして45人ほど滞在しているパーマー基地だ。３箇所とも、科学者とそのサポートをするスタッフだけが住んでいる。でも海図室を調べたり、船長に尋ねたりしたところでは、〈アレグラ号〉はパーマー基地に一度も止まっていなかった。

でも、この船はこうしてここにいる。
「みんなここで降りるの？」。わたしはふたりにきいた。
「えっ、ううん」。アイリスは言った。
「科学者だけよ」。ヴィヴィアンは付け加えた。「とても大変な作業をやってるの」
わたしは甲板へ飛び出した。数台のゾディアックがこの船と200メートル近く離れたパーマー基地とのあいだを行ったり来たりしている。ニックは冷却器や食品の木箱を山と積んだゾディアックに乗って、船から離れていった。
「この船に乗り込んでるあの人たちは誰？」。わたしは不思議に思ってきいた。
「伝統なんだよ」。博物学者のチャーリーが隣に立っていた。「パーマーの科学者に一杯ふるまおうと乗船させてるんだ」
わたしはすごい顔をしたにちがいない。チャーリーは慌ててこう付け加えたから。「いや。みんな５年もの年月を注いでようやくパーマーに来るんだ。ベッドや供給品もごく限られてる。シアトルから来たママが気まぐれであそこにたどり着くなんてことはありえないよ。そんなふうで気の毒だけど、わかるよね」
「ビー！」。興奮した声でささやかれた。パパだ。夜中の２時だからパパは眠っていると思っていたのに。口をきく間もなく、パパに階段の下へ連れていかれた。「おまえのIDカードがスキャンしなかったときからずっと考えていたんだが」。パパの声はすっかり震えている。「ママが船から降りたのにスキャンしなかったとしたらどうなるだろう。IDカードはまだ船の中にいると示していたから、みんなは当然ママが船から消えたと結論づけた。でも、どこかで下船したのにスキャンしていなかったとしたら、まだ降りたところにいるかもしれないじゃないか」。パパはドアを引き開け、ラウンジへ入っていった。かなり汚らしく見える人たち、パーマー基地の科学者でいっぱいだ。

「ママが降りた最後の場所はネコ・ハーバーだったのよ」。わたしは考えをまとめようとして言った。「それから戻って乗船したの」

「ママのIDカードのスキャンによるとな」。パパはまた説明した。「けど、ママが後で船からこっそり降りたとしたらどうだろう。スキャンしないで。パパはたった今までバーカウンターにいてね。そのとき、あるご婦人がやって来てピンクペンギンを注文したんだ」

「ピンクペンギンですって？」。胸がドキドキしてきた。船長の報告書に書かれていた飲み物だ。

「そのご婦人はパーマー基地に勤めている科学者だとわかってね」。パパは言った。「ピンクペンギンはあの人たちの公式ドリンクなんだそうだ」

　わたしは新しくやって来た人たちの顔をじろじろ見た。みんな若くて、ＲＥＩで働いているとしてもおかしくないくらいむさくるしく、笑ってばかりいた。ママの顔は見当たらない。

「あそこを見てごらん」。パパは言った。「実際に存在するとは思わなかったよ」

　わたしは窓側の席にひざをつき、外をのぞいた。ずらっと並んだ赤い通路が青いトタン板の建物をつないでいる。十数本の電柱が突っ立っていて、シャチの絵が描かれた水槽もある。巨大なオレンジ色の船が近くに止まっていたけど、クルーズ船とはまるでちがい、むしろいつもエリオット湾で見かける工業船のようだ。

「そのご婦人の話では、パーマー基地は南極大陸の中でも恵まれた職場なんだそうだ」。パパは言った。「《ル・コルドン・ブルー》で修行したシェフもいるんだと。まいったな」

　下のほうでは、ゾディアックがわたしたちの船と磯のあいだを行ったり来たりしていた。ゾディアックのひとつにはエルヴィスのマネキンが載せてあって、博物学者たちはワーワー大騒ぎしながらそれをビデオに撮っていた。びっくりしたけど、何か内輪ネタにちがいない。

「だったら、船長の報告書に書いてあったピンクペンギンって……」。わたしはまだつじつまを合わせようとして言った。

「ママが飲んだわけじゃなかったんだ。きっと科学者が飲んだんだろう。ニックみたいにパーマー基地に降ろされる予定で、ママが仲良くなった科学者だよ」

わたしはまだ何か引っかかっていた。「でも、ママの船はパーマー基地の近くには行かな――」。すると気づいた。「わたし、確かめる方法を知ってる！」

そう言うとラウンジから飛び出し、階段を下り、海図室へ向かった。パパはすぐ後を追いかけてきた。つやつやした木の台の上には、南極半島の地図が広がっていた。細かい赤い点線はこの船の航路を示している。わたしは引き出しを開け、海図をぱらぱらとめくり、12月26日付けのものを見つけた。

「これはママの乗った船が通った航路よ」。わたしはその海図を広げ、隅に真鍮の重りを置いた。

そしてママの船が通った赤い点線の道をたどった。〈アレグラ号〉は、南アメリカ大陸南端にある諸島、ティエラ・デル・フエゴを出発し、この船と同じくデセプション島で止まった。それから南極半島の周りをぐるっと通ってウェッデル海の奥深くへと進むと、折り返してネコ・ハーバーやアデレード島を通ったけど、その後に向きを変え、ブランスフィールド海峡を通り抜けて戻り、キングジョージ島を通って、フエゴ島のウシュアイアへたどり着いた。「ママの乗った船はパーマー基地の近くを通らなかったみたいね」。だめだ、どうしようもない。

「これはなんだい？」。パパは赤い点線を横切っているグレーの破線を指さした。それは３本あった。
「海流か何かじゃない？」。わたしは当てずっぽうで答えた。
「いや……海流じゃない。待て、それぞれに記号がついているぞ……」。ほんとうだ。このグレーの線には、雪の結晶、ベル、三角形の記号がついている。
「記号表があるはず……」
　海図の左下にたしかに記号表があった。記号が書かれ、その隣にそれぞれ次の言葉が書いてある。〈シトカ・スター・サウス〉、〈ローレンス・M・グールド〉、〈南極アヴァロン〉。
「〈ローレンス・M・グールド〉って名前、どっかで聞いたことある」。わたしは言った。
「船の名前みたいだな」
「どこで見たかわか――」
「ビー？」。パパはにっこり笑って言った。「顔を上げてごらん」
　わたしは顔を上げた。窓の外にあの大きな船があった。船体はすべてオレンジ色で、青いブロック体でこう書かれている。〈調査船　ローレンス・M・グールド〉。
「あの船はママの乗っていた船と出くわしたんだ」。パパは言った。「それで今、あの船がどこにいるか見てごらん」
　わたしは考えていることを口にするのが怖かった。
「ここにいるよ、ビー！」。パパは言った。「ママはここにいる」
「急いで！　ラウンジの人たちに尋ねに行きましょう――」
　パパはわたしの腕をつかんで言った。「だめだ！　ママにバレたら、また姿を消しちゃうかもしれない」
「パパ、南極にいるのよ。ママがどこに行けるっていうの？」

パパは、ほんとうにそう思ってるのかとでもいうような顔をした。

「はい、はい、わかったって。でも観光客は降りちゃいけないのよ。どうやって――」

「ゾディアックを盗むんだ。きっかり40分あるよ」

そのとき、パパがわたしたちの赤いパーカーを握っているのに気づいた。パパに手をつかまれ、わたしたちは螺旋階段をくるくると１、２、３階分下りて、とうとうマッドルームに着いた。

「おふたりとも、今夜はいかがお過ごしですか」。カウンターの後ろにいた女の子は言った。「それとももう朝ですか。そうなんですね！」。それから事務処理に戻った。

「上へ戻ろうか」。パパは大きな声で言った。

わたしはパパをロッカーの列の後ろに押しやった。「パーカーをちょうだい」。そう言うと、パーカーを空いているロッカーに詰め、前にニックに連れていかれた乗組員のロッカーのほうへパパを案内した。壁には黒いパーカーが並んでいる。「これ、着て」。わたしはささやいた。

それから、ゾディアックがつながれている浮きドックへとゆっくり歩いていった。フィリピン人の乗組員ひとりしかいない。その人の名札には〈ジャッコ〉と書かれている。

「船員さんが話してるのを耳にしたんですけど」。わたしは言った。「この船はパーマー基地から衛星信号を受信してるんですって。だからみんな、ただで家に電話しようとブリッジにいますよ」

ジャッコは大股で進み、船の中へと姿を消した。わたしはパパにささやいた。「今よ！」

そして、ぶかぶかの乗組員のパーカーを着てファスナーを閉め、袖をまくり上げた。わたしたちはライフジャケットを２着つかみ、ゾディアックに這うようにして乗り込んだ。わたしはロープをクリート〔耳型の綱止め〕

から外すと、モーターのボタンを押した。エンジンは咳き込むような音を立てて始動した。ゾディアックは〈アレグラ号〉から脱出し、きらめく黒い水の上を進んでいく。

　わたしは振り返った。数人の乗客がまだ甲板で写真を撮っていたけど、大半は中に引っ込んでいた。数独おばさんは今では図書室にいたし、アイリスとヴィヴィアンは窓の外を眺めながら、〈リスク〉のゲームを前に座っていた。船室のブラインドのほとんどは下げられていた。一方、ゾディアックの乗り心地はと言えば、快適だった。

「かがみなさい」。パパは言った。1台のゾディアックがこちらに向かってきている。「おまえはここにいるべき人間にしては小さすぎるからな」。パパはモーターの前に進み、スティックをつかんだ。「もっとかがんで。しっかり」

　わたしは厚板で作られた船底にうつ伏せに寝た。「そのへんてこな眼鏡を外して！」。パパは透明なほうをつけていたから、テープを貼ったレンズがとても目立っている。

「くそ！」。パパはもたもたと眼鏡をポケットに突っ込み、鼻の上までパーカーのファスナーを閉めた。

「誰がこっちに来てるの？　わかる？」。わたしはきいた。

「フロッグ、ギリー、それにカレンだ」。パパは口を開けずに言った。「少しずつこっちに傾けるぞ。極端なことはしないけど、ちょっと距離を置こうと思って」。そう言うと、フロッグたちに手を振った。

　わたしはゾディアックが通り過ぎるのを感じた。

「よし、大丈夫だ。さあ、止まる場所を探しているんだが……」

　わたしはゴムの端からのぞいた。パーマー基地に囲まれている。「岩の上に思い切り速く突っ込んじゃえばいいよ――」

「だめだ――」

「やって」。わたしは立ち上がりながら言った。「いいから全速力で——」

　パパが岩に突っ込むと、わたしはいきなりゾディアックの膨らんだゴムの端に投げ出された。固定されたロープにつかまったけど、体は外にたたきつけられたものだから、両足と一方のひざが固いゴムと磯のあいだに挟まれ、思わず「ギャーッ！」と叫んだ。

「ビー！　大丈夫か」

　実際はちっとも大丈夫だと思わなかったけど、「平気よ」と答えると、なんとか体を引き出し、よろよろと立ち上がった。「うわっ、大変」。さっきのゾディアックがぐるっと円を描いて戻ってきて、乗っている人たちが手を振って叫んでいるではないか。こちらに向かってだ。わたしはゾディアックの陰にひょいと身を隠した。

「行きなさい」。パパは言った。

「どこに」

「いいからママを見つけるんだ。あいつらを引き止めておくから。船は午前３時に出発する。今から30分後だ。誰か見つけてママがいないか尋ねなさい。ママはここにいるかいないかのどっちかなんだ。おまえが戻ってきたいなら、２時50分までに船に無線連絡しないと。わかったか。２時50分だぞ」

「戻ってきたいならってどういう意味？」

「わからんよ」

　わたしはごくりと息をのみ、ばらばらに広がったトタン板の建物を見上げた。

「必ず……」。パパは内ポケットに手を入れ、金の絹の太ひもがついた黒いビロードの小さな袋を取り出した。「ママに渡してくれ」

　パパに別れのあいさつもせずに、わたしは足を引きずりながら砂利道を上った。砂利の大半は浸食のせいで削り落とされている。左右には輪送コンテナが並んでいた。さまざまな色合いの青いコンテナで、それぞれステンシルで標示が刷られている。冷蔵庫、揮発性物質、可燃物格納庫、破損物格納庫、コウモリの洞窟《バット・ケイブ》。ウッドデッキにはテントが張られていた。テントには本物のドアがあり、海賊やバート・シンプソン〔テレビアニメ『ザ・シンプソンズ』の長男〕のようなおかしな旗が立っている。太陽が空に出ていたとしても、わたしは夜の静けさの中を歩いていた。歩き続けるにつれ建物がだんだんと密集してきて、その建物同士は、パーツをつないで作るハムスター・ケージのように、赤い橋や束ねたパイプでつながれていた。左のほうには、ガラスにへばりついたイカやヒトデ、夜のリキャップで見たような妙な海の生き物のいる水槽があった。大きなアルミのドラム缶も置かれ、その隣には〈温水浴槽の近くにガラス容器を絶対に置くな〉と書かれたマティーニグラスの看板が立っていた。

わたしは中心の建物に通じる階段にたどり着いた。そして階段を半分上ったところで思い切って振り返った。

パパのゾディアックの隣には、別のゾディアックが止まっていて、ガイドのひとりがパパのほうに乗り込んでいた。何か言い争っているみたいだ。だけど、パパはモーターのところから動かなかったので、ガイドたちはこちらに背を向けたままだった。今のところわたしは見つかっていない。

建物のドアを開けてみると、そこは心地よく暖かい大きな部屋で、誰もいなかった。タイルカーペットが敷かれ、アルミのピクニックテーブルが並んでいて、スケートリンクのようなにおいがする。一方の壁はＤＶＤでいっぱいの棚に当てられていた。部屋の奥のほうには、カウンターやステンレスのオープンキッチンがあった。ホワイトボードには〈おかえりなさい、ニック！〉と書かれている。

どこからか笑いがわき起こった。わたしは廊下を走り、ドアを次々に開けた。ある部屋は、充電所に差し込まれたトランシーバーのほかは何もなかった。大きな看板には〈コーヒーマグは《ジョイスの店》以外では使用禁止〉と書かれている。隣の部屋には、机、コンピューター、酸素ボンベがあった。またある部屋には、ただの妙な科学的な機械ばかり並んでいた。それにトイレもあった。角を曲がったところから声が聞こえたので、そちらのほうに走っていくと、つまずいた。

床にぺしゃんこのごみ袋が敷かれ、その上にはスパゲッティ鍋が置かれていたのだ。鍋の中には、見覚えのあるデザインのＴシャツが入っていた。色とりどりの手形だ。わたしは手を伸ばして冷たい灰色の水からＴシャツを拾い上げた。〈ゲイラーストリート校〉

「パパ」。わたしは叫んだ。「パパってば！」。わたしは廊下を走って戻り、ガラス張りの壁までたどり着いた。

ゾディアックは２台ともパーマー基地から〈アレグラ号〉のほうへ猛スピードで遠ざかっていった。その１台にパパは乗っている。

すると背後で声がした。「困ったおちびちゃんね」

ママがそこに立っていた。カーハート〔老舗ワークウェアブランド〕のパンツにフリースを着ている。

「ママ！」。わたしは目に涙を浮かべ、ママに駆け寄った。そして、ひざまずいてくれたママをただしっかと抱き締め、体をうずめた。「見つけた！」

わたしが身を任せていたから、ママはわたしの重みをすべて両腕で支えなければいけなかった。わたしは、ママの美しい顔と、以前と変わらないこちらを探るような青い瞳を見つめた。

「ここで何をしてるの？　どうやって来たの？」。ママは言った。ママの笑っている目元からは、しわが太陽光線のように放射線状に広がっている。そして髪の分け目には、たくさんの白髪が縞状に交じっている。

「髪、どうしたの」。わたしは言った。

「あなたのせいで命が縮まったのよ。わかるでしょ」。そう言うと、ママは涙を浮かべてうろたえながら、「どうして返事をくれなかったの？」ときいた。
「どこにいるかわからなかったからよ！」。わたしは答えた。
「だってママの手紙」
「ママの手紙って？」
「数週間前に送ったじゃない」
「そんなばかばかしい手紙、受け取ってないよ。はい、これ。パパから」。わたしはビロードの袋を渡した。ママはそれが何かわかっていて、頬に押し当てると目を閉じた。
「開けて！」。わたしは言った。
ママはひもをほどき、ロケットペンダントを取り出した。中には聖ベルナデットの写真が入っている。ママが建築の賞を取った後にパパからもらったものだ。わたしがそれを見るのは初めてだった。
「これ、何かしら」。ママはカードを取り出して顔から離した。「なんて書いてあるか読めないんだけど」。わたしはカードを奪い、読んであげた。

1．《ビーバー遠近両用眼鏡邸》
2．《20マイルハウス》
3．ビー
4．きみの逃亡
14の奇跡がまだ残っている

「エルジー」。ママはそう言うと、優しくなごんだ笑顔を見せた。
「ママが見つかるってわかってた」。わたしはママを思い切り抱き締めた。「誰も信じてくれなかったけど。でも、わかってた」
「あの手紙。あれを受け取らなかったとしたら――」。ママはわたしの腕を引き離し、顔をのぞきこんだ。「わからないんだけど、ビー。手紙を受け取っていないなら、どうしてここにいるの」
「ママのまねをしただけよ。こっそり逃げ出したの」

7

The Runaway Bunny
ぼくにげちゃうよ

2月21日（月）

ゲイラーストリートに戻った最初の日、音楽室へ向かう途中で、自分の整理棚に寄った。そこには過去数ヵ月のお知らせが詰まっていた。〈リサイクルチャレンジ〉や〈自転車通学デー〉についてのビラなどと一緒に押し込まれていたのは、１通の封筒、ゲイラーストリート校気付でわたし宛てに送られた、切手を貼った封筒だ。差出人の住所はデンバーの請負業者で、筆跡はなんとママのものだった。

ケネディはわたしの顔を見て、しつこくこう言った。「それ何なの？　何よ？　何？」って。わたしはあの子の前でその封筒を開けたくなかった。でも、ひとりで開けることもできなかった。そこで自分の教室へ走って戻った。リーヴィ先生は、空き時間をほかの先生たちと一緒に《スターバックス》で過ごそうと向かいかけているところだった。わたしを見たとたん、先に行ってくれと先生たちに言った。ドアが閉まると、わたしはすぐに何もかもリーヴィ先生に打ち明けようとした。治療介入、ママを助けてくれたオードリー・グリフィン、チョート校、わたしを嫌ったルームメイト、南極、スーリンの赤ちゃん、ママを見つけたこと、そしてこれ、消えた手紙について。でも全部ごちゃまぜになって飛び出してきた。そこで次善の策を取った。ロッカーへ行き、チョートで書いた本を先生に渡したのだ。それから音楽室へ向かった。

昼休みに、リーヴィ先生はわたしに会いにきてくれた。わたしの本をまあ気に入ったと言ったけど、心の中ではもっと手を入れる必要があると思っていたようだ。そこで先生はあるアイディアを思いついた。春の研究プロジェクトのためにそれを完成させたらどうかというのだ。オードリーやポール・ジェリネックやグッドイヤー校長などに書類を提供してくれるよう頼んだらどうかとも提案してきた。もちろんママにもだけど、ママはまだ２週間は南極から戻らない予定だった。リーヴィ先生は、完成させたら、同級生たちと卒業できるようこれまで休んだ分の授業の単位をあげよう、と言った。以上が事の全貌だ。

1月7日（金）

＊

ママからの消えた手紙

ビーへ

　南極大陸のコンテナからこの手紙を書いています。自らの意志で、親知らず４本を獣医さんに抜いてもらうのを待っているところよ。少し話を戻させてちょうだい。

　虫取り網でリビング中を追いかけ回されているあいだに、ママが姿を消したことまでは知ってるわよね。その日の朝は、〈世界お祝いデー〉にいたのを覚えてくれているでしょう。この「世界」の居住者たちと一緒に実際に「お祝い」するのを避けるために、コーヒーテーブルで忙しく働いたの。カップに濃いコーヒーを注ぎ、かき混ぜ、ドンと置く。全部で５杯も。その作業を終えたとたん、一目散に家へ逃げ帰った（親知らずを抜いてもらうためにニイアガード先生の歯科医院へ行ったわけではないの。それはほんとうにばかげた考えだとそのときにはすでに気づいていたから）。そして自分の治療介入に介入してしまい、用を足さなければならないという事実によって、ひどく不快な状況がずっとつらいものになってしまったの。トイレへ行き、耳を傾けると、聞こえてきた。コツコツ、コツコツ。

オードリー・グリフィンが悪魔だとわたしたちは思っていたわよね。でも天使だってわかったの。オードリーはバルコニーからわたしを救い出し、安全な自分のキッチンへすばやく連れていってくれた。そこで、あなたがすでに郵便で受け取っていた、わたしの実にひどい行動について記された書類一式も見せてくれた。

ママがただ逃げ出したように見えるとわかっているけど、いいことを教えましょう。そうじゃなかったの。

エルジーは予定どおりあなたを南極へ連れていくつもりだろうとわたしは思っていた。治療介入の際には断固として意思を変えていなかったから。そこで翌朝、わたしはあなたたちふたりと直接話せるように空港へ向かった（言っておくけど、二度と誰かとパソコンや携帯でメールやメッセージをやり取りしないし、たぶん電話もしない。今後はわたし自身がマフィアになって、直接会って話すことしか絶対しない）。あなたたちが搭乗手続きをしたかどうか問い合わせてみたけど、そうした情報を漏らすのは厳しく禁じられていたから——あの9・11ハイジャックの影響がまだ続いている——、搭乗手続きをして飛行機に乗るしかなかった。

もちろん知ってのとおり、あなたたちはその便に乗っていなかった。わたしは慌てたけど、まもなくきれいなキャビンアテンダントさんからぶっかき氷入りのオレンジジュースを1杯もらった。思いがけずおいしかったから、心はかっか燃えたままマイアミへと旅立ったの。猛烈な損傷追尾式ミサイルみたいに。エルジーは裏切り者で、わたしは真価を認めてもらえない天才だと思い込んでいた。それであの人に会ったら言ってやろうと長たらしいセリフを練習したけど、それは壮大で完璧なものだったのよ。

マイアミで飛行機から降りると、まるで胎内に戻るような気がしたの。

プロバスケットボール選手のレブロン・ジェームズや歌手のグロリア・エステファンが歓迎してくれる声のおかげで、そう感じたのかって？　いえ、《シナボン》〔シアトル発祥のシナモンロール専門店。同店の看板商品名でもある〕のにおいのせいだった。わたしはラージを注文してから、チケットカウンターへ行こうとトラムの乗り場へ向かった。帰りの航空券を買って、運命に身を任せるつもりでいたの。

　まだシナボンを食べていなかったから、ホームで腰を下ろした。トラムが出たり入ったりしている中、シナボンのおいしいふわっとしたところをはがしては、ひと口ずつ味わって食べていたけど、そこでナプキンをもらい忘れていたのに気づいた。両手は砂糖ごろもでべたべたになってしまって、顔もだった。ベストのポケットのひとつにハンカチが入っていたから、外科医のように両手を上げて、そばにいたご婦人に「すみませんが、このファスナーを開けてくれません？」と頼んだ。開けてもらったポケットには、南極大陸に関する本しか入っていなかった。そこでわたしはその本を取り出し、両手と、そう、顔も拭いた。きれいなページで。

　トラムが到着した。ドアがガタンと開き、わたしは座席に座ると、いつの間にかひざに載っていた南極の本をちらっと見下ろした。それは『世界最悪の旅』というタイトルで、著者のアプスレイ・チェリー・ガラードは、スコット船長率いる南極点への不運な挑戦で生き残った人物のひとりよ。裏表紙にはこう書いてある。「人々は南極へ行くのではない。南極に呼ばれるのだ」

　トラムはメイン・ターミナルに着いた。でも、わたしは降りなかった。南極へ向かったの。

　もちろんあなたたちが真っ先にわたしの行方について問い合わせるのはクルーズ会社だろうと思った。そしたらわたしが乗船していると教えてもらえるだろうから、無事でいるとわかるはずだと。いったん出港すれば、連絡の手段がなかったのはさらに幸運だったの。それはパパとママにはどうしても必要なものだったから。３週間の小休止が。
〈アレグラ号〉に乗ったとたん――よくぞ直前になってお偉方に引きずり下ろされなかったとまだ少しびっくりしているけど――、ある博物学者があいさつしてきた。わたしは、ご機嫌いかがですかとその学者に尋ねた。
「元気ですよ」と学者は答えた。「氷へ帰ることさえできればね」
「氷から出てきたばかりじゃないんですか」
「もう３日も前ですよ」。学者はせつなそうに答えた。
　その学者がどうしてそんなことを言うのか想像できなかった。ただの氷なのに。どれほど氷を愛せるっていうの？
　ええ、でもその気持ちがわかったの。忌まわしい船酔いに２日間も苦しんだ末に南極で目を覚ますと、窓の外には、船の３倍の高さ、２倍の幅の氷山があった。ひとめぼれしたのよ。カヤックに乗ることもできると放送が流れたので、わたしは厚着をして、列の先頭に並んだ。すぐ近くで氷に親しまなくてはと感じたから。
　氷。それは幻想的な凍れるシンフォニーで、心は持たなくても生命を宿し、色を帯びている。青よ（雪は白で、氷は青。なぜそうなのか、あなたにはわかるでしょう、ビー。こうしたことに詳しいから。でもママには見当もつかない)。南極は砂漠なのでめったに雪は降らない。つまり氷山は、何億年も前に氷河から分離してできたものだということね（これだから人生ってものは愛さずにいられない。ある日、社会保障番号をロシアのマフィアに提供しているかと思えば、その２週間後には「分離する」などという動詞を使っているんだもの)。何百もの氷を見た。塩塊のように磨き上げられた、大寺院の形をした氷。バチカン宮殿にある大理石の階段のように摩滅されて光沢のある、難破船みたいな氷。リンカーンセンターをひっくり返してあばた状の穴を開けたような氷。彫刻家のルイーズ・ネヴェルソンによって彫られたような飛行機格納庫の姿をした氷。世界博覧会から抜け出てきたかと思える極端なアーチ型の30階建てビルみたいな氷。白いけど、そうね、青くもあり、色相環のあらゆる青があった。紺のブレザーのような濃い青。ネオンサインのようなまばゆい青。フランス人男性のシャツのようなロイヤルブルー。ピーターラビットの布製コートのような淡い青。こんな氷のモンスターたちが不気味な黒い海をさまよっているの。

　氷の年齢、規模、無心さ、生存権には言いようのない気高いものがあった。どの氷山を見ても、わたしは悲しみと驚異の感情でいっぱいになった。言っておくけど、悲しみと驚異の考えではないの。考えには考える人が必要で、ママの頭は風船みたいに空っぽで考えられなかったから。パパについて考えられなかった。あなたについて考えられなかった。そして何よりも自分について考えられなかった。氷のもたらす効果はヘロインのようで（想像しているだけよ）、できるだけ長くその効果を持たせたかった。

　ごく単純な人間との交流でもしてしまえば、世俗的な考えにたたき戻されるだろうと思ったの。だから朝一番に出かけ、一番遅くに戻った。カヤックに乗りに行くだけで、南極大陸本土には決して足を踏み入れなかった。いつも頭を低くして、部屋にこもって眠ったけど、もっぱらただそこにいた。心臓が高鳴ることもなければ、頭の中で考えが飛び交うこともなかった。

　でもあるとき、海上でカヌーを漕いでいると、どこからともなくいきなり声が聞こえてきたの。

「こんにちは！　お手伝いしにいらしたんですか」。あるいはこう言っていたのかもしれない。あなたは良い魔女ですか、それとも悪い魔女ですか、と。その声は元気いっぱいで、周りの青はけばけばしく、氷山はらせん状をしていた。

あいさつしてきたのは海洋生物学者のベッキーよ。ベッキーはゾディアックで海上に出て、水のサンプルを取っているところだった。科学調査基地であるパーマー基地へ向かう途中に〈アレグラ号〉で寝泊まりしているそうで、基地でこれから数ヵ月間暮らすのよ、と言った。

わたしは思った。まさか。実際にこんなところで暮らすなんて無理よ、って。

それからベッキーのゾディアックに乗り込み、植物プランクトン濃度を大声で読み上げてあげた。ベッキーは自慢話をしたがる人間だった。彼女の夫は建設業者で、故郷のオハイオではなんと〈即席建築家〉というコンピュータープログラムを使っていたそうなの。というのも、ジオデシック・ドーム〔測地線を利用した軽量で丈夫なドーム〕を撤去して代わりに調査基地を建てるという南極点でのプロジェクトに推薦してもらいたかったから。

なんですって〜！

今ごろはもうママが自他ともに認める天才だと知っているでしょうね。マッカーサー助成金について話してくれなかったなんて言わないで。話したから。それがどんなに大変なことかを強調しなかっただけよ。実際、かつてはこの国でもっとも将来有望な建築家だと思われていたのに、今ではその名高い才能を、アイダホのナンバープレートをつけているからという理由で目の前の運転手を非難することにささげていると娘に認めたがる人間などいるかしら。

あなたがどんなに悪影響を受けたかわかってるのよ、ビー。あんなに長いあいだ車に縛りつけられ、ママの揺れ動く気分に束縛されていたんだもの。がんばってはみたのよ。運転手について悪口を言わないようにしようと決めたんだから。それでミニバンが駐車場から出てくるのを長いこと待っていたときも、「悪口を言わない」と自分に言い聞かせたの。ところが、後ろの席からあなたが金切り声でこう言った。「ママが何を言うつもりだったかわかってるよ。あの女の人をこのどあほうって言うつもりだったんでしょ」

わたしったら、どうしてこんなことを話しているんだろう。100通りの方法であなたを失望させたと言うためね。100と言ったかしら？　1000と言ったほうがぴったりだけど。

ドームを撤去するとはどういうこと？　撤去したドームをどう処分するつもり？　新しい基地はどんな資材で建てられるの？　そもそも南極で見つけられる資材などあるんだろうか？　ただ氷しかないのでは？　山ほど質問したいことがあった。そこで夕食をご一緒しようとベッキーを誘った。ベッキーときたら、ウエイターたちに対して「どんなにあなたを優遇してやってるかごらんなさい」といった傲慢さを示しながらも(中西部の人らしいわね)、やたらと愛想がよく、いかがわしいでか尻女だった。夕食後、ベッキーはぜひバーに寄ろうと誘ってきた。そこでベッキーがバーテンダーに、故郷のカシミールに残してきた「子どもたち《キンダーズ》」はいくつかなどと尋ねる合間に、わたしはさらに多くの事実を彼女から聞き出したの。

まるでパパみたいだし、あなたがすでに知っていることまで説明しすぎるのを承知の上で言うけど、南極大陸は、地球上でもっとも標高が高く、乾燥していて、寒く、風の強い場所よ。南極点は、平均温度が摂氏マイナス50度で、ハリケーン並みに強い風が吹き、標高３千メートルに位置する。つまり、初期の探検家たちはただそこに着いたわけではなく、到着するには本格的な山登りをしなければならなかったというわけ（ちなみにここでは、アムンセン派、シャクルトン派、スコット派に分かれる。アムンセンは初めて南極点に到達した人物だけど、犬に犬をエサとして与えることによってそれを達成したので、「極地探検家のマイケル・ヴィック〔アメリカンフットボールの選手。闘犬賭博で逮捕〕」呼ばわりされている。彼を好きになっても構わないけど、そのことは秘密にしておきなさい。さもないと狂信者連中と議論を戦わすことになるから。シャクルトンは、3人の中では一番のチャールズ・バークレー〔バスケットボールの人気選手〕タイプね。伝説的人物でスター性があるけど、一度も南極点に到達できなかった。つまり王座を勝ち取れなかったという注釈が必要よ。どうしてこれがスポーツを使ったたとえになったのか自分でもわからない。最後にスコット大佐だけど、彼は失敗したことでかえって神聖視されたのに、今日に至るまで、人付き合いが苦手なせいで十分に認められていない。ママが好きなのはスコット大佐だってわかるでしょ)。南極点は移動する氷床の上にあって、30メートル動くこともあるので、毎年、公式の南極点の標識は移動させなくてはいけない。わたしが建物を造るとしたら、風力で動き、カニのように移動するイグルー〔イヌイットの冬の家〕のようなものにする必要があるということかしら。たぶんそうね。心配してはいないけど。発明の才と不眠症はそのためにこそあるのだから。

どんな建物を造るにしても、アメリカ製のもので統一しなくてはいけないだろうな。すべての資材、釘までも空輸しないと。アメリカから南極点まで物資を運ぶことはとても高くつくから絶対に何ひとつ無駄にできない。20年前は、20マイル〔32キロ〕以内の資材のみを使ってごみをまったく出さずに家を建てた。でも今回は9千マイル〔1500キロ〕ほども遠くの資材を使わないといけないだろう。

そんなことを考えていると、胸がドキドキしてきた。死んでしまうといったたちの悪い動悸ではないのよ。質の良い動悸で、「やあ、何か手伝えることある？　ないなら、今からこんな命なんかぶちこわしてやるから、よけて」とでもいった感じ。

それからずっとこう考えていた。南極に家族旅行するという思いつきはなんてすばらしかったんだろうって！

ママのことはわかってるわよね。いえ、わかってないのかも。とにかくそれからずっと日中はまるまる、新しい南極点基地を建てる仕事をどうやって横取りしようか戦略を練って過ごすようになったの。日中まるまるというのは、日が沈まないから24時間のことよ。

誰かにきかれたなら——弁護してあげるために言うと、あの『アートフォーラム』の記者は果敢に挑んできたけど、受信トレイにあの記者の名前を見るたびにわたしは必死になって削除キーを押しまくった——、自分を偉大な建築家だと考えたことはなかったと答えるでしょう。むしろ創造的で、問題を解決する能力のある人間で、センスが良く、必要な物資の調達が困難な状況を好むタイプなの。なんとしてでも行かなくちゃと思った。たとえ南極点の目印に片手を置き、周りの世界がほんとうに回転したと言うことができるからにすぎないとしても。

２日間続けて眠れなかった。戦略を練るのがおもしろくてたまらなかったから。南極点、マクマード、パーマーの基地はすべてデンバーを拠点とする同じ軍事請負業者によって経営されている。南極活動の責任者は、来月はたまたまパーマー基地にいるとわかった。わたしをこうした活動にもっともつなげてくれるのはベッキーだ。そのとき決心したの。ベッキーがもっとロールパンをくれとウエイターに頼むたびにどれほど大げさに詫びようが構うもんか。彼女について回ろうと。

ある日のこと、わたしはベッキーと一緒に、水上に浮かんでいる科学実験所にいて、数字を読み上げていた。ごく何気なく、パーマー基地までついていけたら楽しいでしょうね、と言ってみたの。すると興奮した言葉が返ってきた。民間人は許されていない！　必須要員だけよ！　５年待ちなの！　科学者にとっては世界でもっとも激しい競争社会なのよ！

許可証を書くのに何年もかかったんだから！

その晩、ベッキーに別れを告げられた。わたしたちの船はパーマー基地とは離れていたので、ショックだった。だけど、１隻の船が彼女を乗せるために午前３時に立ち寄る予定だった。結局、ここ南極には、マイクロソフトの〈コネクター〉と同じように闇の輸送網があるということね。その船は海洋観測船で、定期的に人員や物資をさまざまな基地に輸送し、たびたびクルーズ船と連結しては、遠い基地のための補給船としても役立っているの。

その船が来るまでほんの６時間しかなかった。パーマー基地に連れていってほしいとベッキーを説得するすべはない。わたしは絶望的な気持ちでベッドにいたけど、ちょうど３時になると、巨大なトウガラシ色の老朽船〈ローレンス・M・グールド号〉がそっと近づいてきた。

わたしはマッドルームへ行き、最前列の席を取って自分の将来が静かに去っていくのを見守ろうとした。浮きドックに積み重ねてあったのは、ベッキーの荷物が詰まった箱と新鮮な農産物入り木箱50個。オレンジ、スカッシュ、キャベツの箱がある。眠そうなフィリピン人船員が、浮き沈みする無人のゾディアックにその箱を積み込んでいる。すると突然、パイナップルの木箱がこちらめがけて突進してきた。

わたしはふと気づいたの。数日間ベッキーと一緒にプランクトン測定に出かけていたから、この男はわたしのことを科学者だと思っていると。そこでその木箱を手に取り、ゾディアックに飛び乗り、船員がわたしにさらに木箱を渡してくるあいだそこにとどまった。それ以上積めなくなると、船員はゾディアックに飛び乗って、エンジンをかけた。

そんなふうにいとも簡単に、わたしは巨大で実用一点張りの〈ローレンス・M・グールド号〉に向かったの。わたしたちの乗ったゾディアックは、同じように眠そうで怒りっぽく見えるロシア人船員に迎えられた。

フィリピン人はゾディアックに残り、わたしは〈グールド号〉のドックに上がって荷下ろしを始めた。ロシア人船員は木箱の到着を記録することしか関心がなかった。ゾディアックの荷が空っぽになると、これが現実の出来事なんだと確かめるために、わたしはフィリピン人に軽く手を振った。その船員はひとりで〈アレグラ号〉へと戻っていった。

それでなんとわたしは〈ローレンス・M・グールド号〉を踏みしめて立っていたってわけ。最高だったのは、〈アレグラ号〉から降りたことはスキャンされていなかったことね。下船したという記録はなく、たぶんウシュアイアに着くまでいなくなったことは知られずに済むだろうし、そのころまでにはあなたに連絡できるはずだと思った。

〈アレグラ号〉を振り返り、感謝を込めてうなずいた。するとその船の開口部で、ベッキーらしき人影が残っている物資をゾディアックに積み始めるのが見えたの。彼女に対する理不尽な嫌悪感がまたもやわいてきた。それでこう思った。なんのためにベッキーが必要なの？　ベッキーはわたしのボスなんかじゃない、って。

船腹にたどり着き、ディーゼル燃料や揚げ物やタバコが入り混じったような嫌なにおいのする複雑に入り組んだ通路を通っていった。すると毛玉だらけのパステルカラーのソファーや、箱型テレビの置かれた小さなラウンジを見つけた。エンジンがとどろくあいだそこに座っていた。船が岸を離れていくときもそのままで、さらにもうしばらく座っていた。それから眠りに落ちた。

ベッキーの金切り声で目が覚めた。朝食の時間までには、数人の船員がわたしの眠っている姿を見て尋ね回っていたみたいなの。幸運にも、その船はパーマー基地からたった6時間のところにいたので、ベッキーは、わたしを南極活動の責任者のエレン・アイデルソンに引き渡すべきだと考えた。そこでそれから先、わたしはラウンジで囚《とら》われの身となり、好奇心の的だった。ロシアの科学者たちはラウンジをのぞき込んでは、わたしが映画『ロレンツォのオイル／命の詩』を観ているのを観察した。

パーマーに着いたとたん、ベッキーに襟首をつかまれ、愛するリーダー、エレン・アイデルソンのところへ連れていかれたの。ベッキーにとっては残念なことに、ただ働きするし、どんな仕事もいとわない、とわたしがきっぱり言うと、エレンはとても喜んだ。

「けど、この女はどうやって家に帰るんです？」。ベッキーは泣き叫ぶように言った。

「〈グールド号〉に戻したらいいでしょ」。エレンは言った。

「でも、ベッドはいっぱいですよ」

「ええ。わたしたちはいつだってそう言うわよね」

「そもそも、この女はパスポートを持っていません。〈アレグラ号〉に置いてありますから」

「それは本人の問題でしょ」

わたしたちふたりは、ベッキーがぷりぷりして出ていくのを見送った。

「あの人、許可証を書くのはほんとうにじょうずなんだけど」。エレンはうんざりしたように言った。「敵の敵は味方」とはまさにこのこと。〈6月は一斉に花開く〉〔ミュージカル『回転木馬』に出てくる歌のタイトル〕ってものね。

それからわたしはマイクに引き渡されたの。マイクはボストン出身の元州上院議員で、どうしても南極に滞在したかったので、訓練を受けてディーゼル機械工になっていた。彼は、発電機収納箱の周りのデッキをサンドペーパーで磨いてペンキを塗る仕事をわたしにあてがうと、工業製サンドペーパーの束をくれた。磨く前には木材の表面を削る必要があった。わたしはパテナイフを持っていたけど、切れ味が悪かったので、キッチンで砥石を借りることができるだろうと思った。

そこでキッチンへ入っていくと、シェフと内緒話をしていたエレンは

「彼女よ」と言った。そしてピクニックテーブルを指さした。わたしは素直に座った。
エレンは開いたノートパソコンを持って近づいてきた。
画面にはわたしのウィキペディアのページが表示され、その後ろのウィンドウには『アートフォーラム』のホームページも出ている（ちなみに、ここのネットほど速いものにお目にかかったことはないわ。軍用か何かだからでしょうね。モットーはこうあるべきよ。「パーマー基地――氷のためにお越しください。インターネットのためにご滞在ください」）。
「かっこよくなかったわよ。あなたのしたことは。〈グールド号〉にこっそり乗り込むなんて。ベッキーにあれ以上興奮してもらいたくなかったから、ああ言っただけよ。士気をなくさせるもの」
「ごもっともです」
「何がお望み？　どうしてここにいるの？」
「娘に手紙を出さなくてはいけません。メールではなくほんとうの手紙です。17日までにシアトルに着くように」。どうしてもあなたにこの手紙を受け取ってもらう必要があったの、ビー。誰にも心配をかけなくて済むように、船がウシュアイアに戻るまでには。
「郵便袋は明日発送される予定よ。間に合うでしょう」
「それに南極点基地を設計してみたいんです。でも直接そこへ行って、雰囲気をつかむ必要があります」
「そうね。どうしましょ」
エレンはこれがいかに不可能なことかについて話し始めた。南極点へ向かう飛行機は、パーマーから2100海里離れたマクマード基地からのみ出発する。そこに着くまでは比較的簡単なものの、南極点への飛行はまたとびきり難しい。座席はきっちりＥＰ（必須要員）のために確保されているし、わたしを乗せるとＥＰでない人間も乗れるという例外を許すことになる。

　この説明の途中で、エレン・アイデルソンはまさに建設業者なんだとわたしは気づいた。彼女は建設業者をテーマとする歌舞伎を演じていたの。それは次のように執り行われる。(a) 建設業者は依頼された仕事が不可能であることを依頼人に事細かに説明する。(b) 依頼人はそんな大変な提案をしてしまったことさえ深く後悔し、要求を撤回する。(c) 建設業者はそれを実行する方法を見つけたと依頼人に話す。(d) 依頼人はなぜか、そもそも雇った目的である仕事をしてくれることに対して建設業者に感謝する。

　わたしたちは見事に自分の役割を演じたのよ。エレンはさまざまな問題点をすらすら挙げていき、わたしはそんなばかげた軽率な依頼をしてしまったことに対しぺこぺこ謝った。そして真剣な顔でうなずき、サンドペーパーで磨く仕事に戻った。５時間後、エレンはオフィスへ来るように口笛で合図してきた。

「あなた、ついてるわよ。わたしは変人と謎めいた人と天才が大好きでね。マクマードから南緯90度《ナインティ・サウス》〔南極点のこと〕へ向かう予定のハーキュリーズ〔米空軍の輸送機C-130〕で空きが見つかったの。その飛行機は６週間後にマクマードを出発するから、あなたは５週間後にパーマーを出ていくことになるでしょう。まる３時間の飛行中は立ったままでいないといけないけど。気象観測用の気球や粉ミルクやジェット燃料と一緒に詰め込まれた状態でね」

「立ってるのは平気です」

「そう言っていられるのも今のうちよ。ひとつ質問があるんだけど。親知らずは全部残ってる？」

「ええ……」。わたしは答えた。「どうしてそんなことをきくんです？」

「親知らずのある人間は南極点に行かせてはいけないことになってるの。数年前、親知らずが感染した３人を空輸しなければいけないことがあってね。どのくらい費用がかかるかなんてきかないで。そこで規則を設けたってわけ。親知らずのある人間はだめって」

「まったくもう！」。わたしはヨセミテ・サム〔アニメ『ルーニー・テューンズ』に登場するガンマン〕みたいにぴょんぴょん飛び跳ねた。よりによってあのいまいましい歯医者の予約をすっぽかしたからという理由で、南極点に行けるチャンスをみすみす逃してしまうことにすごく腹が立っていたの！

「落ち着いて。抜いてあげるから。でも、今日抜かないと」

わたしの体は少しガクンと揺れた。ここに単なる意欲を刺激的な新しいレベルへと引き上げてくれる女性がいたのよ。

「だけど、あなたは自分がどんな状況に陥ることになるか知っておかないと。南極点は世界で一番ストレスのたまる生活環境だと考えられているから。好きになれそうもない20人と狭い空間に閉じ込められるの。わたしに言わせれば、みんなもともとかなり嫌な人たちだし、孤立することによってもっと嫌な人間になってしまうのよ」。エレンはクリップボードを渡してきた。「越冬する人が受ける心理スクリーニング検査よ。700問あって、ほとんどはばかげた質問だけど。まあ見て」

わたしは腰を下ろし、それをぱらぱらめくって適当なページを開いた。「○か×で答えよ：自分の靴をすべて色ごとに並べる。もしちゃんと並べられていないと気づけば、暴れ出すことがある」。エレンの言うとおり、ばかげている。

もっと意味があるのは表紙で、そこでは南極点での極端な条件にもっとも耐えられそうな人の心理学的特性が明記されていた。それは「無関心な態度を取り、反社会的傾向のある者」で、「狭い部屋だけで多くの時間を過ごすのを快適だと感じ、外出し運動する必要性を感じない」人間で、極めつけは「長時間シャワーをしないでいられる」タイプだったの。

この20年間、わたしは南極点で越冬するための訓練をしていたってことね！　何かの適性があると自分でもわかってはいたけど。

「うまくやっていけます」。わたしはエレンに言った。「娘が認めてさえくれたら。あの子に断っておかないと」
「そんなの簡単よ」。エレンはそう言うと、ようやくにっこり笑った。
　ここにはオットセイを研究している男がいるの。彼はカリフォルニア州パサデナ出身の獣医でもあり、ウマの歯科学の学位まで持っている。以前は競走馬のゼニヤッタの歯を磨いていたそうよ（言っておくけど、ここにはいろいろな人がいるの。今日のランチでは、ノーベル賞を受賞した物理学者が「パッチワークキルト多宇宙」について説明してくれた。ノースフェイスのアウトドアウェアを着た保護者が突っ立っているゲイラーストリート校のお迎えについて話してるわけじゃないわよ。それは量子物理学の概念で、無数の並行宇宙で起こりうるすべては実際に起こっているという考えなの。まったくもう、今はうまく説明できない。でも、ほんとうにランチのほんの一瞬は理解していたの。わが人生のほかのあらゆることみたいに――手に入れたと思ったら失ってしまった！）。
　それで、獣医に親知らずを抜いてもらうことになったってわけ。基地の医者、ダグが彼の手伝いをするそうよ。ダグはアスペンから来た外科医で、七大陸すべてでスキーをするという生涯の目標の一環としてここに来た。ふたりは、わたしの親知らずを抜くのなんてちょろいことだと自信たっぷり。何しろ４本ともすでに歯茎を通って出てきているし、変な角度で生えているわけではないから。なぜか愛想の良いニュートリノ専門家のキャルもこの抜歯に参加したがっている。わたしはみんなに好かれているみたいで、それは新鮮な農作物を持ってきた事実と女性不足に大いに関係があるの。わたしはふだんなら５点の並の女だけど、船に乗って南極へ来たら10点満点の美人になったというわけ。
　ビー、南極点にたどり着ける一度きりのチャンスをつかんでいるの。〈ローレンス・M・グールド号〉は５週間後にマクマードへ向かう予定だから。ママの幸運がこのまま続けば、そこから例のそりを装備したハーキュリーズに乗ってナインティ・サウスへ行けるのよ。だけど、あなたから返事をもらった場合にだけ行くつもり。下記のメールアドレスにエレン・アイデルソンを通じて連絡をちょうだい。もし返事をもらえなければ、とりあえずあのマクマード行きの船に乗って、そこから飛行機で家に帰るつもりよ。

XXXX

外科医のダグが局所麻酔剤のノボカインと鎮痛剤のバイコディンをくれた。ニュートリノのキャルが参加した唯一の理由は結局のところこれだった。薬箱に鍵がかかっていないと聞きつけたからよ。キャルはもういないの。わたしが正体をなくすまであまり時間がない。さあ、大事な話をしましょう。

ビー、パパを憎まないで。ママがあなたの分も憎んでるから。そうはいってもパパを許すかもしれない。パパとママはお互いがいなかったらどうなるかわからないもの。いえ、パパにはわかってるわね。秘書と関係を持つ男だから。でも、ママがどうなるかは自分でもわからない。

あなたが幼かったころにママの嫌いだったところを全部覚えてる？　ママが歌うとあなたは嫌がった。踊ると嫌がった。毛布の山を肩にかついで通りを歩き回るあのドレッドヘアのホームレスのことを「わが兄弟」と呼ぶと、ほんとうに嫌がった。あなたはママの親友よ、と言うと嫌がった。

最後のことについてはあなたと同じ意見よ。わたしはあなたの親友じゃない。母親だから。母親として２つ宣言しておきたいことがあるの。

まず、ストレートゲートを引き払いましょう。あの家は数十年ずっと悪夢で、ママが指をパチンと鳴らすと、わたしたち３人はこの悪夢から目覚めるでしょう。

数ヵ月前、オリー・オーという変人から電話をもらったの。ゲイラーストリートの新しいキャンパスのために資金を集めている人よ。あの学校にストレートゲートをあげるか、１ドルで売り渡したらどうかしら。紛れもない事実だけど、ゲイラーストリートはこれまでの人生で出会った最高のものだった。だって、あなたの面倒をとてもよく見てくれたから。先生方はあなたを愛してくれたし、あなたはあそこでバラからフルートを演奏するクリシュナへと成長したんだもの。あの学校はキャンパスを必要としていて、わたしたちは普通の人みたいに暮らし始める必要があるし。

あの家の芝地に出て頭をのけぞらせた午後を懐かしく思うでしょう。シアトルの空はとても低いから、神さまがわたしたちの頭上に絹のパラシュートを落としてくださったように感じた。これまで味わったことのある感情はすべてあの上空にあった。キラキラ光る喜びにあふれた日の光。ふわりと浮かんだクスクス笑っている雲のたなびき。まばゆいばかりに柱状に差し込む太陽。金、ピンク、そしてまさにチーズのようなペールオレンジ色に輝く天体。歓迎し許してくれ、鏡に挟まれているみたいに地平線の彼方まで無限に続く巨大な綿雲。今は遠くで悲惨なほど激しく降り注いでいるかと思うと、まもなくこちらに移ってくる幾片もの雨。一方で空のほかのほうを見上げると、真っ黒に染まっているだけで、雨は降っていない。

空はまだらになり、層をなし、渦巻き、絶えず動き、激しく回転し、時にはヒューッと通り過ぎていく。空はとても低かったので、時にはその流れに手を伸ばしてみた。ビー、あなたが初めて３Ｄ映画を観たときのように。あのときのママは固く信じていた。空をつかめ、それから――空になれると。

あのばかな連中はみんな思い違いをしているの。シアトルの一番の魅力は天気よ。世界中の人が海の見える場所を持っている。だけど、シアトルの海の向こうには、常緑で縁取られたベインブリッジ島と、その上にいきなり現れる、岩だらけで、地ならしされた雪をかぶったオリンピック山脈がある。つまりママが言いたいのは、シアトルが恋しいってこと。あの山と海が。

２番目の宣言は、あなたを寄宿学校へ行かせないことよ。ええ、自分勝手だけど、ママはあなたのいない生活に耐えられないもの。でも本気でこう言うのだけど、もっぱらあなた自身のために行かせたくないのよ。あなたはあのお高くとまった金持ちの子どもたちと絶対に合わないと思う。あの子たちはあなたとちがう。あの秘書の言葉を借りて言うなら、「洗練という言葉を使いたくないけど」（はいはい。わたしたちふたりとも秘書からのメールについてパパを絶対にからかわないと誓う必要があるわね。あのことを考えるとつらい思いをするかもしれないけど、ほんとうになんでもなかったの。パパはかわいそうに、きっとすでに恥ずかしくてたまらないと思っているでしょう。ママが戻るまでにパパがあの女を振っていなかったとしても、大丈夫。ママがぴしゃりとたたいて追い払ってあげるから）。

ビー、あなたは地球の、アメリカの、ワシントン州の、シアトルの子なの。あの東海岸の金持ちの子どもたちはあなたとは別の人種で、どこにも通じていない出世街道をひた走っている。シアトルのあなたの友だちは優しく、その点ではまさにカナダ人みたいね。誰も携帯電話なんか持っていないし。女の子たちはパーカーにだぼだぼの綿のアンダーパンツといった姿で、髪がもつれたままほほ笑み、柄物のリュックサックを背負って歩き回っている。あなたたちはファッションとポップカルチャーにかぶれていないけど、それがなんて珍しいことか知ってる？　１ヵ月前、ママが俳優や映画監督をしているベン・スティラーの話をしたときに、自分がどう反応したか覚えてる？　「それ、誰？」って。あなたを改めて好きになった。

ママのせいなの。ママの身に降りかかったことはすべてシアトルのせいじゃない。いえ、やっぱりシアトルのせいかも。ここの人たちはかなり退屈だもの。でも、ママがもっと芸術家らしくなって脅威でなくなるまで最終判断を下すのはやめておきましょう。あなたにひとつだけ約束する。前に進むって。

申し訳ないけど、あなたには選択肢はないの。ママと、ママたちと一緒に家にいるしかないのよ。それに、逃げた子ウサギから手紙やメールをもらいたくなんかない。逃げようとする子ウサギは、思いとどまって家に残るの。

承諾してちょうだい。そしたらもう１ヵ月留守にするから。家に帰ったらママは新しい南極点基地の設計に取りかかり、あなたはゲイラーストリートを卒業してレイクサイドに通い、パパはマイクロソフトで世の中をより良い場所にし続け、みんなで普通の家へ移りましょう。クラフツマンがいいかも。

承諾してちょうだい。そして、ママはいつもあなたのそばにいるってことを覚えていてね。

ママより

謝辞

感謝します……。
熱心で洗練されたエージェントであり、親愛なる友であるアナ・スタインに。
優しさと才気にあふれた信念をもつ人物、ジュディ・クラインに。
温かさと情熱を示してくれたイギリスのエンジェル、アルズ・タフスィンに。

両親——恥ずかしくなるほど私を信じてくれたジョイスと、作家になりたいと思わせてくれたロレンツォ——に。

直接ご協力いただいた方々——ヘザー・バルビエリ、ケイト・ベイラー、ライアン・ブーディノット、キャロル・カッセラ、ジジ・デーヴィス、リチャード・デイ、クレア・デデラー、パトリック・デウィット、マーク・ドリスコル、ロビン・ドリスコル、サラ・ダン、ジョナサン・エヴィソン、ジョナサン・フランゼン、ホリー・ゴールドバーグ・スローン、キャロライン・ヘルドマン、バーバラ・ヘラー（あなたから手紙をもらっていなければ、どんな大変な状況になっていたか考えるだけでもぞっとします）、ジョハナ・ハーウィッツ、ジェイ・ジェイコブズ、アンドリュー・キッド、そしてわがローマの輝く星であるマシュー・ニールに。特に、ポール・ルボウィッキに！　クリフ・マス、ジョン・マケルウィー、サリー・ライリー、マハー・サバ、ハウイー・サンダーズ、ロレンツォ・センプル3世、ガース・スタイン、フィル・スタッツ、ウィンク・ソーン、クリストル・ホワイト、ジョン・ヤンカーに。

カッセラのお嬢さんたち――エリーズ、ジュリア、サラに。彼女たちの礼儀正しさと魅力なくしては、ビーという人物は生まれなかったでしょう。

リトル・ブラウン社の皆さん――テリー・アダムズ、レーガン・アーサー、エミリー・カヴェドン、ニコル・デューイ、ヘザー・フェイン、キース・ヘイズ、マイケル・ピーチ、ネイサン・ロストロン（時々、私の作家としてのキャリアすべてが、あなたに電話に出てもらうための精巧な策略なのではないかと思うほどです）、ジェフ・シャンドラー、アマンダ・トビエール、ジェーン・ヤッフェ・ケンプに。

ヴァイデンフェルト＆ニコルソン社の皆さん――エリザベス・アレン、ソフィー・バカン、ジェス・テイ、マーク・ラッシャーに。

ミア・ファロー、メリル・マーコー、ピーター・メンチ、アン・ロス、ジェームズ・ソルター、ラリー・ザルツ、ブルース・ワグナーに心から終生感謝します。

シアトル周辺の方々――M校の保護者や教職員に（どなたもリーヴィ先生みたいで、ブヨなどひとりもいません）。シアトル・セブン・ライターズ、エリオットベイ・ブックカンパニー、ユニヴァーシティ・ブックストア各店、リチャード・ヒューゴ・ハウスの仲間たちに大いに感謝します。

そして誰よりも、ジョージ・マイヤーに。彼はいつも、私が外の世界を遮断して執筆に専念できるよう、優しく愚痴もほとんどこぼさず、矢面に立ってくれています。そばにいてくれてありがとう、あなた。

訳者あとがき

「シアトル」と聞いて、みなさんはまず何を思い浮かべますか。マイクロソフト、アマゾン、スターバックスといった世界有数の企業でしょうか。あるいは、イチロー選手が活躍したシアトル・マリナーズかもしれませんね。シアトルは、アメリカ北西部ワシントン州最大の都市。海・湖・山に囲まれた美しい街であることから、「エメラルド・シティ」とも呼ばれていますが、本書には、この都市で見られる社会現象を表す「シアトル・フリーズ」という言い回しが出てきます。シアトル市民は、他人と距離を置き、仲間内にしか打ち解けない傾向があると言われているそうなのです。そんなシアトルへ引っ越してきて友人作りに失敗した女性が、この物語の主人公バーナデットです。

バーナデットは、シアトルの高級住宅街クイーン・アンで暮らす50歳の専業主婦。夫のエルジン（愛称：エルジー）はマイクロソフト社に勤め、史上４番目の視聴率を誇るTEDトークをしたエリートITエンジニア。15歳のひとり娘ビーは成績優秀で、しっかり者。そんな恵まれた生活を送っているように見えるバーナデットには、ロサンゼルスで暮らしていた頃に天才建築家だったという華々しい過去もあります。けれど、20年前にシアトルへ移り住んでからというもの、この街に馴《な》染《じ》めないまま年月が過ぎ、すっかり人嫌い・外出嫌いになり、ママ友たちともうまく付き合えず、ついにはインド在住のバーチャル秘書に、日常の買い物からすぐ近所のレストランの予約までメールで言いつける始末です。

クリスマスの１ヵ月前、バーナデットは、優秀な成績を収めた褒美として南極旅行へ連れていってほしいとビーからねだられると、仕方なく承諾しますが、クルーズ船で大勢の人と接触しなくてはいけないと思うと気が重いうえ、船酔いも心配で、ますます突飛な行動が目立ってきます。そしてクリスマスの２日前、自宅にいたはずのバーナデットは、忽《こっ》然《ぜん》と姿を消します。バーナデットはどこへ行ったのか。どうして消えたのか。そもそも、あれほど人嫌いになったのはなぜか。ビーは自らその謎を解明し、母を捜そうと決心します。さて、バーナデットは見つかるのでしょうか……。

本書を読み始めてしばらくは、このバーナデットという人物にあまり親しみを持てないかもしれません。シアトルやママ友を毛嫌いしている変わり者かと思えば、実は天才建築家だったなんてあまりに現実離れした設定ですから。けれどストーリーが進むにつれ、バーナデットの人となりや背景が徐々にわかってくると、この主人公がどこにでもいそうな身近な女性に思えてきて、応援したくなることでしょう。建築家仲間のポール・ジェリネックから「きみのような人間は創造しなければいけないんだ。もし創造しないなら、バーナデット、きみは社会にとって脅威となるだろう」と警告されたことからも明らかなように、バーナデットが奇妙な行動を取っていたのは、能力がありながら、自分の生きがいだった仕事を失い、それと同時に自分自身も見失ってしまい、苦しみもがいていたからなのです。特に女性の中には、程度の差はあれ、似たような苦悩を味わったことがある方も案外多いのではないでしょうか。

ここで、本書の独特なスタイルについてお話ししたいと思います。まだ本文をお読みになっていない方も、ページをぱらぱらめくればお気づきのように、本書は、登場人物たちの手紙やＥメールのやり取りから、学校のお知らせ、雑誌の記事、精神科医の記録、警察調書に至るまでさまざまな文書をベースにし、それをビーのナレーションでつなげることによって、ストーリーが構成されています。というのも、読み進めていくとおわかりになるとおり、実はこの物語は、ビーがこうした文書をもとにして綴《つづ》った１冊の「本」なのです。そこで、邦訳書を出すにあたっては、小説には珍しく「横書き」になりました。この独特なスタイルに、みなさんは最初ちょっと戸惑いを覚えるかもしれませんが、こうした斬新な手法が取られたことで、登場人物たちが生き生きと描かれているのではないかと思います。

この物語の読みどころは、なんといってもバーナデットとビーの親子関係でしょう。バーナデットは、社交性に欠けるばかりか、家事もほぼ放棄し、欠陥だらけの人間に見えますが、娘への愛情の深さにかけては他の親に引けを取りません。だからこそビーは、健気にも、行方不明になった母を必死で捜そうとします。周囲の人がどう思おうが、バーナデットは、ビーにとっては良い母親、そして親友なのです。

また、終盤の舞台が南極であることも魅力のひとつとなっています。著者のマリア・センプルは、本書の執筆中に南極を旅して回り、その際の体験が、この物語の構想を練るにあたって大いに役立ったそうです。日本から南極へはそう簡単に行けませんが、この本を通じて、みなさんに氷の世界の美しさを少しでも感じていただけたなら幸いです。

そしてもうひとつ魅力を挙げるとしたら、やはりコミカルな点でしょう。*The Fault in Our Stars*（邦題：『さよならを待つふたりのために』）などを著したアメリカのベストセラーYA（ヤングアダルト）作家、ジョン・グリーンは、本書の刊行時にこんな賛辞を寄せています。

——ここ10年に読んだもののうちで一番面白い本だ。機内で涙が出るくらい笑った。妻は、ぼくが正気を失ったのではないかと思ったほどだ。数日後に自分も読んでみるまでは……。——

こうしたユーモアたっぷりの物語がどうして生まれたかについては、著者の経歴に触れておく必要があるでしょう。著者のマリア・センプルは、アメリカ・カリフォルニア州サンタモニカ生まれ。父親は、テレビシリーズ「バットマン」などを手がけた著名な脚本家のロレンツォ・センプル・ジュニアです。そんな父親の影響を受け、マリア・センプルは大学を卒業すると、ロサンゼルスで15年間にわたってテレビ脚本家を務め、コメディ・バラエティ番組「サタデーナイトライブ」や、シット・コム（シチュエーション・コメディ）「Ellen（原題）」、「あなたにムチュー」（原題：Mad About You）、「ブル～ス一家は大暴走！」（原題：Arrested Development）など、ヒット作を多数手がけます。しかし、娘の出産を機に休業し、パートナーである、人気テレビアニメ番組「ザ・シンプソンズ」の脚本家ジョージ・マイヤーと、娘と共に、シアトルで新しい生活を始めます。そのとき馴染むのに苦労した経験が、後になって本書を著す際に活かされているそうです。

2008年には*This One is Mine*（未訳）で小説家デビューを果たし、このデビュー作は2010年に太平洋岸北西部書店協会賞の候補作となりました。2012年に第２作である本書が刊行されると、英米でベストセラーとなり、米タイム誌の年間ベスト10小説に選ばれました。また翌年にはアレックス賞を受賞し、女流小説賞（旧オレンジ賞）の最終候補作となり、約30ヵ国語に翻訳出版されました。そしてついには、リチャード・リンクレイター監督、ケイト・ブランシェット主演で映画化を果たし、2019年８月に全米公開されました（日本での公開日は未定）。訳者はDVDで映画を鑑賞しましたが、原作のイメージを見事に再現し、印象的なせりふがそのまま使われているシーンも多く、映像美にあふれた心温まる映画に仕上がっていました。機会がございましたら、ぜひ原作と合わせてそちらもお楽しみいただきたいです。

2016年には、センプルにとって小説第3作にあたる*Today Will Be Different*（未訳）が刊行され、たちまち世界的ベストセラーとなりました。また同年、センプルは、米ハリウッド・レポーター誌が選ぶ「ハリウッドでもっとも影響力のある作家25人」2016年版で、25位にランク入りもしました。まさに、今後の活躍が期待されるアメリカ人現代作家のひとりといっても過言ではないでしょう。そんな作家を日本の読者にご紹介できて光栄です。

最後になりましたが、編集を担当してくださった朴洵利さんに心よりお礼を申し上げます。そして、読者のみなさんにも感謝の気持ちでいっぱいです。この本を読んで、くすくす笑ったりほろりとしたりと楽しいひとときを過ごしていただけたとしたら、訳者としてこんなに嬉しいことはありません。

2022年秋

北村みちよ

▶**著者略歴**

マリア・センプル（Maria Semple）

幼少期は両親と共にヨーロッパを旅して回り、のちにロサンゼルスで暮らす。父が脚本家として名をなすと、一家はコロラド州アスペンへ移住。チョート・ローズマリー・ホール校、バーナード・カレッジで学んだのち、15年にわたってロサンゼルスでテレビ脚本家を務め、数々のヒット作を手がける。現在はシアトル在住。

▶**訳者略歴**

北村みちよ（きたむら みちよ）

英米翻訳家。鎌倉市出身。東京女子大学文理学部英米文学科卒。訳書に、ニーナ・ウェグナー『英語で聞く 世界を変えた女性のことば』(IBCパブリッシング)、『ウィルキー・コリンズ短編選集』(彩流社）など。

バーナデットをさがせ！

2022年11月30日　初版第１刷発行　　定価はカバーに表示してあります。

著者　マリア・センプル
訳者　北村みちよ
発行者　河野和憲
発行所　株式会社 彩流社
〒101-0051 東京都千代田区神田神保町３–10 大行ビル6階
TEL：03-3234-5931 FAX：03-3234-5932
ウェブサイト：https://www.sairyusha.co.jp
E-mail：sairyusha@sairyusha.co.jp
印刷　明和印刷㈱
製本　㈱村上製本所
装幀　仁川範子
装画　©コバン・ミヤガワ
乱丁本・落丁本はお取り替えいたします。

ISBN　978-4-7791-2669-7 C0097